1,-

BASTEI
LÜBBE

Von Alex George erschien bei Bastei Lübbe Taschenbuch:

14 410 Wir können auch anders

Über den Autor:

Alex George, Jahrgang 1970, ist verheiratet und lebt in London.

ALEX GEORGE

Keine halben Sachen

Roman

Aus dem Englischen von
Hans Link

BASTEI LÜBBE TASCHENBUCH
Band 14789

1. Auflage: Oktober 2002

Vollständige Taschenbuchausgabe

Bastei Lübbe Taschenbücher ist ein Imprint
der Verlagsgruppe Lübbe

Deutsche Erstveröffentlichung
Titel der englischen Originalausgabe: Before Your Very Eyes
© 2000 by Alex George
© für die deutschsprachige Ausgabe 2002 by
Verlagsgruppe Lübbe GmbH & Co. KG, Bergisch Gladbach
Einbandgestaltung: Tanja Østlyngen
Titelbild: Victoria Blackie/STONE
Satz: hanseatenSatz-bremen, Bremen
Druck und Verarbeitung: Ebner & Spiegel, Ulm
Printed in Germany
ISBN 3-404-14789-8

Sie finden uns im Internet unter
http://www.luebbe.de

*Für meine Mutter und meinen Vater,
Alison und Julian George,
in Liebe und mit der Bitte,
mir meine Ausdrucksweise zu verzeihen*

Mich fällt dein Spiel wie wahre Liebe an,
Wie ein gewaltiges Ja.

»Für Sidney Bechet«
PHILIP LARKIN

1. KAPITEL

Simon Teller küsste die Karte. Es war ein zögernder, verstohlener Kuss, der sich quasi für seine Existenz entschuldigte. Ein kleiner Kuss, der gar kein echter Kuss sein wollte. Simons Lippen kräuselten sich kaum, als sie die weiße Pappe streiften. Es fühlte sich gut an. Er las die Karte noch einmal und küsste sie dann mit einem wohligen Seufzen erneut. Da er sich jedoch plötzlich ziemlich dumm dabei vorkam, legte er sie auf den Küchentisch.

»Okay«, sagte er laut. »Gut.«

Er nahm die Karte wieder zur Hand und ging damit ins Wohnzimmer.

Dort fluchte er lautlos. Das war das Problem bei diesen modernen Kleinwohnungen. Die Architekten hatten sämtliche Kamine abgeschafft. Ohne einen Kamin aber hatte man keinen Kaminsims, und ohne Kaminsimse – na ja. Wo sollte man mit seinen Einladungen hin?

Denn das war der Grund für Simon Tellers zärtliches Geknutsche. Eine Einladung, ja, aber das Wort konnte unmöglich die ganze Bedeutung der rechteckigen Briefkarte zum Ausdruck bringen, die Simon in Händen hielt. Das war keine gewöhnliche Einladung. Diese Einladung war der Schlüssel zu Gott weiß was, die Fahrkarte nach Gott weiß wohin, die Bekanntschaft mit Gott weiß wem.

Simon ging zum Plattenspieler und setzte die Nadel

auf die wartende Vinylscheibe. Sonny Rollins stimmte ein überschäumendes *St. Thomas* an, und sein kraftvolles, freudiges, durchdringendes Saxofon spiegelte genau Simons eigene Stimmung wider. Simon lehnte die Karte an die Stereoanlage und trat einen Schritt zurück, um sie zu bewundern. Kein Zweifel: Sie sah gut aus. Na schön, die Handschrift war unordentlich und die grüne Tinte stark zerlaufen. Aber wen interessierte das? Das einzig Wichtige waren die Namen, die ganz oben auf die Karte gekritzelt waren.

Angus und Fergus.

Ja, ja, ja.

Angus und Fergus waren Simons Nachbarn. Sie wohnten in der Wohnung direkt über seiner. Sie waren vor zwei Jahren eingezogen. Seither hatte Simon sie nur ein paar Mal gesehen – Zufallsbegegnungen im Treppenhaus meistenteils –, aber er hatte das Gefühl, die beiden durch und durch zu kennen. Denn der zweite Nachteil an dem Haus, in dem Simon, Angus und Fergus lebten, waren, neben den fehlenden Kaminsimsen, extrem dünne Decken.

Auf diese Weise hatte Simon, wenn auch indirekt, die meisten der wichtigen jüngeren Ereignisse im Leben von Angus und Fergus mitbekommen. Er hörte ihre Streitigkeiten, hörte ihre weinseligen Versöhnungen. Aber vor allem hörte er zu, wenn sie miteinander schliefen. Nicht dass Simon ein Voyeur gewesen wäre oder wie immer das akustische Äquivalent dieses Wortes lauten mochte, ihm blieb nur einfach nichts anderes übrig. Ganz egal, wo er in seiner Wohnung saß, die unverkennbaren Geräusche von Hochleistungssex drangen durch die Decke und ließen seine Lampeneinfassungen Besorgnis erregend erzittern. Angus und Fergus liebten Sex und gönnten ihn sich in reichlichen Dosen und mit so vielen verschiedenen Mädchen wie nur möglich.

Simon lernte, die Geräusche verschiedener weiblicher Wesen auseinander zu halten, die die obere Wohnung besuchten. Es schien zu jedem willkürlich gewählten Zeitpunkt mindestens fünf oder sechs Frauen zu geben, die man identifizieren konnte. Simon saß in seinem Bett, hörte ein typisches Trällern oder Gurren heraus, lehnte sich in seine Kissen und wusste, dass gerade diese oder jene Frau oben zu Gast war. Natürlich bekam er keine dieser Frauen je zu Gesicht. Sie verließen alle frühmorgens das Haus, während ihre jeweiligen Leistungen von den beiden Wohnungsgenossen mit wissenschaftlicher Genauigkeit analysiert wurden. Simon zog es vor, sich diese postkoitalen Diskussionen zu ersparen. Die beiden Männer erörterten verschiedene Techniken und spielten gewisse Highlights der Kopulation nach, und das Ganze mit der Wonne von Fußballfans, die eine fragwürdige Schiedsrichterentscheidung analysierten.

Angus und Fergus führten ein bewegtes Leben. Die Wochenenden erkannte man meist am regelmäßigen Läuten ihrer Türklingel. Simon saß in seiner Wohnung und lauschte voller Verzweiflung dem Pulsieren der Partys über sich. Wie gern er mitgemacht hätte! Wie gern er sich mit den Schönen und Begehrenswerten getummelt hätte! Er hörte dem Feiern oben zu, solange er es aushielt, dann zog er sich zwei alte Socken als Lärmschutz über den Kopf und ging schlafen.

Simon konnte den Blick nicht von der Einladung abwenden. Das war es. Endlich sollte auch seine Stunde schlagen. Er trug das Datum in seinen Kalender ein und markierte es mit einem großen, roten Kreis.

Kurz danach begannen die Sorgen. Simon war, was Partys betraf, aus der Übung und ein hoffnungsloser Fall in puncto Smalltalk. Natürlich traf er im Laden jeden Tag Leute und konnte mit ihnen reden. Aber das hier war etwas ganz anderes. Auf der Party würde er es mit kultivierten Menschen zu tun haben, die über Schönheit und Ausstrahlung verfügten. Er würde Charisma brauchen.

Es war lange her, dass jemand Simon das letzte Mal Charisma nachgesagt hatte.

Da er unbedingt einen guten Eindruck machen wollte, leitete Simon ein paar Notmaßnahmen ein, um sich etwas gesellschaftlichen Schliff zu geben. Er verbrachte zwei Abende damit, sich Wim-Wenders-Videos anzusehen, in der Hoffnung, dass diese ihm in heiklen Gesprächspausen über die Runden helfen würden. Er stand Stunden vor dem Badezimmerspiegel und lächelte sich selbst an, neigte den Kopf in diese oder jene Richtung, während er Fantasiegesprächen lauschte.

»Ach, wirklich?«, ahmte er Sean Connery nach, so gut er es vermochte, während über ihm das Abzugsgebläse surrte. »Wie *faszinierend*.« Seine Augen blitzten gefährlich. »Sprechen Sie *weiter*.«

Das vereinbarte Datum rückte näher, und Simon begann, Informationen zu sammeln, als bereitete er sich auf eine Prüfung vor. Das Problem war, dass er sich auf das Unbekannte vorbereitete. Er hatte durch das vibrierende Medium seiner Decke zahllose Partys miterlebt, aber es war ihm unmöglich gewesen, den Wortlaut der Gespräche oben zu erhaschen. Er war sich nur in einem Punkt sicher: Die Konversation musste ungemein gebildet sein. In Ermangelung irgendwelcher besonderer Kenntnisse wandte er ein kulturelles Streuverfahren an und war bereit, über alles zu reden, von Fußball bis

Fellini – wenn auch auf einem ziemlich oberflächlichen Niveau.

Am Abend der Party wartete Simon, bis mehrere Gäste angekommen waren, bevor er selbst sich nach oben wagte. Als er die Treppe hinaufging, platzte ihm förmlich das Gehirn, so viele nutzlose Informationen waren dort abgespeichert. Er drückte eine übertrieben teure Flasche Montrachet an die Brust, mit der er seine Gastgeber zu beeindrucken hoffte.

Nach einem letzten tiefen Atemzug klopfte Simon an.

Die Tür wurde geöffnet. Vor Simon stand ein Hüne in Jeans und gestreiftem Hemd. Angus oder Fergus. Simon konnte sich nicht mehr erinnern, welcher welcher war. Plötzlich ging ihm auf, dass er tatsächlich nie gewusst hatte, welcher der beiden Männer Angus und welcher Fergus war. Der Mann sah ihn fragend an.

»Hallo. Simon von unten.« Simon hielt seinem Gegenüber die Weinflasche mit einer Geste hin, die an einen Flüchtling erinnerte, der Grenzsoldaten zu bestechen versucht.

»Oh. Klar«, meinte der Mann. »Komm rein. Wir werden gerade langsam ein bisschen warm.« Er nahm die Flasche, ohne einen Blick auf das Etikett zu werfen, und ging zurück in die Wohnung.

»Du warst schon mal hier?«, fragte Angus/Fergus über die Schulter hinweg. Seine Stimme hatte das Vibrato einer Privatschulerziehung und war lächerlich tief. Er hörte sich an wie ein aristokratischer Darth Vader, der Testosteronspritzen bekommen hatte.

»Nein«, quiekte Simon verlegen. Er räusperte sich und folgte seinem Gastgeber. In der Wohnung herrschte totales Chaos. Im Flur stapelten sich Zeitschriften, und schmutzige Socken wetteiferten mit zerknüllter Unterwäsche. An den Wänden hing nicht ein einziges Bild. Der Teppich war an mehreren Stellen durchgewetzt. In der Luft hing der unverkennbare Geruch von ungewaschener Wäsche, ungeputzten Toiletten, ungeleerten Abfalleimern. Es war der Geruch von zwei Männern, die zusammenlebten.

»Schön«, sagte Angus/Fergus, als sie das Wohnzimmer betraten. »Da wären wir alle. Ich stelle dir ein paar Leute vor.« Er zeigte auf einen weiteren großen Mann, der an einem Ende des Tisches in der Mitte des Raums saß. »Ihn kennst du natürlich.« Simon nickte schwach. Das war der zweite Gastgeber, die andere Hälfte von Angus/Fergus. Simon schluckte. Das würde nicht einfach werden. Angus/Fergus sprach weiter. »Neben ihm sitzt Stella, dann Joe. Da drüben die Dame heißt Delphine, und neben ihr sitzt Suzy.«

Simon nickte und versuchte, sich alles zu merken. Die anderen Leute am Tisch hatten weder aufgehört zu reden noch sich auch nur die Mühe gemacht aufzublicken.

»Weißt du was, du bleibst am besten einfach gleich hier«, meinte Angus/Fergus und zeigte auf den leeren Stuhl neben Delphine. Er zwinkerte Simon zu. »Mit Delphine wirst du gut klarkommen. Nettes Mäuschen. Französin. *Très sophistiquée.*« Er senkte die Stimme zu einem gedämpften Brüllen. »Funktioniert wie eine Scheißhaustür in einem Hurrikan. Was zu trinken?«

»Ähm, ja, danke«, erwiderte Simon.

»Margarita?«

»Okay. Gern.«

»Wunderbar. Bin gleich wieder da.«

Während Simon zögernd neben Delphine Platz nahm, wandte sie sich ihm sekundenlang halb zu, lächelte und konzentrierte sich dann wieder auf das Gespräch.

Nicht gerade viel, aber genug.

Delphine war außergewöhnlich schön. Sie hatte volles, dunkles Haar, das ihr über die Schultern fiel, und trug ein ärmelloses Kleid, das ihre exquisit geformten Arme gut zur Geltung brachte. Von seinem Platz aus hatte Simon einen guten Blick auf ihren langen, eleganten Hals, aber was er wirklich gern wieder gesehen hätte, war ihr Gesicht. In diesen kurzen Augenblicken, in denen sie ihn zur Kenntnis genommen hatte, hatte ihm der Atem gestockt. Delphine besaß große, schöne, dunkelgrüne, mandelförmige Augen mit den längsten Wimpern, die Simon je gesehen hatte. Auch ihr Mund war einfach wunderbar, eine vollkommene Oase dunkler, küssenswerter Lippen.

Als Nächstes schien Simons Kopf sich in einer speziellen Art von Gehirnblutung sämtlicher Informationen zu entledigen, die er im Laufe der letzten Wochen so mühsam gehamstert hatte. Er konnte die Fakten beinahe zu seinen Ohren hinausflitschen hören und musste erkennen, dass seine sorgfältige Vorbereitung völlig umsonst gewesen war. Zwei Minuten auf dem Stuhl neben Delphine genügten, um aus seinem Kopf alles herauszufegen bis auf das Wissen, dass sie ohne Frage die schönste Frau war, die er in seinem Leben gesehen hatte. Na wunderbar, dachte er verbittert. Ich werde neben die vollkommene Frau gesetzt, und dann habe ich ihr nichts zu sagen. Und sie funktioniert wie eine Scheißhaustür in einem Hurrikan. Ich verdammter Pechvogel.

Simon starrte wie betäubt auf den Tisch vor sich, während das Gespräch ohne ihn weiterging. Nun mach schon, ermahnte er sich. Reiß dich zusammen. Er wartete auf ein Abflauen des Gesprächs, das sich zu seiner Überraschung nicht um Jacques Derrida drehte, sondern vielmehr um eine beliebte Seifenoper. Endlich entstand eine Pause, und Delphine drehte sich wieder zu Simon um, um nach ihrem Glas zu greifen.

»Hi«, meinte Simon, der sich inzwischen einige Worte zurechtgelegt hatte.

Delphine nahm einen Schluck von ihrem Drink und schenkte Simon in diesem Augenblick ihre Aufmerksamkeit. »Hi«, antwortete sie lächelnd.

»Ähm«, murmelte Simon, der wieder vergessen hatte, was er hatte sagen wollen. Delphines Blick war gleichbedeutend mit einem Gehirnklistier. Er hatte die sofortige und absolute Evakuierung des Gehirns zur Folge.

Sie zog die Augenbrauen in die Höhe. »Ich heiße Delphine«, stellte sie sich vor, und ihr französischer Akzent vervollkommnete den bereits allzu verlockenden Cocktail sinnlicher Stimulanzen, die sie verkörperte.

Simon schluckte und wünschte, er wüsste, wohin mit seinen Händen. »Ich heiße Simon«, erklärte er. »Freut mich, Sie kennen zu lernen.«

»Freut mich, *dich* kennen zu lernen, Simon«, erwiderte Delphine und lächelte ein seelenvernichtendes Lächeln von unglaublicher Vollkommenheit. Wenn Simon noch irgendwelche Gehirnzellen verblieben waren, schmolzen sie jetzt endgültig zusammen.

»Was machst *du* ...«, begann Simon, nur um sehen zu müssen, wie Delphine ihre Aufmerksamkeit wieder auf das Gespräch am anderen Ende des Tisches lenkte. Abermals blieb ihm nichts anderes übrig, als die anmutigen, schwanengleichen Linien ihres Halses zu betrachten. Nun, dachte er, das lief ja ziemlich gut, wenn man bedenkt, dass du dich wie ein gottverdammter Geistesgestörter benommen hast.

Kurz darauf wurde ein großes Glas mit einer milchigweißen Flüssigkeit vor ihn hingestellt. Der Rand des Glases war mit einer dünnen Salzschicht bestäubt. »Bitte schön«, sagte Angus/Fergus leutselig. »Trink das, dann kommst du schon in Stimmung.« Er lachte laut und durchdringend.

»Danke«, erwiderte Simon und beäugte den Inhalt seines Glases mit beträchtlichem Argwohn. Es war lange her, dass er das letzte Mal Margaritas getrunken hatte. Er nahm einen zaghaften Schluck, und seine Lippen zogen sich bei dem Kontakt mit dem Salz unwillkürlich zusammen.

»Donnerwetter«, entfuhr es ihm.

»Das klappt einem die Fußnägel hoch, was?«, meinte Angus/Fergus grinsend.

»Kann man wohl sagen«, antwortete Simon und dachte, dass es wirklich langsam Zeit wurde herauszufinden, welcher seiner Gastgeber welcher war.

Als Nächstes hörten sie ein Krachen – aus der Küche, wie Simon vermutete –, gefolgt von einem gepressten Wiehern, das er aus vergangenen nächtlichen Übungen von Angus/Fergus kannte.

»Scheiße«, brummte Angus/Fergus. »Ungeschickte Kuh. Momentchen. Bin gleich wieder da.«

Aus der Küche hörte man Fetzen eines Streitgesprächs, die tiefe Stimme von Angus/Fergus, hie und da unterbrochen von den schrillen Kreischlauten der unglückseligen Köchin. Nach ein paar Sekunden wurde die Tür wieder geöffnet, und Angus/Fergus kam mit einem Stapel Teller ins Wohnzimmer. Im Schlepptau hatte er eine hoch gewachsene, magere junge Frau mit leicht vorspringenden Zähnen und einer großen Fiberglasschüssel in den Händen. Die junge Frau stellte die Schale mitten auf den Tisch.

»Reis?«, fragte Angus/Fergus gereizt.

Das Mädchen wirbelte auf dem Absatz herum und stürzte zurück in die Küche.

»Also, dann wollen wir mal«, erklärte Angus/Fergus. »Darf ich meinen werten Gästen die traditionelle Extravaganz aller Gourmets präsentieren? Reis und Chili nach einem alten Familienrezept, das mündlich von Generation zu Generation überliefert wurde. Wir pflegen heute Abend eine wichtige gastronomische Tradition. Leider gab es einen kleinen Unfall mit der Kasserolle, daher dieses unattraktive, durchsichtige Ding auf dem Tisch, aber wir konnten den größten Teil des Essens vom Fußboden bergen.«

Die Köchin kam an den Tisch zurück, diesmal mit einer dampfenden Reisschüssel, die sie wortlos neben das Chili knallte, bevor sie sich auf den leeren Stuhl gegenüber Simon setzte. Es wurden Teller verteilt, dann begann man allenthalben, sich zu bedienen.

Simon nahm noch einen kleinen Schluck von seinem Drink.

»Hallo«, sagte das säbelzahnige Mädchen ihm gegenüber. »Ich heiße Heather.«

»Ich heiße Simon. Verstehe ich richtig, dass du heute Abend die Köchin bist?«

»Ja, und einen schönen Lohn hab ich dafür bekommen«, murmelte Heather. Sie wieherte.

Weißt du eigentlich, hätte Simon gern gefragt, dass das *genau* das Geräusch ist, das du machst, wenn du einen Orgasmus hast? Stattdessen erwiderte er: »Nun, für mich sieht es jedenfalls köstlich aus.«

»Lass dich bloß nicht täuschen«, entgegnete Heather. Sie zeigte mit dem Kopf auf Angus/Fergus. »Er ist sehr pingelig, was die Zutaten und die Zubereitungsweise betrifft. Er steht die ganze Zeit hinter mir und gibt mir Anweisungen. Ich weiß nicht, warum er nicht gleich selbst kocht.«

Simon sah seine Chance gekommen. »Du bist die Freundin von ...?« Er zeigte mit dem Kopf auf Angus/Fergus.

»Von Fergus? Ja, jeder macht mal einen Fehler.«

Fergus! Simon lehnte sich auf seinem Stuhl zurück, war sehr zufrieden mit sich selbst und wartete auf das Chili. Als er an die Reihe kam und die Schale vor ihn auf den Tisch gesetzt wurde, nahm er sich zwei Löffel von der braunroten Mixtur und dazu eine große Portion Reis.

Simon stach seine Gabel in das dampfende Essen. Während er geistesabwesend den ersten Bissen herunterschluckte, überlegte er, wie er Delphine in den nächsten Stunden zu der Erkenntnis verhelfen könnte, dass sie ihn wirklich besser kennen lernen sollte.

Solche und ähnliche Gedanken wurden wenige Sekunden später im Keim erstickt, als Simons Kehle plötzlich explodierte. Die Ankunft des Chilis in seinem Magen konnte er nur noch mit einem Ächzen vermerken, nachdem ihm die Spezialität des Hauses auf dem Weg dorthin die Mandeln versengt und den Kehlkopf verbrüht hatte. In seinen Augen schwammen Tränen. Er grapschte nach seinem Drink und kippte die Hälfte davon in einem Zug herunter. Anschließend hatte er allerdings Mühe, des Hustenanfalls Herr zu werden, den der kräftige Drink auslöste.

Nach wenigen Augenblicken gewann Simon seine Fassung wieder. Niemand schien etwas von seinen Problemen mitbekommen zu haben. Auf der anderen Seite des Tisches stritt Fergus sich mit Heather. Heather schien ebenfalls den Tränen nahe zu sein, obwohl sich nicht klar ermitteln ließ, ob das auf das Chili oder auf Fergus' Bemerkungen zurückzuführen war.

»Ich hole dir noch einen Drink«, sagte Fergus zu Simon und wandte sich abrupt von Heather ab, während diese ihm noch etwas ins Ohr zischte. Wenige Sekunden später kam er mit einem großen Krug zurück und füllte Simons Glas nach.

»Oh, danke«, meinte Simon und fragte sich, ob es wohl sehr unhöflich gewesen wäre, um Wasser zu bitten. Er betrachtete den Hügel aus Reis und Chili auf seinem Teller und das volle Glas Margarita vor sich. In seinem Kopf hatte ein sanftes Summen eingesetzt. Zaghaft nahm er die Gabel wieder zur Hand und schob ein kleines Häufchen Chili hinauf. Dann wechselte er die Gabel in seine linke Hand und griff mit der rechten nach seinem Glas. Praktisch mit einer einzigen Bewegung überführte er das Chili in seinen Mund, schluckte und spülte dann mit einem Schluck Margarita nach. Die Wirkung war interessant. Sein Mund wurde taub, und die Reise des Chilis in Richtung Süden wurde nur von einem leichten Kribbeln begleitet. Unmittelbar darauf spürte er, wie das Chili sich mit gehässiger Schadenfreude in seinem Magen breit machte, hin und her gespült von einem Margarita-See. Solchermaßen ermutigt, machte Simon sich auf dieselbe Art und Weise über den Rest seines Tellers her.

Als er seine Portion bewältigt hatte, war er stockbetrunken. Sein Mund schien nur noch vage mit dem Rest seines Körpers verbunden zu sein. Wenn er den Kiefer bewegte, fühlte er nichts, als hätte man ihm eine örtliche Narkose verabreicht. Mit der Dosis hätte man ein Mammut in Tiefschlaf versetzen können. Jetzt, da er das Chili gegessen hatte, fiel ihm auch wieder ein, worin an diesem Abend seine wichtigste Aufgabe bestand: Er musste Delphine überreden, ihn zu heiraten.

Simon legte seine Gabel vorsichtig auf seinen leeren Teller und warf einen Blick in die Runde. Er bemerkte, dass die meisten Gäste ihr Essen kaum angerührt hatten. Delphine wandte ihm nach wie vor den Rücken zu.

Das Gespräch drehte sich um Jobs. Angus war, wie Simon mit dem Rest seiner alkoholdezimierten Großhirnrinde zu schlussfolgern im Stande war, Grundstücksmakler. Er erzählte gerade von einer Frau, die ihn angeblich zu verführen versucht hatte, als er sie aufgesucht hatte, um ihre Wohnung zu schätzen.

»Also, was hast du getan?«, fragte Stella, die neben Angus saß und eine Zigarette rauchte.

»Nun, was konnte ich tun? Ich habe sie natürlich gebumst«, antwortete Angus strahlend.

Stella versteifte sich. »Ich verstehe«, erwiderte sie.

Angus sprach weiter. »Um ehrlich zu sein, sie taugte nicht viel. Schon ziemlich erschlafft. Verzweifelt, ihr wisst schon. Ganz süß, aber verzweifelt.« Er drehte sich zu Stella um, die jetzt so heftig qualmte, dass sie kurzfristig hinter einer wogenden Wand aus Zigarettenrauch verschwand. »Nicht annähernd so gut wie du, mein Kleines«, versicherte er ihr.

Stella drückte ihre Zigarette mit solchem Ingrimm im Aschenbecher aus, dass man auf die Idee kommen musste, sie hätte statt des Aschenbechers lieber Angus' Stirn benutzt. Sie stand auf und verließ den Tisch.

»Oh, um Himmels willen«, jammerte Angus. »Was ist denn mit der los?«

Am anderen Ende des Tisches hob Fergus die Augenbrauen und zog viel sagend einen Finger quer über den Hals. Heather, die neben ihm saß, blickte auf ihren Teller hinab und schwieg.

Es folgte eine peinliche Pause, bevor Fergus sich schließlich an Simon wandte: »Also, ähm, was machst du denn beruflich? Bekommst du in deiner Branche auch Angebote von verzweifelten Frauen?«

Simon schüttelte den Kopf, mehr um ihn frei zu bekommen, als um die Frage zu verneinen. Er probierte seinen Mund, der wunderbarerweise zu funktionieren schien. Außerdem wurde ihm bewusst, dass Delphine sich ihm erneut zugewandt hatte, aber statt einen weiteren Blick in ihr Gesicht zu riskieren, sah er Fergus an und antwortete: »Nicht oft, nein. Ich arbeite in einem Zaubereigeschäft.«

Diese Eröffnung rief eine erfreuliche Reaktion hervor, eine Mischung aus Ungläubigkeit und Gelächter. Stella kam zurück und setzte sich wieder an den Tisch. Angus ignorierte sie.

»Dann bist du also Zauberer?«, fragte Delphine.

»Sozusagen«, antwortete Simon. »Ich beschäftige mich mit Kunststücken. Aber ich führe sie weniger vor, als dass ich sie verkaufe.« Die Anstrengung, in ganzen Sätzen zu sprechen, hatte dazu geführt, dass es sich in seinem Kopf erschreckend zu drehen begann.

»Meine Güte«, murmelte Delphine. »Ich bin beeindruckt.« Sie lächelte ihn an. Simon fühlte sich ein paar Sekunden lang, als hätte eine Dampfwalze ihn überfahren, dann grinste er dümmlich zurück.

»Danke«, blökte er.

»Dann zeig uns doch mal ein Kunststück«, bat Stella mit mürrischer Miene. Von den anderen kam ein Raunen der Zustimmung.

Die Worte hallten in Simons Kopf wider, bis er sie endlich zu dechiffrieren vermochte. »O nein, das kann ich unmöglich«, murmelte er.

»Warum nicht?«, fragte Fergus.

»Weil ... geht einfach nicht«, sagte Simon. »Zu besoffen«, flüsterte er noch zur Erklärung.

»Na komm schon«, drängte Heather.

Simon schüttelte den Kopf. »Tut mir Leid.«

»Spielverderber«, beschwerte sich auch Angus. »Lass dich nicht lange bitten.«

»Es geht einfach nicht, bestimmt nicht«, versicherte Simon.

»*Bitte*«, meinte Delphine.

»Okay«, seufzte Simon.

Delphine klatschte begeistert in die Hände.

»Hat jemand mal eine Zigarette für mich?«, fragte Simon den Tisch im Allgemeinen.

»Hier ist eine.« Stella hielt ihm eine Zigarettenschachtel hin.

Simon nahm eine Zigarette aus dem Päckchen und hielt sie vor sich. Erwartungsvolle Stille folgte. »Also gut«, sagte er. »Seht genau hin.« Er drehte sich zu Delphine um und strahlte sie an.

Simon ballte die linke Hand zur Faust und hielt sie auf eine Höhe mit seinem Gesicht. Dann schob er langsam Stellas Zigarette in seine Faust, bis die Zigarette vollkommen verschwunden war. Er öffnete die Hand, um die Zigarette vorzuzeigen.

»Und jetzt«, erklärte Simon, »müsst ihr wieder genau zusehen.«

Er führte dieselbe Bewegung aus. Diesmal schwenkte er die Faust jedoch, bevor er sie öffnete, ein paar Mal durch die Luft. Dann ließ er den Arm sinken und öffnete die Finger einen nach dem anderen über dem Tisch, die Handfläche nach oben gedreht.

Die Zigarette war verschwunden.

»Wow«, rief Delphine. »Das ist ja *toll*.«

Simons Herz hämmerte.

»Na schön«, warf Stella ein. »Und jetzt hol sie zurück.«

»Ich fürchte, das geht nicht«, murmelte Simon. »Sie ist weg.«

»Was soll das heißen?«, begehrte Stella auf. »Was für ein Trick soll das sein? Wo ist die Zigarette?«

»Verschwunden«, erklärte Simon.

»Sie ist natürlich nicht *verschwunden*«, erwiderte Stella schneidend. »Wo ist sie? Ich will sie zurückhaben. Gib mir meine Zigarette zurück. Dieb.«

Simon wand sich auf seinem Stuhl wie ein Aal. »Ich kann nicht«, behauptete er. »Ehrlich. Tut mir Leid.« (Die Zigarette lag jetzt außer Reichweite unter seinem Stuhl, wo er sie verstohlen hatte fallen lassen.)

»Also, wenn du ein *richtiger* Zauberer wärst, könntest du sie wieder zum Vorschein bringen«, beharrte Stella schmollend.

»Keine Sorge, Baby«, sagte Angus. »Du kannst eine von meinen haben.«

»Ach, verpiss dich, Angus«, antwortete Stella.

Simon nahm noch einen Margarita. Das Getränk, das noch kurz zuvor wie ein Ätzmittel auf seinen Kehlkopf gewirkt hatte, schien immer harmloser zu werden.

»Ich nehme an, da du doch Zauberer bist, kennst du wahrscheinlich die Geschichte von dem Jungen und der Zaubermünze, die er gefunden hat«, begann ein Mann auf der anderen Seite des Tisches, der bis dahin kaum ein Wort gesprochen hatte.

Ein kollektives Ächzen wurde über dem Tisch laut.

»O Gott, Joe, nicht noch mal, bitte«, stöhnte Heather.

»Ich dachte, Simon würde die Geschichte vielleicht gern hören, wenn er sie noch nicht kennt«, bemerkte Joe.

Simon zuckte die Schultern. »Wenn niemand etwas dagegen hat.«

»Nein, ich nehme an, wir haben nichts dagegen«, erklärte Angus.

»Also los«, sagte Joe. Er wandte sich direkt an Simon. »Da ist also dieser Junge namens Timmy. Eines Tages, er geht gerade die Straße hinunter, entdeckt er im Rinnstein etwas Glänzendes. Also geht er hin und stellt fest, dass es sich um eine ausländisch aussehende Münze handelt, wie er sie noch nie zuvor gesehen hat. Also hebt er sie auf und nimmt sie mit nach Hause.«

»Okay«, warf Simon ein.

»Ein paar Tage später sitzt Timmy gerade in seiner Küche, als er in seine Tasche greift und ihm diese alte Münze wieder einfällt, die er gefunden hat. Er holt sie heraus und wischt sie an etwas Küchenpapier ab. Und plötzlich dröhnt eine Stimme aus dem Nichts. ›Timmy, du hast so viele Wünsche frei, wie dein Herz begehrt.‹ Es handelt sich also offensichtlich um eine Zaubermünze. Nun, Timmy ist sehr erfreut. Er denkt kurz nach und erwidert dann: ›Okay, dann hätte ich gern drei Schüsseln Schokoladeneis.‹ Nur so, um rauszufinden, ob wirklich was dahinter steckt. Und tatsächlich, auf dem Küchentisch erscheinen drei Schüsseln mit Schokoladeneis. Wie Sie sich vorstellen können, kann Timmy sein Glück nicht fassen.«

»Verstanden«, meinte Simon. Er bemerkte, dass auch alle anderen der Geschichte lauschten, dass Joe jedoch ihn allein ansprach. Es tat gut, im Mittelpunkt des Geschehens zu stehen.

»Nun denn«, fuhr Joe fort, »Timmy findet das Ganze

natürlich sehr aufregend und möchte vor all seinen Freunden damit angeben. Also zeigt er ihnen am nächsten Tag in der Schule die Zaubermünze und gewährt jedem einen Wunsch. Plötzlich ist er der beliebteste Junge in der Schule.

Als er an diesem Abend von der Schule nach Hause geht, plant er genau, um welche Dinge er bitten will. Er möchte Fußball für England spielen und ein schnelles Auto haben. Aber vor allem ...« Joe hob den Zeigefinger, »vor allem möchte er einmal mit einer Frau schlafen. Er wünscht sich verzweifelt, endlich seine Jungfräulichkeit zu verlieren. Er möchte der Erste in seiner Klasse sein. Also beschließt er, dass heute die Nacht der Nächte sein soll.«

»Bring es endlich hinter dich«, seufzte Stella.

Joe beachtete sie nicht. »Okay, also weiter. An diesem Abend kommt er nach Hause und trinkt seinen Tee. Er ist ein wenig gedämpft. Seine Mutter fragt, ob alles in Ordnung sei, und er antwortet, nun ja, nein, eigentlich nicht, und sagt, dass er vielleicht ein Bad nehmen und dann früh zu Bett gehen wird.

Tatsächlich will Timmy vor allem ein Bad nehmen, um gut zu riechen«, erklärte Joe. »Er hat beschlossen, dass er sich für seinen ersten Sex Posh Spice wünschen wird, und er möchte so attraktiv wie möglich für sie sein. Also lässt er ein Bad ein. Während das Bad einläuft, bespritzt er sich mit Daddys Aftershave und putzt sich die Zähne.«

»Okay«, meinte Simon und nickte. Die anderen Leute am Tisch schienen sich jetzt ein klein wenig weiter vorzubeugen.

»Endlich«, sagte Joe, »steigt er in die Badewanne. Er legt seine Zaubermünze vor sich neben die Wasserhähne.

Und das Einzige, woran er denken kann, ist Posh Spice, die ihn später in seinem Bett besuchen wird.« Joe streckte die Hand aus. »Natürlich kriegt unser Timmy einen Ständer. Und es geht ihm durch den Kopf, dass es vielleicht gar keine schlechte Idee wäre, sich aus taktischen Gründen schnell einen runterzuholen, nur um sicherzugehen, dass er später nicht zu schnell kommen wird.«

»Verstehe.« Simon nahm noch einen Schluck Margarita.

»Okay. Da liegt Timmy nun in der Badewanne und onaniert glücklich vor sich hin. Und es dauert auch nicht lange, da ejakuliert er schon. Also – er sitzt in der Badewanne und ist sehr zufrieden mit sich. Und du weißt doch, wie Sperma im Badewasser aussieht.«

Simon nickte, weil er jetzt unbedingt das Ende der Geschichte hören wollte. »Ja«, antwortete er.

An dieser Stelle explodierte der Tisch um ihn herum. Fergus schlug wie wild in die Hände. Alle anderen brachen in hysterisches Gelächter aus.

»Treffer versenkt«, stieß Stella japsend hervor.

»Gut gemacht, alter Knabe«, lobte Angus und schüttelte Joe, der bescheiden die Schultern hob, die Hände. »Superklasse.«

Langsam dämmerte Simon, dass soeben etwas absolut Schreckliches geschehen war. Inmitten des Gelächters um ihn herum spielte sein Gehirn die letzten paar Sätze vor dem Heiterkeitsausbruch noch einmal nach. Er schluckte. Alle anderen am Tisch waren in den Witz eingeweiht gewesen. Sie hatten alle nur darauf gewartet, ob er den Köder schlucken würde. Ein Gefühl heißen Selbstmitleids überflutete ihn. Er riskierte einen Blick auf Delphine und hoffte, dass sie zumindest über dieser pubertären Erheiterung stehen würde. Sie kicherte am lautesten. Simon seufzte. Damit konnte er seine Chancen bei ihr endgültig begraben. Er griff nach seinem Glas und leerte es in einem Zug.

»So ist es recht«, johlte Fergus. »Ertränk deinen Kummer. Und denk daran, das ist kein Grund, sich zu schämen, in der Badewanne zu masturbieren. Selbst in deinem Alter.«

»Wenigstens ist es ihm gleich gekommen«, warf Stella ein, woraufhin die Party abermals vor Lachen explodierte und Simon sich fragte, wie lange er noch ausharren musste, bevor er sich entschuldigen und in seine Wohnung flüchten konnte. Er starrte düster in sein leeres Glas.

»Ach, du lieber Gott«, seufzte Heather und wischte sich die Augen trocken. »Unbezahlbar.«

»Ist von dem Zeug wohl noch was da?«, erkundigte sich Simon und hielt sein leeres Glas hoch. Geeignete Überlebensmethode: Er musste noch betrunkener werden.

»Kommt sofort«, antwortete Fergus und erhob sich. »Allmächtiger«, sagte er im Aufstehen. »Das brauchte ich jetzt.«

Simons Verlegenheit hatte die allgemeine Laune gehoben, und die Party kam in Schwung. Irgendjemand drehte die Musik lauter. Simon begann, schnell und mit großer Entschlossenheit zu trinken.

Kurz darauf klatschte jemand in die Hände, um die allgemeine Aufmerksamkeit zu erregen. Simon blickte durch den Nebel in seinem schnapsdurchweichten Gehirn langsam auf. Einer seiner Gastgeber erhob sich. Simon wurde bewusst, dass er wieder einmal den Überblick verloren hatte, wer Fergus und wer Angus war, aber mittlerweile war er viel zu betrunken, um sich daran zu scheren.

»Alles mal herhören«, rief Fergus/Angus laut. »Der Abend ist jetzt so weit fortgeschritten, dass wir zu den traditionellen Partybelustigungen übergehen können.«

Diese Ankündigung wurde mit lautem Beifall und Gejohle begrüßt. Simon kam der Gedanke, dass er sich jetzt wahrscheinlich ohne allzu große Peinlichkeit entfernen könnte. Er entschied jedoch, noch ein Weilchen zu bleiben, wo er war. Es gab zwei Gründe dafür. Erstens würde er, wenn er jetzt ging, Delphine wahrscheinlich nie wieder sehen. Zweitens, und das war wahrscheinlich der zwingendere der beiden Gründe, war er außer Stande, seine Beine zu bewegen. Er fragte sich, welche Form diese Partyspiele annehmen würden. Im Schutz seiner eigenen Wohnung hatte er stundenlang über eben dieses Rätsel nachgesonnen, wenn er ähnlichen Partys bis in die frühen Morgenstunden hinein gelauscht hatte. In seiner Vorstellung waren es immer schrecklich intellektuelle Spiele gewesen, die höchste Ansprüche an die geistigen Fähigkeiten der Mitspieler stellten – man würde nebulöse literarische Zitate entschlüsseln oder Sonette zu Themen verfassen müssen, die die gegnerische Mannschaft auswählte. So hatte er es sich vorgestellt.

Fergus/Angus ging in die Küche und kam wenige Sekunden später mit einem großen Karton unterm Arm zurück. »Meine Damen und Herren«, kündigte er an. »Speziell für Sie heute Abend – Twister.«

Diesen Worten folgten neuerliches Gejohle und Pfiffe. Heather nahm den Karton in Empfang und öffnete ihn. Darin befand sich ein großes Plastiktuch mit verschiedenfarbigen Punkten darauf, das sie auf dem Boden ausbreitete. Das Tuch nahm den größten Teil der restlichen Fläche des Wohnzimmers ein.

»Ich entnehme eurer Reaktion, dass ihr alle wisst, wie das Spiel geht«, sagte sie. »Zwei Mannschaften aus jeweils zwei Spielern. Die Spieler müssen ihre Hände und Füße auf ein bestimmtes Farbfeld legen, wie die Spindel es vorgibt.« Sie zeigte auf einen bunten Pappkarton mit einem Zeiger in der Mitte. »Die erste Mannschaft, die umfällt, hat verloren. Wer will mitmachen?«

Stellas Hand schnellte wie von selbst in die Höhe. »Ich«, rief sie und riss dann Joes Arm ebenfalls in die Höhe. »Und er«, fügte sie hinzu.

»Sehr schön«, meinte Heather. »Wer noch?«

Simon drückte sich tiefer in seinen Stuhl hinein und presste liebevoll sein Glas an die Brust. Er hatte sich vor all diesen Leuten schon einmal grandios zum Narren gemacht. Er würde genau da bleiben, wo er war.

Heather blickte in seine Richtung. »Simon?«, fragte sie.

»Nein danke«, murmelte Simon.

»Ich versuch es mal«, beschloss Delphine.

»Oh, na schön«, sagte Simon. Dann drehte er sich zu Delphine um. »Dieselbe Mannschaft?«, schlug er vor.

Delphine lächelte. »Gute Idee«, antwortete sie, während sie aufstand. Simon, der ein wenig schwankte, folgte ihr.

»Guter Mann«, rief Fergus/Angus.

»Hör mal, ähm, Fungus«, begann Simon und nahm seinen Gastgeber beiseite. »Bevor wir anfangen, dürfte ich dich da wohl etwas fragen?«

»Schieß los.«

»Hm.« Simon senkte die Stimme. »Es geht um Delphine ...«

»O ja. Was ist mit ihr?«

»Also.« Simon sah sich verschwörerisch um. »Ist sie, du weißt schon, ist sie mit jemandem zusammen?« Er unterdrückte einen Schluckauf.

Fergus/Angus schüttelte den Kopf. »Ich glaube nicht«, erwiderte er. »Die Dame ist frei und ungebunden. Und Französin. Eben Delphine.«

»*Wirklich?*«, entfuhr es Simon ernsthaft.

»Wirklich.«

»Gut.« Simon wurde abermals vom Schluckauf überwältigt. »Vielen Dank. Sehr hilfreich.« Er wandte sich dem Plastiktuch zu, jetzt ganz erfüllt von einem jämmerlich unangebrachten Selbstvertrauen.

»Schuhe aus, bitte«, kommandierte Heather.

Stella stellte sich mit Joe an einem Ende der Plane auf. Delphine und Simon standen ihnen gegenüber, wobei sie beide Füße auf einem andersfarbigen Fleck stehen hatten. Simon sah Joe, den Verantwortlichen für sein früheres Elend, voller Verachtung an; Joe dagegen hatte seine Gemeinheit anscheinend vergessen und grinste seine beiden Widersacher leutselig an. Er machte nicht den Eindruck, als hätte er Gewissensbisse.

»Also, dann mal los«, meinte Heather. »Seid ihr bereit?«

Vier Köpfe nickten.

»Okay.« Heather drehte die Nadel. »Linker Fuß blau«, verkündete sie.

Auf dem Plastiktuch brach allgemeines Getümmel aus. Stella, Joe und Delphine vollführten eine Kreisbewegung, sodass alle mit dem linken Fuß auf einem blauen Feld standen. Verwirrt von den schnellen Bewegungen um ihn herum, blickte Simon langsam auf seinen Fuß hinab. Sein linker Fuß stand bereits auf einer blauen Stelle. Irgendwo in der Nähe seines Gehirns glomm ein trübes Licht des Verstehens auf. Delphine hatte sich um fast hundertachtzig Grad gedreht, und ihr Bein streifte dabei ganz sachte das seine. Simon konnte ihren berauschenden Duft riechen. Sie grinste ihn an. Er machte sich plötzlich Sorgen, dass er eine Erektion bekommen könne, während er seine Beine in einer allzu verräterischen Stellung über das Plastiktuch spreizte.

»Alle fertig?«, fragte Heather, während sie die Nadel von neuem drehte. »Okay, rechte Hand rot.«

Die Mitspieler gingen in die Hocke. Delphine hatte sich mittlerweile einigermaßen verrenkt und musste sich recken, um mit der rechten Hand ein rotes Feld zu erreichen. Simon versuchte, nicht in ihren Ausschnitt zu starren, der etwa zwanzig Zentimeter von seinen Augen entfernt verlockend aufklaffte. Inzwischen ernsthaft besorgt wegen der bevorstehenden Schwellung in seiner Hose, schloss er kurz die Augen, schlug sie aber jäh wieder auf, als er feststellte, dass er das Gleichgewicht verlor. Delphines Atem ging inzwischen ein wenig heftiger, was das Ganze nicht gerade besser machte. Simon versuchte, sich darauf zu konzentrieren, aufrecht stehen zu bleiben.

Nach ein paar Minuten und sehr zu seiner eigenen Überraschung war Simon immer noch nicht umgefallen. Er begann sogar, sich zu amüsieren. Ein paar Drehungen zuvor war Delphine zusammengebrochen. Sie hatte die Niederlage wohlgemut aufgenommen und war zu ihrem Stuhl zurückgekehrt, um dem weiteren Fortgang des Spiels zuzusehen. Nachdem diese Ablenkung verschwunden war, konnte Simon sich auch wieder konzentrieren. Sobald das Spiel vorbei war, würde er Delphine ernsthafte Avancen machen. In der Zwischenzeit hatte er die Gelegenheit, sie mit seiner Geschicklichkeit im »Twister« zu beeindrucken. Gewinn das Spiel, redete er sich mit seinem betrunkenen Kopf ein, und du gewinnst das Mädchen. So einfach. Inzwischen hatte auch Stella die Balance verloren, und nur Simon und Joe waren auf dem Feld verblieben. Simon musterte Joe streitlustig. Es würde ein Kampf auf Leben und Tod werden, eine Chance, sich an Joe für seine Geschichte über den verdammten Timmy und die verdammte Zaubermünze zu rächen. Die Rache würde süß sein. Er machte sich für den nächsten Zug bereit.

Heather drehte erneut die Nadel. »Linker Fuß grün.«

Simon stöhnte. Er musste seinen linken Fuß von der einen Seite der Plane auf die andere bewegen. Als er das Manöver vollzogen hatte, stand er, den Rücken zum Fußboden gewandt, im Vierfüßlerstand da. Er hatte die Arme unter sich grausam gespreizt, und seine Beine waren gebeugt und trugen den größten Teil seines Gewichts. Direkt neben Simons Gesicht schwebte Joes jeansbekleideter Hintern in der Luft. Simon versuchte, ein Stück davon abzurücken, war aber außer Stande, sich zu bewegen. Er wartete auf Heathers nächste Drehung der Nadel.

Der Hintern rückte immer näher, da Joe nun versuchte, sich in eine bequemere Position zu bringen. Und dann passierte es. Ohne Vorwarnung kam aus dem Hintern neben ihm ein unverkennbares *Phhhhttt*.

Joe hatte gefurzt, Simon mitten ins Gesicht.

Und es war auch kein gewöhnlicher Furz. Es war ein Furz, geboren aus dem begeisterten Verzehr von Fergus' Chili. Es war eine schwefelhaltige, erderschütternde Bombe von einem Furz. Es war ein trostloser Furz, ein Furz ohne Hoffnung.

»Hoppla«, murmelte Joe über seine Schulter. »'schuldigung.«

Simon ächzte vor Grausen über die ungeheuerliche

Abscheulichkeit dessen, was ihm da widerfuhr. Dann brach er zusammen, wobei er schwer auf seinem Handgelenk landete.

»Au«, ächzte Simon, kurz bevor er das Bewusstsein verlor.

2. KAPITEL

Simon wachte auf und versuchte, sofort wieder einzuschlafen. Sein Kopf war erfüllt von einem zerreißend schrillen Heulen, nicht unähnlich dem von etwa zwanzig Kettensägen in vollem Betrieb. Er schlug vorsichtig ein Auge auf. Der Lärm wurde lauter. Er schloss das Auge wieder. Es dämmerte ihm, dass er sich aller Wahrscheinlichkeit nach nicht inmitten einer Schar von Holzfällern befand. Blendend weißes Licht blitzte durch sein gequältes Hirn. Simon stöhnte. Während des Schlafs war ihm seine Zunge herausgeschnitten und durch ein großes Blatt mittelgroben Schmirgelpapiers ersetzt worden. In die Kettensägen stimmte jetzt auch ein Chor dröhnender Ambosse ein.

Simon ließ sich in die Kissen zurücksinken, und wider besseres Wissen fing er an nachzudenken. Während er versuchte, sich nicht zu bewegen, checkte er im Geiste eilig seinen ganzen Körper. Es war ein schmerzliches Pulsieren in seiner rechten Hand zu verzeichnen und ein noch schlimmeres in seinem linken Fuß, aber abgesehen davon und von seinen monströsen Kopfschmerzen schien alles in Ordnung zu sein. Zaghaft hob er die linke Hand, um die rechte zu betasten, und stellte fest, dass sie dick mit Verbandszeug verschnürt war. Stirnrunzelnd schlug Simon die Augen wieder auf und wartete darauf, dass der Nebel sich hob.

Er befand sich in einem Krankenhauszimmer. Links

und rechts von ihm lagen unter ihren Decken andere Gestalten reglos im Bett. Simon stemmte sich auf dem linken Ellbogen hoch und versuchte dabei, das dämonische Hämmern in seinem Kopf zu ignorieren.

Was machte er hier? Er ließ seine Gedanken zum vergangenen Abend zurückwandern. Das Letzte, woran er sich erinnern konnte, war die Twistermatte, auf der er mit unelegant gespreizten Gliedern darauf gewartet hatte, dass Heather die Nadel drehte. Plötzlich explodierte in Simons Gehirn die unerfreuliche Erinnerung an Joes widerlichen Furz, und es fiel ihm wieder ein, dass er auf seiner Hand zusammengebrochen war. Simon blickte auf seinen Körper hinab. Er trug einen Pyjama, den er nicht kannte und der unverkennbar nach chemischer Reinigung roch. Jemand hatte ihn ausgezogen. Langsam dämmerte ihm die Möglichkeit, dass er auf der Skala der Demütigungen, die ihm im Laufe seines Lebens widerfahren waren, einen neuen Tiefststand erreicht hatte.

Simons Kater verschaffte sich erneut Geltung, diesmal in Form von Übelkeit, die in heißen Wogen über ihm zusammenschlug. Er ließ sich seufzend in seine Kissen zurückfallen. Sein linker Fuß pulsierte. Er starrte zur Decke empor. Das alles war sehr merkwürdig und sehr unerfreulich. Bei Katern von Wagner'schem Ausmaß wie diesem gab es nur einen Ort, an dem er sein wollte: zu Hause, im Bett, in Laufweite zur nächsten Toilette. Er sah sich noch einmal in dem Krankenzimmer um. Keine Spur von irgendwelchen Krankenschwestern. Er würde auf Rettung warten müssen.

Nach einer Weile fiel Simon wieder in einen unruhigen Schlaf. Als er das nächste Mal aufwachte, stand neben seinem Bett eine Krankenschwester in dunkelblauer Tracht.

»Guten Morgen, Mr. Teller«, grüßte sie, sobald er die Augen aufschlug.

Simons Gehirn war der Bewusstlosigkeit noch immer näher als klarem Denken. »Ähm, hallo«, antwortete er.

»Wie geht es uns denn heute?«, fragte die Krankenschwester forsch.

»Nicht so besonders, um ehrlich zu sein«, gab Simon zu. »Meine Hand und mein Fuß tun weh, und Kopfschmerzen habe ich auch.«

»Ja, hm, ich kann nicht behaupten, dass mich das überrascht«, räumte die Krankenschwester ein, »nach all den Aufregungen der vergangenen Nacht.«

Simon erwiderte nichts und hoffte stumm auf weitere Informationen.

»Was haben Sie sich eigentlich dabei gedacht?«, fuhr die Krankenschwester fort.

Simon sah sie mit leerem Blick an. »Ich habe wirklich keine Ahnung«, antwortete er wahrheitsgemäß. »Ich glaube, ich war ziemlich betrunken.«

Die Krankenschwester lachte ironisch auf. »Ich denke, *das* lag auf der Hand«, meinte sie, nahm ein Thermometer aus ihrer Tasche und schob es Simon ohne weitere Höflichkeiten in den Mund. Sie warf einen Blick auf ihre Uhr. »Wie ich höre, hat die Krankenhausverwaltung um einen Bericht gebeten«, fügte sie hinzu.

»Könn dschie mi wohl sa, was passiert is?«, fragte Simon höflich.

»Keine Sorge, Mr. Teller«, erklärte die Krankenschwester. »Das werden Sie bald genug erfahren.« Sie beugte sich vor, zog das Thermometer aus Simons Mund und musterte es. Sie schnitt eine Grimasse. »Also«, verkündete sie, »Ihre Temperatur scheint in Ordnung zu sein. Dürfte ich jetzt bitte Ihre Hand sehen?«

Simon zog seine rechte Hand zaghaft unter der Decke hervor und hielt sie der Frau zur näheren Begutachtung hin. Die Krankenschwester untersuchte den Verband. »Gut«, sagte sie. »Sie haben sie sich ziemlich böse verstaucht. Sie müssen das Handgelenk für eine ganze Weile entlasten. Juckt es?«

»Nein«, erwiderte Simon. »Es tut nur ziemlich weh.«

»Dann ist es ja gut«, bemerkte die Krankenschwester. »Das lässt bald nach. Was macht Ihr Fuß?«

»Er tut weh, vor allem wenn ich mich bewege.«

Die Krankenschwester nickte. Sie ging zum Fußende des Bettes und griff nach der Karte, die dort hing. »Ich werde einen Termin beim Röntgen für Sie vereinbaren, damit wir herausfinden, wie groß der Schaden ist, den Sie sich zugefügt haben. In der Zwischenzeit würde ich vorschlagen, dass Sie so still wie möglich liegen, damit Sie die Dinge nicht verschlimmern.« Sie lächelte ohne Heiterkeit. »Hier sind zwei Aspirin gegen Ihre Kopfschmerzen.«

Simon nahm die Tabletten. »Danke«, murmelte er.

»Bitte bleiben Sie auf jeden Fall im Bett und halten Sie sich von weiteren Schwierigkeiten fern«, mahnte die Schwester.

»Oh, ganz bestimmt«, antwortete Simon, der das bisschen Gehirn, das ihm übrig geblieben war, nach einem kleinen Bröckchen Information absuchte, nach irgendwelchen noch vorhandenen Einzelheiten, die ihm Aufschluss über die Ereignisse des vergangenen Abends geben konnten. Das Letzte, woran er sich erinnern konnte, war das Twisterspiel in Angus' und Fergus' Wohnung. Danach klaffte in seinem Gehirn ein großes, niederschmetterndes, schwarzes Loch. Was hatte die Krankenschwester gemeint, die Verwaltung wolle einen Bericht haben?

Außer Stande, jüngere Ereignisse heraufzubeschwören, kehrte Simon wieder zu der Dinnerparty selbst zurück. Da das Gehirn nun mal ein neckisches Organ ist, konnte er sich in quälend klaren Einzelheiten an Joes Geschichte über die Zaubermünze erinnern, und die Peinlichkeit des Ganzen ließ ihn schaudern. Er erinnerte sich an seine Qual, als er Delphine zusammen mit allen anderen lachen gesehen hatte. Grausamerweise war Simons Gehirn noch im Stande, Delphins exquisites Gesicht in fotografischer Detailliertheit zu rekonstruieren. Seine Laune sank noch tiefer.

Was war nur los mit den Frauen?, ging es Simon durch den Kopf. Sie waren eine verwirrende Spezies. Er begriff einfach nicht, warum er so lange Single geblieben war. Er hatte all die richtigen Bücher und Zeitschriften gelesen. Er wusste, was Frauen wollten. Er konnte in den Wunschlisten für den »idealen Mann«, die in *Cosmopolitan* und *Marie Claire* regelmäßig abgedruckt wurden, all die richtigen Kästchen ankreuzen. Er hatte *Schuld und Sühne* gelesen, zweimal sogar. Er hatte die Klavierprüfung mit Auszeichnung bestanden. Er war ein exzellenter Koch. Er liebte Jean-Jacques-Beineix-Filme und hatte mehrere auf Video.

Jahrelange Sitzungen vor dem Spiegel hatten ihn zu der Überzeugung gebracht, dass er auch äußerlich gar nicht so schlecht abschnitt. Er hatte dunkles, gewelltes Haar und grüne Augen, die möglicherweise sein größter Vorzug waren. (Das hatte seine erste Freundin ihm eines Abends im Laufe einer stark zungenlastigen Knutscherei gesagt, und seither klammerte er sich an diese Überzeugung. Immerhin war es doch wenigstens etwas, *einen* Vorzug zu haben.) Insgesamt bot sein Gesicht einen recht einnehmenden Anblick: eine halbwegs ordentliche Haut, mittelkräftige Wangenknochen, gute Zähne. Sein Kinn war in der Vergangenheit als »stark« bezeichnet worden; Simon wusste nicht recht, was das bedeutete, zog daraus aber den Schluss, dass es besser sein müsse als ein schwaches Kinn.

Es gab keinen Zweifel: Auf der Skala wünschenswerter Männer rangierte Simon ganz oben, bei den Besten seiner Geschlechtsgenossen. Er hatte alles.

Darüber hinaus betrachtete Simon weibliche Wesen nicht einfach als Mitglieder einer anderen, fremden Rasse. Er war kein Angus oder Fergus, die Frauen entweder als Köchinnen oder als Sexobjekte ansahen. Frauen wollten, das wusste er, als *Menschen* respektiert werden, sie wollten, dass man sie wegen ihrer inneren Werte mochte und bewunderte und nicht nur wegen ihres Körpers oder ihrer häuslichen Fähigkeiten. Simon verstand das und benahm sich entsprechend.

Und doch hielten sie sich in Scharen fern. Es war alles sehr verwirrend.

Simon hatte nie Probleme gehabt, sich mit Frauen anzufreunden. Man konnte es als Beweis seiner Sensibilität und seiner emotionalen Offenheit ansehen. Frauen hatten das Gefühl, frei von der Leber weg mit ihm reden zu können. Sie liebten ihn dafür. Es war nur eben so, dass sie ihn wie einen Bruder liebten. Es wäre hübsch gewesen, eine Frau zu finden, die ihn wie eine heißblütige Sexmaschine lieben würde.

Trotz der beträchtlichen Anzahl weiblicher Freunde, die Simon hatte, blieben sie nie sehr lange Freunde. Dafür gab es prinzipiell zwei Gründe.

Das erste Problem war sein Respekt vor Frauen im Allgemeinen. Das bedeutete, dass er nicht versuchte, mit einem Mädchen zu schlafen, bevor er es richtig kennen gelernt hatte. Die Schwierigkeit bei diesem Verfahren lag auf der Hand: Wenn Simon das Gefühl hatte, die Frau gut genug zu kennen, um in das nächste, interessantere Stadium überzuwechseln, hatte die Betreffende entweder die Hoffnung verloren oder langweilte sich zu Tode, oder sie waren inzwischen so gute Freunde geworden, dass keiner von ihnen die Freundschaft gefährden wollte, indem sie miteinander schliefen.

Im Laufe der Zeit lernte die Frau dann einen anderen kennen und ging sofort mit ihm ins Bett. Anschließend bekam Simon sie dann immer seltener zu Gesicht, bis sie vor lauter Geliebtwerden vollkommen verschwand.

Zweitens, und das war vielleicht entscheidender, hatte Simon die peinliche Angewohnheit, sich in vollkommen unpassenden Augenblicken in seine platonischen Freundinnen zu verlieben. Dies ereignete sich für gewöhnlich gerade dann, wenn die jeweiligen Damen anfingen, sich mit einem anderen Mann zu treffen. Erst dann, wenn er sie atemlos und schwindlig vor Erregung über ihre neue Romanze erlebte, kam es Simon in den Sinn, dass *er* eigentlich derjenige sein sollte, der sie in diesen Zustand versetzte. Dann folgten qualvolle Auseinandersetzungen, verwirrte Anschuldigungen, törichte (aber hoffnungsvolle) Geständnisse, wütende Zurückweisungen und (wenn er Glück hatte) zurückhaltende Aussöhnungen, gepaart mit der strengen Verwarnung, dass etwas Derartiges nie, *nie* wieder passieren dürfe. Es war jedenfalls alles ziemlich demütigend.

Die wenigen wirklich funktionierenden romantischen Beziehungen, die Simon zu Stande gebracht hatte, folgten ebenfalls einem berechenbaren Muster. Simon war hoffnungslos romantisch, lähmend romantisch. Zu Beginn jeder Beziehung bombardierte er seine neue Flamme mit Briefen, Gedichten und Blumen. Er verwandte Stunden darauf, sich im Kopf seine Hochzeitsansprache zurechtzulegen, und schmachtete vor sich hin, außer Stande, sich auf irgendetwas zu konzentrieren. Diese unbeholfene, romantische Ader, dieses tiefe Verlangen, sich so zu verlieben, wie es in den Büchern stand, war für das jeweilige Mädchen ungemein verlockend – ein Zustand, der im Allgemeinen etwa eine Woche anhielt. Danach fand die betreffende Dame die ständige Aufmerksamkeit langsam entnervend, und kurz darauf fand Simon sich auf irgendeinem Sofa wieder, seine Angebetete streichelte seine Hand, und er bekam den üblichen Vortrag zu hören: Sie sollten ein wenig das Tempo drosseln, die Dinge ruhiger angehen und einander etwas mehr Raum geben, das unvermeidliche Vorspiel, wie Simon inzwischen wusste, auf das das endgültige Verschwinden seiner Flamme vom Antlitz der Erde folgte. Diesem Ereignis schloss sich eine Phase intensiver und theatralischer Trauer an, nach der zwangsläufig die hyperkritische Selbstanalyse folgte. Anschließend war er dann nicht klüger als zuvor und bereit, in der nächsten Runde dieselben Fehler wieder zu machen.

Nachdem er eine Weile über diese Situation nachgegrübelt und versucht hatte, nicht an Delphine zu denken, seufzte Simon und schloss die Augen. Er versuchte zu schlafen, ohne Erfolg. Irgendwann später hörte er neben sich ein Husten. Simon schlug die Augen auf. Am Fußende stand, eine braune Papiertüte an die Brust gedrückt, Joe.

Simon mühte sich in eine sitzende Position. »Hallo«, sagte er.

Joe hielt ihm die Tüte hin. »Weintrauben«, erklärte er.

»Oh. Vielen Dank.«

Es folgte eine Pause, während die beiden Männer einander unsicher ansahen.

»Ich wollte wissen, wie es dir geht«, meinte Joe.

Simon zuckte, leicht aus dem Konzept gebracht, die Schultern. »Hm, sehr aufmerksam von dir. Vielen Dank.«

»Was macht deine Hand?«

»Keine Ahnung, um ehrlich zu sein«, antwortete Simon. »Sie ist so fest bandagiert, dass ich nicht viel spüren kann.«

Joe schnitt eine Grimasse. »Sie ist doch nicht gebrochen?«

Simon schüttelte den Kopf. »Nur verstaucht, wie es scheint. Ich nehme an, das ist eine gute Neuigkeit, aber sie tut trotzdem mörderisch weh. Und gestern Nacht muss noch etwas anderes passiert sein. Ich habe Schmerzen im Fuß, die mich die Wände hochtreiben.«

Joe setzte sich auf die Bettkante und runzelte die Stirn. »Dein Fuß? Bei der Party war dein Fuß noch völlig in Ordnung.«

»Genau. Ich habe keine Ahnung, was damit los ist. Ich soll später am Tag zum Röntgen.« Er hielt inne. »Hör mal, Joe, es gibt da etwas, das ich dich gern fragen würde.«

»Was?«

»Hm, das ist ein bisschen peinlich, aber könntest du mir erzählen, wie ich ins Krankenhaus gekommen bin? Die Dinge sind ein wenig verschwommen.«

»Wir haben dir ein Taxi gerufen. Erinnerst du dich nicht?«

»O ja. Jetzt fällt es mir wieder ein.« Simon schoss die Röte in die Wangen.

»Und du wolltest nicht fahren.«

»Wollte ich nicht?«

»Also. Immer schön der Reihe nach. Bei diesem Spiel, beim Twister, bist du auf deine Hand gefallen und ohnmächtig geworden. Als du wieder zu dir kamst, wolltest du unbedingt weiterfeiern. Du wolltest mit Delphine reden.«

Simon stöhnte. »Sprich weiter.«

»Na ja, dein Handgelenk schwoll an, deshalb hat Fergus ein Taxi gerufen und dich hineinverfrachtet, und er hat dem Fahrer einen Zehner gegeben und die Anweisung, dich in das nächstgelegene Krankenhaus zu schaffen. Und da bist du nun.«

Joe öffnete die Tüte mit den Weintrauben, schob sich eine in den Mund und sah sich dabei im Krankensaal um.

»Also«, entgegnete Simon nach einer Weile. »Wie geht es Delphine?«

»Delphine? Ihr fehlt nichts, denke ich.«

»Oh, gut.«

Simon beugte sich vor und nahm sich eine Weintraube. »Nettes Mädchen«, meinte er, während er die Haut der Weintraube einer eingehenden Musterung unterzog.

»Sehr nett«, pflichtete Joe ihm bei. »Hübsch. Und witzig. Anscheinend funktioniert sie wie eine ...«

»... Scheißhaustür in einem Hurrikan, ja, ich weiß«, fiel Simon ihm kläglich ins Wort.

Die Tüte mit Weintrauben wanderte jetzt knisternd zwischen den beiden Männern hin und her. Was für eine ungewöhnliche Situation, dachte Simon. Hier liege ich und versuche, mit diesem Mann Konversation zu machen, obwohl wir praktisch bisher nur zweimal miteinander zu tun hatten, das erste Mal, als er mich in einem

Raum voller fremder Leute zu Tode gedemütigt hat, und das zweite Mal, als er so furchtbar furzte, dass ich im Krankenhaus gelandet bin. Was sagt man da?

»Ich fand Delphine sehr nett«, bekannte Simon.

»Hmhm.« Joe hatte den Mund zu voll zum Sprechen.

Hat sie mich noch irgendwie erwähnt, nachdem ich weg war?, hätte Simon gern gefragt. Wollte sie zum Beispiel meine Telefonnummer haben?

Er versuchte es mit einer anderen Taktik. »Es ist schwierig, jemanden auf so einer Party richtig kennen zu lernen, nicht?«, fragte er.

»Ich nehme an, ja«, stimmte Joe zu.

Die Weintrauben verschwanden wieder in Richtung Fußende.

»Wie auch immer«, fuhr Joe fort, »ich benutze Partys nie zum Aufreißen.«

»Aufreißen? Du meinst, Frauen?«

Joe nickte. »Grundsätzlich nicht.«

Simon verdaute diese Bemerkung. »Ich auch nicht, glaube ich. Es ist schrecklich schwierig, nicht wahr? Ich meine, in so einer künstlichen Situation. Ich meine, man geht bei einer Party nicht zu einer Frau hin und spricht sie an. Genauso gut könnte man sich ein Schild um den Hals hängen mit der Aufschrift: *Traurige Gestalt*. Und die Frauen behandeln einen auch entsprechend. Normalerweise mit grenzenloser Verachtung.«

»So hatte ich das eigentlich nicht gemeint«, wandte Joe ein. »Es ist erstaunlich *einfach*, auf Partys jemanden aufzureißen.«

»Oh«, murmelte Simon.

»Aber du hast natürlich Recht«, fuhr Joe fort, »man könnte sich genauso gut ein Schild um den Hals hängen, doch das ist ja das Schöne an der Sache.«

Simon sah seinen Besucher verständnislos an. »Ach ja?«

»Absolut«, erklärte Joe. »Pass auf. Du bist auf einer Party. Du siehst eine Frau, mit der du dich gern unterhalten würdest. Und weil du auf einer Party bist, kannst du es tun. Du kannst einfach auf sie zugehen und ein x-beliebiges Thema anschneiden, und es spielt keine Rolle – *weil du auf einer Party bist*. Normale Regeln gelten da nicht. Wenn eine Frau zu einer Party geht, ist sie mehr oder weniger Freiwild; jeder kann sie ansprechen. Sie erwartet es einfach. Es gehört dazu. Sie wird dir nicht sagen, dass du verschwinden sollst, sobald du sie ansprichst.«

Simon schwieg.

»Also, wenn du diese Frau langweilst, kann sie sich nach einer Weile ganz legitim abwenden und das Gespräch beenden. Und das ist auch okay. Das ist alles ein Teil des Spiels. An dieser Stelle hast du deine Chance gehabt, und du hast es vermasselt. Aber du hast zumindest deine Chance gehabt. Die Party ist ein großer gesellschaftlicher Gleichmacher. Eine sehr demokratische Institution. Jeder hat die Chance auf einen Versuch. Du musst nur zugreifen.«

Simon dachte darüber nach. »Wenn es so einfach ist, bei Partys jemanden aufzureißen, warum tust du es dann nicht?«

»Weil es bei Partys ein Problem gibt«, antwortete Joe geduldig, »du musst, um eingeladen zu werden, per Definition jemanden dort kennen. Oder jemanden kennen, der jemanden kennt. Kurzum, wenn nicht einer von euch beiden, du oder die Frau, sich uneingeladen auf die Party geschmuggelt hat, muss es zwangsläufig irgendeine Verbindung zwischen euch beiden geben, und sei sie noch so indirekt. Beiderseitige Freunde, so etwas meine ich.«

Simon runzelte die Stirn. »Okay«, erwiderte er. »Wo liegt das Problem?«

»Es ist Folgendes«, erklärte Joe. »Wenn diese Frau zu deinem Kreis gehört oder zu dem Kreis deines Kreises, besteht immer das Risiko, dass du ihr danach wieder über den Weg läufst.«

»Danach?«

»Yeah.« Joe kniff ihm ein Auge zu. »Danach.«

»Oh. Verstehe«, murmelte Simon ein paar Sekunden später. »Dann verrat mir doch eins«, bat er. »Wenn du auf Partys keine Frauen aufreißt, wo lernst du dann welche kennen?«

»In der National Gallery«, antwortete Joe.

Es folgte eine Pause.

»Was?«, hakte Simon schließlich nach.

»In der National Gallery«, wiederholte Joe. »Die liegt auf dem Trafalgar Square.«

»Ich weiß, wo die National Gallery ist«, fuhr Simon ihn an.

Joe griff in die Tüte und nahm sich noch eine Weintraube. »Das ist der beste Ort in London, um Frauen kennen zu lernen. Obwohl man natürlich Recherchen anstellen muss.«

»Was genau muss man recherchieren?«, wollte Simon wissen, bei dem sich Abscheu und Neugier die Waage hielten.

»Die Gemälde. Ich habe ermittelt, was für ein Typ Frau vor welchen Gemälden stehen bleibt. Und dann begeistere ich sie mit einem Gedicht. Ich habe für jedes Gemälde ein anderes Gedicht.«

»Das glaube ich nicht«, entfuhr es Simon.

»Es stimmt aber«, antwortete Joe, der Simon missverstanden hatte. »Wenn ich ein sanftes, wohl erzogenes Mädchen kennen lernen will, das Laura-Ashley-Röcke trägt und Romane von Jane Austen liest, gehe ich zu einem Bild von Renoir, *Bootsfahrt auf der Seine*. Dann lungere ich so lange vor dem Bild herum, bis eine passende Vertreterin dieser Rasse auftaucht – ich muss nie mehr als ein paar Minuten warten. Ein bisschen wie bei Bussen. Wie auch immer. Ich warte also, bis dieses Mädchen sich das Gemälde eine Weile angesehen hat. Und dann trete ich hinter es und sage:

Meine Seele ist ein Zauberkahn.
Der treibt wie im Schlaf ein Schwan
auf den Silberwellen deines Singens

Dann dreht sie sich überrascht um. Ich sehe sie schüchtern an. Wir erörtern ein paar Minuten lang die formlose Spontaneität des Gemäldes, sehen uns dann vielleicht schnell noch den Rest der Galerie an, und dann frage ich sie, so beiläufig wie nur was, ob sie Zeit für eine Tasse Kaffee hat. Und Bingo, los geht's.«

Simon ließ sich in sein Kissen zurücksinken. Nach einer ganzen Weile meinte er: »Was war das für ein Gedicht?«

»Es ist aus dem *Entfesselten Prometheus* von Shelley. Damit kriegst du sie alle.« Joe streckte Zeigefinger und Mittelfinger aus und schoss mit einer imaginären Pistole auf ein nicht minder imaginäres Ziel. »Also, das war der Laura-Ashley-Typ. Im Allgemeinen eine Dame mit einwandfreiem Lebenswandel. Normalerweise auch eine sehr gute Köchin. Dieser Typ Frau fällt immer auf die Sache mit dem Gedicht rein. Es ist einfach *so* romantisch, in einer Kunstgalerie von einem Fremden angesprochen zu werden.«

»Mein Gott«, murmelte Simon versonnen. »Du hast das alles genau ausgeknobelt, nicht wahr?«

»O ja. Den besten Sex«, fuhr Joe fort, »bekommst du zum Beispiel, wenn du zu den Canalettos gehst.«

»Wirklich?«, fragte Simon geschlagen.

Joe nickte. »Weiß selbst nicht, warum. Vielleicht haben die Gemälde irgendetwas an sich, das besonders Nymphomaninnen anspricht. Wie auch immer, da es von den Canalettos eine ganze Menge gibt, stelle ich mich in der Regel vor das Bild *neben* dem, das die Frau sich gerade ansieht, und dann murmele ich leise:

Darunter liegt wie grünes Meer gebreitet
die spiegelglatte Ebene der Lombardei,
begrenzt von dunst'ger Luft,
mit schmucken Städten wie Inseln durchsetzt;
und unter des Tages azurblauen Augen
liegt Ozeans Ziehkind Venedig,
bevölkertes Mauerlabyrinth,
Amphitrites geweihte Hallen.

Joe sah Simon an. »Auch von Shelley. Der Mann ist erste Sahne.«

»Wer ist Amphitrite?«, erkundigte sich Simon.

»Keine Ahnung«, antwortete Joe. »Hat mich nie jemand nach gefragt. Eine Frau fragt so etwas nicht, verstehst du? Solange ein Gedicht gut klingt, spielt es keine Rolle, was drinsteht. Noch ein anderes Beispiel«, fuhr er fort. Er hatte sich offensichtlich für sein Thema erwärmt. »Es gibt ein Gemälde von Munch mit dem Titel *Melancholie*. Auf dem Gemälde sitzt ein Mann, den Kopf in die

Hände gestützt, am Strand, und im Hintergrund sieht man zwei andere Personen, die einander umarmen. Dunkler, aufgewühlter Himmel. Ziemlich niederschmetterndes Ding. Also, die Leute, die vor diesem Gemälde rumhängen, fallen unter zwei Kategorien: aufsässige Studentinnen oder Frauen, die gerade sitzen gelassen worden sind. Je nachdem, womit du es zu tun hast, brauchst du eine andere Methode.«

»Und die wäre?«

»Also, für die Studentinnen habe ich mir etwas Neues einfallen lassen. Ich stelle mich neben sie und sehe mir das Bild genauso konzentriert an, wie sie es tun, dann sage ich:

Ein verborgener Zorn verzehrt mein Herz,
genährt von langen Jahren vergeudeter Zeit.
Ich schließe die Augen
und richte mich auf
und stürze mich schreiend
in den Abgrund,
hinein in dein Blut.«

Simon dachte nach. »Wow«, meinte er schließlich. »Echt *heavy*. Wieder Shelley?«

Joe schüttelte den Kopf. »The Cure. Wirkt Wunder. Sie schmelzen einfach dahin. *Endlich*, denken sie – eine verwandte Seele. Endlich jemand, der *versteht*. Danach ist es ganz einfach.«

»Und was«, fragte Simon, ohne zu wissen, ob er die Antwort wirklich hören wollte, »was machst du mit denen, die vor kurzem sitzen gelassen worden sind?«

»Oh, etwas ganz anderes natürlich. In diesem Fall brauchst du Mitgefühl, Verständnis, Einfühlungsvermögen. Also versuche ich es im Allgemeinen mit etwas von Emily Dickinson:

> Zweimal endete mein Leben vor seinem Ende;
> doch bleibt zu sehen,
> ob die Unsterblichkeit
> ein Drittes mir enthüllen wird,
>
> so ungeheuerlich, so hoffnungslos, sich vorzustellen,
> wie diese beiden, die mir widerfuhren.
> Scheiden ist alles, was wir vom Himmel wissen,
> und alles, was wir von der Hölle wissen müssen.

Damit hast du sie meistens am Haken, und dann ziehe ich die übliche Kaffee-Nummer ab. Diese Sorte Frau ist allerdings große Klasse, weil diese Frauen entweder in der Krise stecken und sich verzweifelt nach Liebe und Aufmerksamkeit sehnen oder es auf einen Rachefick abgesehen haben.«

»Rachefick?«, wiederholte Simon blinzelnd.

»Klar. Du weißt schon. Nur um es ihm zu zeigen, wer immer er war. Und Racheficks sind aus der Sexperspektive im Allgemeinen einfach brillant. Es ist, als trieben sie es vor Publikum.«

Simon verdaute auch diese Eröffnung schweigend.

»Also, da hast du es«, schloss Joe. »Warum sollte man sich die Mühe machen, jemanden anzuquatschen, den man irgendwann mal wiedersieht, wo es in den Londoner Kunstgalerien einen nie versiegenden Vorrat an verfügbaren Frauen gibt? Ich hatte übrigens auch einige Erfolge vor Tintoretto, obwohl es sich dabei ausschließlich um Studentinnen der Kunstgeschichte handelte. Ansonsten gibt sich heutzutage niemand mehr mit Tintoretto ab.«

Simon starrte seinen Besucher mit einer Mischung aus Ekel und Faszination an.

Es folgte eine Pause.

»Ich hätte nicht furzen dürfen«, bekannte Joe nach einer Weile. »Tut mir Leid.«

Der abrupte Themenwechsel brachte Simon ein wenig aus der Fassung. »Schon erstaunlich, wie weit man gehen kann, um eine Runde Twister zu gewinnen«, entgegnete er.

Joe grinste. »Na ja, tut mir trotzdem Leid«, versicherte er.

»Entschuldigung angenommen«, erklärte Simon.

Eine neuerliche Pause entstand. »Ich gehe dann besser mal«, bemerkte Joe. Er stand auf.

»Klar. Danke, dass du gekommen bist. War nett von dir.«

Joe trat verlegen von einem Fuß auf den anderen. »Das Mindeste, was ich unter diesen Umständen tun konnte. Und noch mal, entschuldige.«

»Schon okay, wirklich.«

Sie schwiegen beide.

»Ach ja, da wir gerade dabei sind: Ich sollte mich wohl auch für die Geschichte entschuldigen, die ich erzählt habe«, fügte Joe hinzu. »Über die ... ähm ... Badewanne.«

»Vergiss es«, erwiderte Simon, auch wenn er ihm noch lange nicht würde verzeihen können.

Die beiden Männer sahen einander kurz an.

»Noch eins«, bat Joe. »Wo liegt der Laden für Zauberartikel, in dem du arbeitest?«

Simon nannte eine Adresse in der Nähe der Victoria Station.

»Die Gegend kenne ich«, meinte Joe. »Vielleicht schau ich irgendwann mal rein.«

»Das wäre klasse«, antwortete Simon leicht verwundert.

»Also dann«, sagte Joe. »Ich hoffe, es geht dir bald besser.«

»Vielen Dank.«

»Bis irgendwann mal«, murmelte Joe. Er machte Anstalten, Simon die Hand hinzuhalten, verwarf dieses Ansinnen dann jedoch und versenkte seine Hand tief in der Tasche, bevor er sich umdrehte und das Krankenzimmer mit schnellen Schritten verließ.

Simon machte es sich wieder in seinen Kissen bequem. Donnerwetter, dachte er, was war denn das? Er fragte sich, ob Joe sich wohl je die Mühe machen würde, wieder Kontakt zu ihm aufzunehmen. Unwahrscheinlich, dachte er. Joe war gekommen, um zu sehen, wie es Simon ging, und um sich zu entschuldigen, und selbst das war wahrscheinlich mehr gewesen, als Simon hatte erwarten dürfen. Er hatte einen recht netten Eindruck gemacht. Ein Zyniker natürlich, wenn es um Frauen ging, aber ansonsten ganz in Ordnung. Trotz seines Benehmens auf der Party, so überlegte Simon, konnte Joe kein durch und durch mieser Typ sein. Simon tastete die Tüte ab, um festzustellen, ob vielleicht noch einzelne Weintrauben auf dem Boden der Tüte übrig geblieben waren. Fehlanzeige. Sein Handgelenk pulsierte. Er streckte sich und wartete darauf, dass etwas passieren würde.

Fehlanzeige.

Etwas später am Nachmittag wurde Simon geröntgt.

Kurz darauf erschien eine attraktive junge Ärztin an seinem Bett. »Hallo«, sagte sie. »Ich bin Doktor Gilbert.

Wir haben uns gerade die Röntgenaufnahmen angesehen, und die gute Nachricht ist die, dass es sich nur um eine schlimme Verstauchung handelt.«

»Oh, bestens«, erwiderte Simon. Er hätte sich liebend gern erkundigt, was genau mit seinem Fuß passiert war, schämte sich aber zu sehr, danach zu fragen.

»Außerdem haben Sie ein paar ernsthafte Prellungen am großen Zeh davongetragen, der infolgedessen ziemlich böse geschwollen ist. Aber das müsste eigentlich in ein paar Tagen vergessen sein.«

»Verstehe«, sagte Simon und fand, dass Dr. Gilbert eine recht hübsche Frau war.

Die Ärztin schob ihren Kugelschreiber in die Brusttasche ihres weißen Kittels. »Die Krankenschwester wird gleich kommen und Ihren Fuß bandagieren, damit Sie ihn schön ruhig halten können. Danach dürfen Sie dann gehen.« Sie hielt inne. »Sie werden Krücken brauchen«, erklärte sie. »Und wenn Sie meinen Rat hören wollen: Lassen Sie es erst mal langsam angehen. Der Umgang mit Krücken ist gar nicht so leicht, wie Sie sich das wahrscheinlich vorstellen. Wenn irgendetwas im Weg ist, das Sie treffen können, werden Sie es treffen.«

»Verstehe«, antwortete Simon noch einmal. Er schenkte Dr. Gilbert sein schönstes Lächeln. »Ich bin Ihnen ja so dankbar.«

»Keine Ursache«, meinte die Ärztin. »Kommen Sie in einer Woche noch mal wieder, dann werden wir sehen, welche Fortschritte Sie gemacht haben. Und am besten machen Sie erst mal eine Weile einen großen Bogen um Kaffeemaschinen.« Sie zwinkerte ihm zu.

Simon sah sie ausdruckslos an. »Ähm, vielen Dank«, erwiderte er. »Mache ich.«

Dr. Gilbert wandte sich von ihm ab und ging ohne einen zweiten Blick weiter durch den Raum. Simon sah ihr verblüfft nach. Kaffeemaschinen? *Kaffeemaschinen?*

Kurze Zeit später stolperte Simon Teller am Vordereingang des Krankenhauses in ein Taxi, und sein unbeholfenes Einsteigemanöver wurde nur durch einen noch spektakuläreren Abgang zwanzig Minuten später übertroffen, bei dem er der Länge nach auf dem Gehsteig vor seiner Wohnung landete, seine neuen Krücken links und rechts neben sich am Boden. Dr. Gilbert hatte Recht gehabt. An die Krücken würde er sich erst gewöhnen müssen. Und seine bandagierte Hand machte es nicht gerade besser.

Der Taxifahrer sah erheitert zu, wie Simon sich hochrappelte und zum Fenster gehumpelt kam, um den Fahrpreis zu zahlen.

»Sie sollten sich ein *Anfänger*-Schild um den Hals hängen, Kumpel«, sagte der Fahrer gut gelaunt, während er Simons Geld einsteckte. »Sie könnten ja jemanden verletzen, he, he, he.«

Als Simon die Tür zu seiner Wohnung öffnete, überflutete ihn die Erleichterung. Endlich zu Hause. Er blieb im Flur stehen und ließ seinen Blick liebevoll über die vertrauten Dinge wandern. Unverzüglich schien der Schmerz in seinem Fuß ein wenig abzuflauen. Simon ging ins Wohnzimmer. Er setzte sich auf sein Sofa und lauschte auf Geräusche aus der oberen Wohnung. Es herrschte Stille. Das konnte bedeuten, dass Angus und Fergus ausgegangen waren – oder sie hatten es einfach noch nicht für nötig befunden aufzustehen. Er warf einen Blick auf seine Armbanduhr. Es war halb sieben abends. Die zweite Erklärung war die wahrscheinliche.

Simon sah, dass er eine Nachricht auf seinem Anrufbe-antworter hatte. Er zog sich zum anderen Ende des Sofas hinüber und drückte auf den Knopf.

»Hi, ich bin es. Ich wollte nur mal hören, wie die Dinge stehen, und nachfragen, ob du heute Abend wirklich rü-berkommst. Hier ist eine Dame, die dir etwas zeigen möchte. Ähm. Ob das nun ein Grund für dich ist, zu kommen oder wegzubleiben, weiß ich nicht. Ruf mich an. Wir hören später voneinander.«

Simon schloss die Augen und stöhnte. Natürlich. Es war Sonntag.

3. KAPITEL

Während der letzten drei Jahre hatte Simon seine Schwester Arabella einmal monatlich besucht, immer am Sonntagabend.

Arabella war drei Jahre älter als Simon. Ein früher, auf den üblichen Geschwister-Eifersüchteleien beruhender Mangel an Zuneigung hatte sich durch den Einsatz ihrer dann lang anhaltenden Pubertät noch verschärft. Arabellas Teenagerjahre hatten eine besonders ergiebige Ernte an Hasstiraden und Rebellionen zu Tage gefördert. Achtzehn Monate lang sprach sie weder mit ihren Eltern noch mit Simon mehr als das Nötigste. Den größten Teil dieser Zeit verbrachte sie in ihrem Zimmer, wo sie laut Musik hörte, vor dem Spiegel saß, Make-up auflegte und am offenen Fenster rauchte. Von Zeit zu Zeit kam sie dramatisch in einem formlosen schwarzen Kopftuch die Treppe hinuntergerauscht, kaum wiederzuerkennen unter einem wahren Kaleidoskop greller Schminke. Bei solchen Gelegenheiten gönnte sie ihrer Familie einen kurzen Blick, dann schlug sie, ohne ein Wort zu sagen, wieder die Tür hinter sich zu und ließ die ihren ratlos zurück.

Dann, es war ein paar Wochen nach ihrem siebzehnten Geburtstag, lernte Bella einen Jungen kennen, der Rugby spielte. Über Nacht verwandelte sie sich in den Inbegriff der Weiblichkeit, eine Vision von Perlen und Pastelltönen.

Simons eigene Jugend war erheblich glanzloser gewesen. Er versuchte, sich eine Aura affektierter Lässigkeit zuzulegen, hörte Platten von Southern Death Cult und paffte dazu eine Sobranie-Mischung. Er sah aus wie das pickelige Kind der Liebe von Marc Bolan und Noel Coward.

Nach einer Weile jedoch fand Simon, dass eine andere Methode vonnöten sei. Er begriff, dass die Pubertät eine Chance war, wie man sie im Leben nur einmal bekommt, daher machte er sich schlau und las den *Fänger im Roggen*. Und dann wusste er es. Um diese ganze Freud'sche Angstgeschichte altersgerecht zu absolvieren, wie es sich gehörte, musste man Entfremdung spüren, das war der Punkt. Das war der Schlüssel. Man musste einfach *anders* sein.

In einem bewussten Versuch, seinen Vater auf die Palme zu bringen und ein gewisses Maß an Distanz zwischen sich und seine Freunde zu legen, plünderte Simon die Plattensammlung seines Vaters, um etwas anderes zu finden, das er hören konnte. (Der Musikgeschmack war natürlich das Hauptkriterium, nach dem Simon und seine Kameraden einander beurteilten, es sei denn, sie benutzten einmal die Schärfe ihrer Schuhspitzen als Kriterium.) Er entschied sich willkürlich für eine alte LP von Sidney Bashett, auf deren Cover die wenig viel versprechenden Worte *Jazz Classics, Volume One* prangten. Auf dem Cover war ein alter Farbiger zu sehen, der sich aus einem Fenster beugte, eine Zigarette rauchte und nachdenklich dreinblickte. Simon nahm die Platte mit in sein Zimmer.

Er blieb geschlagene drei Stunden dort. Als er wieder herauskam, tat er es nur, um sich noch einmal die Plattensammlung seines Vaters vorzunehmen und nach weiteren Aufnahmen von Sidney Bashett Ausschau zu halten. Er hatte sich die Platte viermal hintereinander angehört. Bashetts glühendes Sopransaxofon improvisierte sich durch die alten Jazz-Standards der Glanzzeiten von New Orleans, jaulte und schrie in fieberhafter, leidenschaftlicher Freude. Simon bewegte sich kaum, außer um die Platte umzudrehen. Während er wie gebannt von der Musik auf seinem Bett saß, wurde ihm bewusst, dass da etwas Wichtiges passierte, etwas, das ihn den Rest seines Lebens begleiten würde. Während das Ensemble zum dritten Mal durch *Muskcrat Ramble* schwebte, hatte Simon Teller sich, trunken von Musik, verliebt.

Danach war alles anders. Simon gab all seine anderen Platten weg, all die Platten, die mit Totenschädeln und auf dem Kopf stehenden Kreuzen verziert waren. Stattdessen begann er, Jazzplatten zu kaufen, und entdeckte bald das breite Spektrum an Farben, Texturen und Gefühlen dieser Musik. Er begann mit dem spröden, modalen Jazz von Miles Davis und bewegte sich dann spiralförmig in alle Richtungen weiter, angefangen von der weichen, melodischen Schönheit eines Bill Evans bis hin zu dem freien Jazz Don Sherrys und der nervösen, anspruchsvollen Sprunghaftigkeit Count Basies.

Die Musik war faszinierend, aber Simons Besessenheit ging darüber hinaus. Er liebte all die Geschichten, die Legenden und die Mythen, die sich um die charismatischen und rätselhaften Jazzmusiker rankten. Ganz im Bann eines verblichenen Glanzes, tauchte Simon in seiner Fantasie ein in die verqualmte Unterwelt der Jazzclubs und der Musiker, die dort spielten, Männer, die gezeichnet waren von ihrer Genialität. In Simons Gedanken spulten sich ganze Szenen im grobkörnigen Schwarz-Weiß der Fotografien jener Zeit ab, Fotografien, die ohne die geringste Anstrengung unendlich cool waren. Die Welt, die Simon in seinem Kopf bewohnte, war unerreichbar, vierzig Jahre alt und einen Ozean von ihm entfernt. Es war eine Welt gescheiterter Genies, zerschmetterter Hoffnungen und der verheerenden Verwüstungen von Drogen und Selbstzerstörung. Es war eine Welt von Bilderstürmern, Träumern und Idealisten. Und sie gehörte ihm, um sich nach Herzenslust darin auszutoben.

Sobald Arabella die schweren Ketten der Teenagerzeit abgeschüttelt hatte, ging sie nach Cambridge, um Englisch zu studieren, während Simon in Bristol ein Geschichtsstudium begann. Sie sahen einander nicht oft. Schließlich trug die Schwerkraft sie beide nach London, wie umherirrende Motten immer von der hellsten Glühbirne angezogen werden. Arabella begann eine viel versprechende Laufbahn in einem kleinen, unabhängigen Verlag in Nord-London. Simon, der sich der Verantwortung eines richtigen Jobs noch nicht recht gewachsen fühlte, driftete ziellos zwischen etlichen vergnüglichen, aber schlecht bezahlten und kurzlebigen Karrieren hin und her. Ganz vorsichtig wurden die Brücken zwischen Bruder und Schwester wieder aufgebaut. Es kamen gemeinsame Reisen nach Wiltshire, zu den Eltern. Es wurden Einladungen zum Essen ausgesprochen, erwidert und genossen. Nach einem Jahr stellten sie zu ihrer Überraschung fest, dass sie einander mochten.

Kurz darauf verliebte Arabella sich in einen Rechtsanwalt namens Michael, und im nächsten Frühjahr heirateten die beiden.

Simons Eltern taten mit stoischer Gelassenheit ihr Bestes, um Michaels Vorzüge zu entdecken, um Arabellas willen, aber es gab leider nicht viele Vorzüge zu entdecken. Familienbesuche wurden zur Qual. Michael gab sich keine Mühe, auch nur höflich zu sein. Er behandelte seine neue Familie mit zähneknirschender Verachtung. Arabellas und Michaels Besuche wurden immer seltener, vor allem nach der Geburt Sophies, ihrer Tochter. Wenn ein Familientreffen unvermeidlich war, konnte Michael sich den ganzen Tag lang Simon gegenüber feindselig zeigen, obwohl Simon, hätte er eine ganz bestimmte Gemeinheit nennen müssen, nichts Konkretes eingefallen wäre. Es war das soziale Äquivalent der chinesischen Wasserfolter. Jede Einzelheit für sich betrachtet schien harmlos zu sein, aber die Gesamtwirkung war verheerend. Nach einer Weile kamen sie zu der stillschweigenden Übereinkunft, dass es einfacher sei, einander in Zukunft gänzlich aus dem Weg zu gehen, als weitere Unannehmlichkeiten ertragen zu müssen.

Michaels Benehmen war der Grund, warum Simon Arabella etliche Monate nicht gesehen hatte, als vor drei Jahren, an einem Montagabend Ende November, das Telefon geklingelt hatte. Es war die Polizei von Nord-Wiltshire. Es hatte einen Unfall gegeben.

Seine Eltern waren von ihrem wöchentlichen Bridge-Abend durch die schmalen Gassen nach Hause gefahren, die die Landschaft um ihr Dorf herum durchzogen. In einer engen Kurve war ihnen ein Wagen mit überhöhter Geschwindigkeit entgegengekommen. Die Reifen des entgegenkommenden Autos hatten den Bodenkontakt verloren. Es hatte sich quer gestellt und war seitlich in den Wagen seiner Eltern gekracht. Alle drei Insassen waren sofort tot gewesen. Bei der gerichtlichen Untersuchung erklärte ein mürrisch blickender Polizist, dass der Blutalkoholgehalt des Fahrers des zu schnellen Wagens das zulässige Maß um das Viereinhalbfache überstiegen habe.

Ein einziger betrunkener Fahrer. An einem derart seidenen Faden hatte das Leben seiner Eltern gehangen. Seine Mutter hatte in einer örtlichen Schule Englisch unterrichtet, und sein Vater war Steuerberater gewesen und hatte seine Freizeit darauf verwandt, Modellflugzeuge zu bauen, die er bei Schauflügen an den Wochenenden fliegen ließ. Sie waren freundliche, unkomplizierte Menschen gewesen. Sein Vater pflegte seinen Sechs-Uhr-Gin-Tonic alltäglich zu erheben und ernsthaft dazu zu bemerken: »Der Fisch Gottes« – seine eigene Übersetzung von *carpe diem*, nutze den Tag. Er hatte seine Tage nicht bis zum Ende nutzen können. Es war unerträglich traurig.

Zu Simons Überraschung war der Nachlass seiner Eltern beträchtlich gewesen. Trotz seiner ausdrücklichen Überzeugung, dass man für das Heute lebe, hatte Simons Vater auch für morgen Pläne gemacht. Einige kluge Investitionen, eine großzügige Versicherungspolice, ihr großes, hypothekenfreies Haus – als die Vermögenswerte zu Geld gemacht worden waren, blieb für Arabella und Simon genug übrig, um ihre Schulden zu bezahlen und von den Zinsen ihres Kapitals behaglich leben zu können.

Die Beerdigung war schrecklich gewesen. Sie mussten die mitleidigen und bestürzten Beileidsbekundungen wohl meinender Freunde und Nachbarn über sich ergehen lassen, mussten endlose Anekdoten mit einem höflichen Lächeln ertragen. Während der dezenten Häppchen und Schnittchen nach dem Gottesdienst hatte Simon seinen Fluchtdrang niedergekämpft. Erst als er am Ende des Tages in seine leere Wohnung zurückkehrte, brach sich die angestaute Trauer der vergangenen Woche endlich Bahn. Er stand in der Mitte der Wohnung. Den ganzen

Nachmittag über hatte er aus einem anderen Raum fliehen wollen; nun begriff er plötzlich, dass es keine Flucht *gab*. Eltern waren nicht dafür da, dass sie *starben*. Sie waren absolut verlässlich, ein Sicherheitsnetz der Zuneigung und der Treue, das immer unter Simon und seinen Unternehmungen aufgespannt gewesen war. Jetzt war das Sicherheitsnetz weg, und nichts würde es zurückbringen. Simon hatte in dieser Nacht lange, heiße Tränen geweint.

Das Leben ging natürlich weiter, wenn auch eher stockend. Noch Wochen nach der Beerdigung erwachte Simon jeden Morgen mit einem verzweifelten Gefühl des Unwirklichen. Nur langsam konnte er sich damit abfinden, was passiert war, konnte das Wissen bewältigen, dass seine Eltern nie wieder da sein würden. Dann kam das Bedauern, der Gedanke an herzliche Worte, die nie ausgesprochen worden waren, an all die unbeholfenen Gefühle, die nie einen Ausdruck gefunden hatten.

Durch den plötzlichen Verlust ihrer Eltern hatten Simon und Arabella wieder zusammengefunden. Bella hatte natürlich eine eigene Familie, aber sie hatte Simon in dieser Familie willkommen geheißen, und langsam begannen sie, ihre Beziehung zu erneuern. Das gemütliche Abendessen am Sonntag wurde zu einem Ritual; Ellbogen auf dem Tisch, gutbürgerliche Küche und herzliche Gespräche. Ihre gemeinsamen Abende waren für sie beide eine Quelle echten Trostes geworden.

Simon sah sich in seinem Wohnzimmer um. Der Boden war übersät mit alten Plattenhüllen, und die farbenfreudigen Entwürfe der Blue-Note- und der Columbia-Labels wanderten vom Plattenspieler aus in alle Richtungen durch den Raum. Simon hatte sich resolut geweigert, die CD-Revolution mitzumachen. Es hatte etwas Magisches, die schwarzen Vinylscheiben aus ihren staubigen Pappkartonhüllen zu holen, und diesen Zauber konnten die klinisch anmutenden Silberscheiben niemals erreichen. Beim Jazz ging es um Gefühle, eine sinnliche Erfahrung, die mehr war als der Sound, der aus den Lautsprechern kam. Die kunstvollen Covers, der Geruch nach altem Pappkarton, das erwartungsvolle Knistern, wenn die Nadel ihren Platz fand, bevor die Musik begann – all das waren unverzichtbare Bestandteile der Gesamterfahrung. Simon hatte seine gebraucht gekauften Schallplatten sorgfältig in alphabetischer Reihenfolge sortiert, angefangen von Albert Ayler bis hin zu Joe Zavinul. Es war das leicht angestaubte Behagen dieser Platten, in das er sich zurückzog, wenn er das Bedürfnis hatte zu fliehen.

Das Wohnzimmer wurde beherrscht von einem großen Sofa, das vor einem kleinen Fernsehapparat stand. Außerdem gab es zwei Rattanpapierkörbe, die sich in gegenüberliegenden Ecken des Raums befanden. Beide Papierkörbe quollen über. An der Wand hinter dem Sofa hing ein Tellonius-Monk-Poster. Über dem Fernseher prangte eine Fotografie des jungen Chet Baker, der seine Trompete in einer trostlosen Geste hatte sinken lassen, während er grüblerisch irgendetwas verfolgte, das sich hinter der Kamera abspielte.

Im Allgemeinen erfüllte Simon die chaotische Häuslichkeit (sein Ausdruck) seiner Wohnung mit einem gewissen Behagen, aber an diesem Abend verspürte er nur eine wachsende Klaustrophobie, während er die Unordnung (möglicherweise die treffendere Beschreibung) in seinem Wohnzimmer in Augenschein nahm. Wenn er

Arabella in Battersea besuchen wollte, würde das mit seinen Krücken mehr als schwierig werden, aber es wäre immer noch besser, als den ganzen Abend durch die Wohnung zu humpeln, bis es Zeit wurde, sich ins Bett fallen zu lassen.

Simon kam zu dem Schluss, dass er den öffentlichen Londoner Verkehrsmitteln noch nicht gewachsen war. Er zog seinen Mantel an, nahm seine Krücken und ging nach draußen, um sich ein Taxi zu suchen.

Eine halbe Stunde später stand Simon vor Arabellas Haus in einer der eleganteren Straßen, die an der Nordseite von Clebham Common abzweigten. Er klingelte. Drinnen erklang unverzüglich ein Chor aus Kreischen und Gebell, man hörte Dinge umfallen und eilige Schritte in Richtung Tür. Simon machte sich auf einiges gefasst.

Die Tür wurde geöffnet, und ein brauner Blitz schoss an Simon vorbei in den Garten hinaus.

»Daniel!«, rief Arabella. »Komm sofort zurück, du blöder Köter.«

»Hallo«, meinte Simon.

»Hallo. Was ist dir denn passiert?«, fragte Arabella, während sie Simon einer gründlichen Musterung unterzog.

»Lange Geschichte«, antwortete Simon. Er hob seine bandagierte Hand. »Die habe ich mir geholt, weil ein Mann mir ins Gesicht gefurzt hat.«

Arabella sah ihren Bruder gelassen an. »Muss ja ein toller Furz gewesen sein«, erwiderte sie. »Was ist mit deinem Fuß?«

»Was das betrifft ... hm, also das weiß ich selbst nicht«, gestand Simon. »Im Krankenhaus wollte mir niemand etwas sagen.«

Arabella seufzte. »Oje«, murmelte sie. »Komm besser

rein. Tut es weh? Wie lange wirst du diese Dinger benutzen müssen? Kanntest du den Kerl, der gefurzt hat? Bist du versichert? Ich nehme an, du hast dich privat versorgen lassen. Wie viel kostet es eigentlich, solche Sachen privat richten zu lassen? Sophie, Liebes, hol doch bitte Daniel herein, ja, bevor er mir den ganzen Garten auseinander reißt.«

Simon war klug genug, auf die Fragen seiner Schwester nicht näher einzugehen. Wenn sie wirklich auf eine davon eine Antwort haben wollte, würde sie später noch einmal fragen. Er küsste die Wange, die Arabella ihm hinhielt, und beugte sich dann zu dem kleinen Mädchen hinunter, das neben ihr stand.

»Hi, Pops«, sagte er.

»Hallo, Simon«, entgegnete Sophie. »Geht es dir gut?«

»Ein bisschen angeschlagen, aber abgesehen davon, bin ich okay.«

»War es so ein richtig scheußlicher?«, fragte Sophie.

»Was?«

»Der Furz«, erklärte Sophie.

»Oh. Ja, ich glaube, er war wirklich ziemlich scheußlich.«

Sophie dachte kurz nach. »Roch er nach Ei?«, wollte sie wissen.

»Sophie«, rief Arabella ihre Tochter scharf zur Ordnung. »Das reicht jetzt, vielen Dank.«

Sophie schnitt eine Grimasse. »Man darf doch wohl noch fragen«, maulte sie.

»Und was ist mit dir? Wie geht es dir?«, erkundigte sich Simon. »Benimmt Mum sich?«

»Sie ist ganz in Ordnung«, antwortete Sophie.

»Meine Güte, vielen Dank«, wandte sich Arabella an ihre Tochter. »Na schön. Sophie, du gehst Daniel holen.

Simon, du kommst rein, nimmst dir was zu trinken und unterhältst dich mit mir, während ich nach der Moussaka sehe.«

Sophie lief die Stufen hinunter, um den Hund zu suchen. Simon folgte seiner Schwester ins Haus. In der Küche öffnete Arabella den Kühlschrank und nahm eine Flasche Bier heraus.

»Also, wann ist das passiert?«, fragte Arabella, während sie eine Schublade nach einem Flaschenöffner durchstöberte.

»Gestern Abend«, antwortete Simon. »Ich war bei den Leuten oben zu einer Dinnerparty eingeladen.«

»Und wie hat dieser Mann mit seinem Furz es fertig gebracht, dass du dir das Handgelenk verstaucht hast? Das fasziniert mich.«

Simon erklärte ihr, was am vergangenen Abend passiert war.

»Twister«, wiederholte Arabella versonnen, als er fertig war. »Wow. Wie alt warst du noch mal?«

Bevor Simon antworten konnte, kam Sophie in die Küche gelaufen, gefolgt von einem Springerspaniel, der wie ein Wurfgeschoss ins Zimmer stürzte und reihum die Knöchel sämtlicher Anwesenden beschnupperte, bevor er sich in einer Ecke des Zimmers auf ein verblichenes Stück Teppich setzte.

»Alles in Ordnung?«, wollte Arabella wissen.

»Ich denke schon«, gab Sophie zurück.

»Versucht Daniel immer noch wegzulaufen?«, erkundigte sich Simon.

Arabella ging in die Hocke, um den Inhalt des Ofens zu inspizieren. »Ja, undankbarer Kerl. Ich verstehe es einfach nicht. Man sollte denken, wir geben ihm nie was zu fressen.«

Daniel blickte auf und klopfte frohgemut mit dem Schwanz auf den Boden. Daniel der Spaniel. Möglicherweise, ging es Simon durch den Kopf, war er der dümmste Hund Londons.

»Wo sind die Katzen?«, fragte er.

»Oh, abgezogen, um die anderen Hunde in der Gegend zu quälen«, erwiderte Arabella. Zu ihrer häuslichen Menagerie gehörten auch Botticelli und Pissarro, zwei wunderschöne Perserkatzen von ungewöhnlicher Intelligenz, elegante Geschöpfe, die den Rest des Tierkönigreiches, die menschliche Rasse eingeschlossen, mit arroganter Geringschätzung betrachteten.

Wenn sie sich langweilten, pflegten sie Daniel gnadenlos zu foppen. Der Hund war jedoch zu gutmütig und zu dumm, um den Katzen lange gute Unterhaltung zu bieten, daher unternahmen sie abends ausgiebige Streifzüge, um andere arglose hündische Opfer aufzuspüren. Als Sophie jünger gewesen war, hatte sie die exotischen Namen der Katzen nicht aussprechen können und sie allmählich zu »Botti« und »Pissy« umgemodelt – Namen, die schließlich und zum offensichtlichen Verdruss der Katzen die ganze Familie übernommen hatte.

»Darf ich üben gehen?«, fragte Sophie.

»Natürlich«, erklärte ihre Mutter. »Ich rufe dich, wenn das Abendessen fertig ist.«

Sophie verließ im Laufschritt die Küche und stürmte die Treppe hinauf.

»Üben?«, wunderte sich Simon, als sie allein waren.

»Sie hat einen neuen Zaubertrick für dich.«

»Oh. Verstehe.«

»Sie hat sehr hart daran gearbeitet«, berichtete Bella. »So ist sie wenigstens beschäftigt. Und natürlich muss sie sich um Thorald kümmern.«

Simon runzelte die Stirn. »Wer ist Thorald?«

»Ihr neues Haustier. Thorald ist eine Kellerassel.« Als sie die ausdruckslose Miene ihres Bruders bemerkte, setzte Bella erklärend hinzu: »Sophie wollte ein eigenes Haustier. Also haben wir ihr eine Assel besorgt. Thorald wohnt in einem Marmeladenglas in Sophies Zimmer.«

»Aha«, gab Simon unsicher zurück.

»Das Problem ist, dass diese Kellerasseln ständig sterben. Nun ja, um der Wahrheit die Ehre zu geben, die erste Assel hat Sophie ganz allein getötet. Sie dachte, das Tier hätte vielleicht Durst, und da hat sie eine Tasse Wasser in das Glas gekippt. Das Ergebnis: eine ertrunkene Kellerassel.«

»Oje«, murmelte Simon.

»Ganz recht. Jetzt müssen wir also jedes Mal, wenn eine Assel stirbt, eine neue Assel suchen und diese lebendige Version gegen den toten alten Thorald ersetzen, während Sophie schläft.«

»Und sie hat keine Ahnung davon?«

»Keinen blassen Schimmer.«

Bruder und Schwester saßen ein paar Sekunden lang behaglich schweigend in der Küche. Arabella schenkte sich aus einer offenen Flasche Wein, die auf dem Tisch stand, ein Glas ein.

Schließlich bemerkte Simon: »Kein Michael?«

»Nein«, antwortete Arabella. »Kein Michael.«

»Wo ist er?«

»Arbeitet. Wie gewöhnlich. Er meinte, er wolle versuchen, um acht zurück zu sein, aber er klang nicht allzu optimistisch. Also schraub deine Hoffnungen nicht zu hoch.«

Die Gefahr bestand nicht. Simon wusste, wie viel Zeit Michael in der Kanzlei verbrachte. Während der Woche kam er kaum je einmal vor neun oder zehn Uhr abends nach Hause, und am Wochenende musste er grundsätzlich arbeiten, wenn nicht an beiden Tagen, so zumindest an einem. Simon wusste, dass Rechtsanwälte, insbesondere wohlhabende und erfolgreiche Rechtsanwälte, tatsächlich extrem viel arbeiteten. Aber er hielt es nicht für möglich, dass Michael *so viel* Zeit in der Kanzlei verbringen konnte. Er hatte eine Theorie – teils hervorgerufen durch die gegenseitige Antipathie, die zwischen ihnen herrschte –, dass Michael zumindest einen Teil seiner so genannten Überstunden nicht zum Arbeiten benutzte, sondern zu Seitensprüngen.

Simon hatte keinen Beweis dafür, dass seine Hypothese auch nur im Entferntesten auf Tatsachen beruhte, aber das hatte ihn natürlich nicht daran gehindert, einen vagen Argwohn zu felsenfester Überzeugung zu kultivieren. Nichts konnte Simon davon abbringen, dass Michael ein schleimiger, schäbiger Hallodri war. Unter solchen Umständen war das Fehlen von Beweisen irrelevant. Simon *brauchte* keine Beweise. Er hatte den Mut zu einer Überzeugung.

Seiner Schwester gegenüber hatte er seinen Argwohn natürlich nie erwähnt. Sie schien sich damit abgefunden zu haben, dass Michael niemals da war, dass er immer arbeitete. Aber Simon konnte warten. Eines Tages würde er schon einen Beweis dafür finden, dass er die ganze Zeit richtig gelegen hatte.

»Wie auch immer«, fuhr Bella in glücklicher Ahnungslosigkeit fort. »Was hast du denn so getrieben, ich meine, abgesehen von deinen Ausschweifungen beim Twister? Was gibt es Neues in deiner Welt?«

Simon dachte nach. »Da ist nur wenig zu vermelden«, meinte er.

Bella sah ihn versonnen an. »So schlimm?«

Simon zuckte mit den Schultern. »Ich fürchte, ja. Bei der Party gestern Abend war zwar tatsächlich eine schöne Frau, aber ich wurde angefurzt, bevor ich eine Chance hatte, mir ihre Telefonnummer geben zu lassen.« Er dachte über Joes Theorie nach, dass es keine Schande sei, Frauen bei Partys anzusprechen. Es war eine attraktive Theorie, aber sie hatte Simon noch nicht überzeugt. Selbst bei den wenigen Gelegenheiten in der Vergangenheit, wenn es ihm gelungen war, eine Telefonnummer oder die Zusage eines neuen Rendezvous zu ergattern, hatte es immer einen Vorwand gegeben – ein Buch, das ausgeliehen werden konnte, ein vorgeschütztes gemeinsames Interesse an einem bestimmten Drehbuchautor, der gewöhnliche Unsinn also, mit dem man auf Partys so hausieren geht. Die Vorstellung eines ehrlichen Vorgehens (Hör mal, kann ich dich wiedersehen? Ich finde dich umwerfend) erfüllte Simon mit Furcht. Er respektierte die Frauen, ja, aber das ging nun doch nicht so weit, dass er ihnen die Wahrheit sagen musste.

»Also«, unterbrach Bella seine Gedanken. »Ich habe eine Frage an dich. Eigentlich ist es mehr eine Bitte.«

»Okay«, entgegnete Simon und versuchte, keinen Anstoß daran zu nehmen, mit welcher Leichtigkeit sie über seine Schwierigkeiten in Liebesdingen hinweggefegt waren. »Schieß los.«

»Sophies Geburtstag steht vor der Tür.«

»Weiß ich«, meinte Simon. Es folgte eine Pause. »O nein«, murmelte er.

»*Bitte.*« Bella sah ihn flehentlich an.

Simon schüttelte den Kopf. »Tut mir Leid, Bella, aber nein. Kommt nicht infrage.«

»Bitte. Nur dieses eine Mal. Bitte, bitte.«

»Aber du weißt, dass ich es *nicht mache*. Niemals. Keine Ausnahmen.«

»Aber du würdest sie so glücklich machen. Sie wünscht sich sehnlichst einen Zauberer auf der Geburtstagsfeier, und es wäre noch viel besser, wenn du es machen würdest. Sie betet dich an. Sie wird es nie vergessen.«

»Hör mal, ich würd es schrecklich gern machen, wirklich, würde ich.«

Bella lehnte sich auf ihrem Stuhl zurück. »Dann mach es.«

Simons Schultern sackten herunter. »Ich kann nicht.«

Simon liebte es, Zaubertricks vorzuführen. Er genoss den Ausdruck der Verwirrung im Gesicht des Zuschauers, während sich das Wunder langsam enthüllte. Unglücklicherweise jedoch verwandelte er sich in einen panischen Zombie, sobald er vor mehr als drei, vier Personen auftreten musste. Ein größeres Publikum bereitete ihm Todesangst.

Zauberer mit einer Publikumsphobie waren aus nahe liegenden Gründen nicht gerade prädestiniert, eine durchschlagende Karriere zu machen. Im Grunde sind Zauberer schließlich Darstellungskünstler. Sie können nicht im luftleeren Raum arbeiten. Wenn man das Publikum aus der Gleichung herausnahm, ähnelte das Endergebnis einem Arzt, dem die Gegenwart kranker Menschen unerträglich war. Man wurde irgendwie überflüssig. Deshalb arbeitete Simon in einem Laden für Zaubereiartikel. Auf diese Weise wurde er dafür bezahlt, den ganzen Tag Zauberkunststücke vorzuführen, ohne das Martyrium, vor einer Ansammlung fremder Menschen stehen zu müssen.

Bella bat ihn, sich dem vielleicht anspruchsvollsten Publikum überhaupt zu stellen – einer Schar aufgekratzter Kinder bei einer Geburtstagsfeier. Simon schauderte. Er hatte Kunden, die sich mit solchen Dingen ihren Lebensunterhalt verdienten. Es waren harte, verbitterte Männer, deren heitere, professionelle Fassade eine unleugbare Tatsache verbarg: Eine Überdosis kreischender, störrischer Kinder hatte ihnen schon vor langer Zeit auch noch den letzten Rest Menschlichkeit und Anteilnahme aus dem Leib gequetscht. Es war ohne Frage der undankbarste Job im Showgeschäft.

»Tut mir Leid, Bella«, erklärte Simon. »Ich kann nicht. Du weißt, es ist nicht so, dass ich nicht wollte. Ich ... kann einfach nicht.«

»Was, wenn ich dir sage, dass ich Sophie schon erzählt hätte, dass du es machen würdest?«

»Das würdest du niemals tun«, erwiderte Simon scharf.

Bella zuckte die Schultern. »Hoppla. Tut mir Leid.«

Simon seufzte. »Um Himmels willen, Bella. Das ist deiner wirklich nicht würdig.«

»Ich weiß«, stimmte Bella ihm, anscheinend ohne Reue, zu.

»Mein Gott.« Dabei hatte es gerade so ausgesehen, als könnte das Wochenende nicht mehr schlimmer werden!

Ein paar Sekunden lang schwiegen sie beide.

»Also, machst du es?«, fragte Bella.

»Ich mache es«, seufzte Simon. »Mir bleibt wohl kaum etwas anderes übrig, wie?«

»Braver Junge«, lobte Bella, reckte sich über den Küchentisch und gab ihm einen dicken Kuss auf die Schläfe.

Der Ofen klingelte. Bella stand auf und ging zur Küchentür. Sie rief die Treppe hinauf: »Sophie! Komm bitte runter, aber wasch dir vorher die Hände.« Im Stockwerk über ihnen wurde unverzüglich das Getrappel kleiner Füße laut, und ein paar Sekunden später kam Sophie atemlos in die Küche gestürzt.

»Wie war die Übungsstunde?«, fragte Simon und versuchte, den hinterhältigen Streich zu vergessen, den Bella ihm gerade gespielt hatte.

»Ganz gut«, antwortete Sophie. »Ich kann es gar nicht erwarten, es dir vorzuführen.«

»Und ich kann es nicht erwarten, es zu sehen«, versicherte Simon.

Sophie grinste ihn an. Dann drehte sie sich zu ihrer Mutter um. »Wo ist Daddy?« Arabella nahm gerade die Moussaka aus dem Ofen. »Er wird heute Abend etwas später kommen, Liebes«, erklärte sie, während sie mit der Schale an den Tisch kam. »Er hat im Moment furchtbar viel Arbeit.«

»Er hat *immer* viel Arbeit«, beklagte sich Sophie.

»Nun, du hast ja stattdessen Simon«, gab ihre Mutter zurück und begann, das Essen auf die Teller zu verteilen.

Sophie sah Simon an. »Hm, Simon ist sehr nett, das geht also in Ordnung«, bemerkte sie freundlicherweise. »Außerdem interessierst du dich viel mehr fürs Zaubern als Daddy«, setzte sie hinzu.

»Nun, nicht jeder versteht, wie wichtig Zauberei ist«, warf Simon ein. »Sie ist eine Kunst.« Während er sprach, ging ihm plötzlich auf, dass es mit seiner verpflasterten Hand nicht leicht werden würde zu essen. Er nahm die Gabel in die linke Hand und spießte sorgfältig eine Auberginenscheibe auf.

Arabella sah sofort, wo das Problem lag. »Kommst du damit zurecht?«, fragte sie. »Soll ich dir dein Essen klein schneiden?«

Sophie kicherte. »Wie einem Baby«, bemerkte sie.

»Vielen *Dank*, Sophie«, warnte Arabella sie.

»Oder einem Tattergreis«, konterte Sophie.

»*Sophie.*«

»Ähm, ja bitte«, antwortete Simon. »Das wäre großartig.«

»Geht in Ordnung.« Arabella zog Simons Teller zu sich heran und begann, ohne sich um Sophies Spott zu scheren, das Essen in mundgerechte Stücke zu zerlegen.

Durch Arabellas Eingreifen fiel es ihm leichter, mit der Gabel den kurzen Weg vom Teller bis zum Mund zu bewältigen, aber trotzdem ging einiges von der Moussaka daneben. Am Ende des Essens hatte sich auf Simons Schoß ein kleines Häufchen Hackfleisch, Käse und Gemüse angesammelt.

Während des Essens selbst drehte sich die Unterhaltung um Sophie und die Frage, was sie in der Schule erlebt hatte, wer diese Woche ihre besten Freundinnen waren und was sie in den bevorstehenden Ferien unternehmen wollte. Bei der Erwähnung der Ferien wurde Arabella ein wenig blass. Sie schien geistesabwesend zu sein und lauschte mit halbem Ohr auf das Klimpern von Michaels Schlüsseln im Schloss. Nachdem sie das Geschirr abgeräumt hatten, war Michael immer noch nicht da.

Als Bella mit zwei Kaffeebechern und einer Kanne an den Tisch zurückkam, sah Sophie sie erwartungsvoll an.

»Darf ich es jetzt machen?«, flüsterte sie.

Bella seufzte gottergeben. »Na schön, dann los.«

Sophie rutschte von ihrem Stuhl und sauste wie der Blitz davon. Daniel der Spaniel erhob sich träge und tappte hinter ihr her. Simon und seine Schwester waren wieder allein.

»Danke, dass du das über dich ergehen lässt«, meinte Arabella. »Du bist sehr lieb zu ihr.«

»Ganz und gar nicht«, erwiderte Simon schulterzuckend. »Es macht mir Spaß. Manchmal hilft *sie mir*, wenn meine Begeisterung für die wunderbare Kunst der Taschenspieler ein wenig ins Wanken gerät.«

Bella schenkte den Kaffee ein. »Hm, ich finde trotzdem, dass du sehr nett bist.«

»Dasselbe hätte ich bis zu deinem kleinen Trick wegen Sophies Party von dir sagen können«, entgegnete Simon.

Sophie kam im Laufschritt wieder zurück. Sie brachte ein Glas und ein Päckchen Karten mit. Dann sah sie ihre Mutter an. »Darf ich diesmal Milch benutzen?«, bat sie.

Bella nickte. »Diesmal darfst du, weil Simon da ist, aber nur, wenn du mir versprichst, die Milch hinterher zu trinken.«

Sophie nickte.

»Na schön, bedien dich. Die Milch steht im Kühlschrank.«

Sophie nahm einen Karton Milch aus dem Kühlschrank und kam an den Tisch zurück.

»Dieser Trick«, erklärte sie, »ist Zauberei.«

»Okay«, erwiderte Simon. »Guter Anfang.«

Sophie nahm das Kartenpäckchen zur Hand und versuchte, so gut ihr das mit ihren winzigen Händen möglich war, sie aufzufächern. »Als Erstes«, erklärte sie betont steif, »wähle bitte eine ganz normale Spielkarte aus diesem ganz normalen Päckchen aus.«

Simon nahm eine Karte.

»Vielen Dank«, sagte Sophie, und es trat eine kurze Pause ein.

»Soll ich sie mir ansehen?«, hakte Simon nach.

»Wenn du möchtest«, erwiderte Sophie.

»Dann tu ich es«, entschied Simon und betrachtete die Karte, die er sich ausgesucht hatte. Es war die Karodrei. Er drückte sich die Karte auf die Brust.

»Jetzt musst du sie mir zurückgeben«, bat Sophie, die den Rest des Päckchens wieder auf den Tisch gelegt hatte.

»Was«, wunderte sich Simon, »einfach so? Nur die Karte allein?«

Sophie nickte. Mit einem Schulterzucken gab Simon ihr die Karte zurück. Sophie nahm die Karte entgegen und drehte sie um. Moment mal, wollte Simon schon rufen, das ist gemogelt. Stattdessen fragte er einigermaßen gereizt: »Und was jetzt?«

»Jetzt kommt das Wunder«, eröffnete Sophie ihm. Sie öffnete den Milchkarton und goss das Glas randvoll mit Milch. Simon wusste plötzlich, welchen Trick sie ihm vorführen wollte. Er entspannte sich.

»Wie du siehst, habe ich diese ganz gewöhnliche Milch in dieses ganz gewöhnliche Glas gegossen«, erklärte Sophie.

»Aha«, sagte Simon.

»Jetzt werde ich diese ganz gewöhnliche Spielkarte nehmen, die du gezogen hast, und sie über das Glas Milch legen.« Sophie schob die Karte sorgfältig über den Rand des Glases, sodass sie die Öffnung vollkommen bedeckte. Dabei lugte ihre Zunge ein wenig aus dem Mund hervor, so sehr konzentrierte sie sich. Simon wartete. Sophie kam um den Tisch herum und stellte sich neben ihn. »Jetzt pass genau auf«, sagte sie. Sie legte eine Hand über die Spielkarte und drehte das Glas herum. Die Milch blieb, wo sie war, gefangen durch den Druck der Karte, die Sophie immer noch festhielt. Simon applaudierte, so gut er das mit einer Hand vermochte.

»Erstaunlich«, murmelte er.

»Moment«, bat Sophie und kam ihm ein klein wenig näher, wobei sie den Blick fest auf das Glas gerichtet hielt. »Möchtest du etwas *wirklich* Erstaunliches sehen?«

»Noch erstaunlicher als das?«, fragte Simon, der bereits wusste, was als Nächstes kam.

Sophie nickte.

»Dann los«, meinte Simon.

Sophie nahm ganz langsam die Hand von der Spielkarte. Karte und Milch blieben immer noch, wo sie waren, den Gesetzen der Schwerkraft zum Trotz, wie es schien.

Gott sei Dank, dachte Simon und rief: »*Wow.*«

Sophie strahlte. »Gefällt es dir?«

»Ob es mir gefällt?«, gab Simon zurück. »Das ist das Ungewöhnlichste, was ich je gesehen habe. Du bist ein Genie. Große Klasse.«

Sophie lächelte und machte einen Schritt auf ihn zu. »Danke ...«, begann sie. Weiter kam sie nicht, denn ihre Bewegung brachte das feine Gleichgewicht der Kräfte, auf denen das Kunststück aufbaute, durcheinander, und die Karte fiel zu Boden, rasch gefolgt von der Milch selbst, von der der größte Teil auf Simons Schoß landete.

»*Sophie!*«, rief Arabella. Sie hastete los, um eine Rolle Küchenpapier zu holen. Wenige Sekunden später war das Aufwischen bereits in vollem Gange.

»Tut mir Leid«, jammerte Sophie, die das leere Glas immer noch verkehrt herum festhielt.

»Bist du in Ordnung, Simon?«, fragte Arabella.

»Ein bisschen nass, aber ich werd es überleben.« Die Milch sickerte langsam durch den Stoff seiner Hose, die jetzt kalt und klebrig auf seiner Haut haftete.

Arabella stöhnte. »Es tut mir Leid. Ich hätte dafür sorgen müssen, dass sie vorsichtiger ist. Sophie, entschuldige dich bei Simon.«

»Das hab ich doch gerade getan«, bemerkte Sophie.

»Dann tu es *noch einmal*.«

»Tut mir Leid, Simon«, wiederholte die Kleine.

Simon lächelte grimmig. »Schon gut, Soph. Es ist trotzdem ein gutes Kunststück.«

Arabella bekam indessen unter dem Tisch Gesellschaft, denn Daniel der Spaniel begann, mit seiner übergroßen Zunge die restliche Milch aufzulecken. Als er fertig war, reckte er die Nase in die Luft, roch noch mehr Milch und wühlte seine Schnauze hemmungslos in Simons Lenden und begann abermals zu lecken.

Simon schob Daniel so schnell wie möglich von sich und legte seinen bandagierten Arm auf den Schoß, um seine Lenden vor weiteren hündischen Vorstößen zu schützen. Schönes Wochenende, dachte er. Begonnen hatte es mit dem Aufbruch zu neuen gesellschaftlichen Ufern, die es zu erobern galt. Und es endete damit, dass er sich gegen oralen Sex mit einem mental retardierten Haustier zur Wehr setzen musste.

Arabella nahm nach vollendeter Säuberungsaktion wieder Platz. »Tut mir Leid«, sagte sie.

Simon zuckte die Schultern. »Schon gut.« Er sah auf seine Armbanduhr. Er war müde und wollte seine Hose ausziehen. »Ich gehe dann besser mal«, entschied er.

Arabella sah ihn traurig an. »Ist gut.«

»Danke für das Essen.«

»Gern geschehen. Tut mir Leid, dass Michael es nicht geschafft hat.«

»O Gott, zerbrich dir deswegen nicht den Kopf«, entgegnete Simon. Insgeheim war Michaels Abwesenheit ihm eher willkommen. Er erhob sich steif und lehnte sich gegen den Tisch.

Arabella reichte ihm seine Krücken. »Bitte schön«,

meinte sie. »Ich würde dir ja anbieten, dich nach Hause zu fahren, aber Michael hat heute den Wagen.«

Simon zuckte mit den Schultern. »Ich kann mir ein Taxi rufen. Das dürfte um diese Tageszeit nicht weiter schwierig sein.«

»Kommst du bald mal wieder?«, fragte Arabella.

Simon nickte. »Ja, gern.« Er bückte sich zu seiner Nichte hinab. »Wir sehen uns bald, Häschen.« Er küsste sie auf den Kopf.

»In Ordnung«, erwiderte Sophie.

»Also dann«, sagte Simon. Als er die Tür öffnete, kam Michael gerade die Treppe hoch.

»Nun«, bemerkte Michael trocken. »Wen haben wir denn da? Merlin den Magier. Was für eine nette Überraschung.«

»Merlin war eigentlich ein Zauberer«, entgegnete Simon.

»*Merlin war eigentlich ein Zauberer*«, äffte Michael ihn nach. »Ich entschuldige mich. Wie konnte ich nur so unwissend sein.«

»Harten Tag im Büro gehabt?«, fragte Simon spitz.

Michael sah ihn argwöhnisch an. »Sehr hart«, antwortete er. Er zeigte auf Simons Krücken. »Ach herrje«, fügte er hinzu. »Hattest du einen Unfall?«

»Irgendwie schon, ja«, räumte Simon vorsichtig ein.

»Tut mir Leid, das zu hören«, erwiderte Michael, der ganz und gar nicht so klang, als tue es ihm Leid. »Wolltest du gerade gehen?«

»Ich ... ähm ... ja«, gab Simon zu und widerstand dem Drang, Michael mit einer seiner Krücken eins auf den Kopf zu geben.

»Hervorragend. Na denn, auf Wiedersehen.« Michael wandte sich um, um ins Haus zu gehen. Arabella winkte

Simon noch einmal entschuldigend zu, dann folgte sie ihrem Mann hinein.

Simon stand allein auf der Veranda. Ein paar Sekunden verharrte er dort und starrte blicklos in den sich verdunkelnden Himmel. Er fühlte sich beraubt; Michaels kurzes, aber ungehobeltes Eindringen hatte die vertraute Behaglichkeit seines Sonntagabends verletzt.

Nach einer Weile riss das grelle Hupen eines wütenden Autofahrers weiter die Straße hinunter Simon jäh aus seinem Traum. Er humpelte davon, um sich ein Taxi zu suchen.

4. KAPITEL

Ah, Montage ...

Montage bedeuten für verschiedene Menschen verschiedene Dinge, aber in einem Punkt konnte man sich im Allgemeinen sicher sein: Worin diese Bedeutung im Einzelnen auch lag, es war mit Sicherheit etwas *Schlechtes*.

Für Simon Teller bedeuteten Montage neben anderen schlechten Dingen lange Schlangen an der U-Bahn-Haltestelle. Am Montagmorgen konnte man an den Haltestellen Highbury und Islington immer eine geradezu körperlich greifbare Erregung wahrnehmen, wenn die Pendler in Scharen Schlange standen, um ihre Wochentickets in Empfang zu nehmen. Frustration und Ungeduld lauerten dicht unter der Oberfläche ihrer ausdruckslosen, gerade erst erwachten Gesichter. Eines Tages würde jemand unter dem Druck zerbrechen, ein halb automatisches Maschinengewehr hervorziehen und die in Reih und Glied wartenden Menschen niedermähen. Es war nur eine Frage der Zeit. Um dem Ganzen noch ein wenig Würze zu verleihen, sorgte die Londoner U-Bahn-Gesellschaft dafür, dass montagmorgens nur die langsamsten und ungefälligsten Ticketverkäufer Dienst taten. Die Atmosphäre chaotischer Ineffizienz trug zum Anfang der Arbeitswoche aller Beteiligten mehr als ihr Scherflein bei.

Simon kam zur gewohnten Zeit an der U-Bahn-Haltestelle an. Er hatte keinen guten Start in den Tag gehabt.

Da seine rechte Hand verbunden war, hatte er sich mit der linken rasieren müssen, und die Operation konnte nicht als Erfolg gelten. Als er fertig war, sprossen an verschiedenen Stellen rund um sein Kinn noch immer etliche buschige Vorposten seines Bartes, und sein Gesicht war mit dunkelroten, stecknadelkopfgroßen Blutstropfen übersät. Als Ergebnis dieser Entwicklung zeigte sein Gesicht jetzt etliche kleine Quadrate eines feuchten Papiertuches.

Außerdem hatte sein Fuß schrecklich gejuckt, und als er versucht hatte, sich anzuziehen (was mit nur einer verfügbaren Hand an sich schon eine komplizierte Angelegenheit war), entdeckte er, dass die Hose, die er am vergangenen Tag getragen hatte, die einzige in seinem Besitz war, die seinen jüngst vergrößerten Fuß beherbergen wollte. Die Hose war inzwischen jedoch untragbar: Die Überreste von Arabellas Moussaka und Sophies katastrophalem Milchkunststückchen waren zu einer harten Kruste eingetrocknet. Fünf Minuten heftigen Schrubbens klärten lediglich die Tatsache, dass mit Schrubben nichts zu machen war und schufen überdies einen sehr seltsamen dunklen Fleck oberhalb von Simons Lenden. Simon hatte versucht, nicht allzu viel daran zu denken, und die Hose trotzdem anzuziehen; dann hatte er sich vorsichtig auf den Weg zur U-Bahn gemacht.

Die Schlange vor dem Fahrkartenschalter schien noch länger als sonst zu sein. Simon trat, auf seine Krücken gestützt, unbehaglich von einem Fuß auf den anderen. Als sich nach ein paar Sekunden in der Schlange noch immer nichts zu tun schien, spähte er nach vorne, um festzustellen, was los war.

Er sackte innerlich zusammen. In der Schlange standen lauter Erstlings-U-Bahn-Benutzer.

Nicht eingeweihte Benutzer der Londoner U-Bahn waren das Kreuz im Leben eines jeden Londoners. Was sie auch taten, es schien eigens dazu ersonnen zu sein, ihre Mitreisenden so gründlich wie nur möglich zu verärgern. Sie standen auf der linken Seite der Rolltreppen statt auf der rechten und sorgten hinter sich für Chaos und Verstopfung. Ein Londoner, der hinter solchen Leuten auf der Rolltreppe stand, sagte natürlich nie ein Wort. Stattdessen begann er nur laut zu seufzen. Das lauteste Geräusch – nach dem Wirren der ein- und ausfahrenden Züge – war das Geräusch verstimmter Londoner, die auf den Rolltreppen über andere Leute seufzten.

Außerdem folgte ein jeder Erstlings-U-Bahn-Fahrer, wenn er vor dem Fahrscheinautomaten stand, einem genau festgelegten, schmerzlichen Ablauf:

1. Betrachten Sie den Fahrscheinautomaten einige Sekunden lang, als hätte er nicht die geringste Ähnlichkeit mit irgendetwas, das Sie schon einmal gesehen haben.

2. Suchen Sie den Apparat verzweifelt nach einem Hinweis darauf ab, wo Sie anfangen sollen. Vor allem aber, vermeiden Sie Blickkontakt mit dem kleinen Digitaldisplay, das Sie geduldig darauf hinweist, dass Sie als Erstes Ihren Fahrscheintyp auswählen sollten.

3. Entschließen Sie sich nach etwa anderthalb Minuten endlich, Ihren Fahrscheintyp auszuwählen.

4. Verstricken Sie Ihren Reisegefährten in eine längere Konversation zu dem Thema, welche Art von Fahrscheintyp Sie benötigen.

5. Drücken Sie auf den Knopf für den benötigten Fahrscheintyp.

6. Warten Sie geduldig vor dem Apparat. Ignorieren Sie die Seufzer, die von der stetig anwachsenden Schlange hinter Ihnen kommen.

7. Begreifen Sie, dass Sie nun einen Zielort auswählen müssen. Sehen Sie den Apparat verwirrt an, bevor Sie begreifen, dass die Orte bequemerweise in alphabetischer Reihenfolge aufgelistet sind.

8. Verstricken Sie Ihren Reisegefährten in eine ausführliche Unterhaltung darüber, welchen Zielort Sie angeben müssen.

9. Drücken Sie auf den entsprechenden Zielknopf.

10. Begreifen Sie, dass es sich bei dem Ganzen um eine geschäftliche Transaktion handelt, was bedeutet, dass eine gewisse Summe Geldes den Besitzer wechseln muss, bevor der benötigte Fahrschein ausgestellt wird. Betrachten Sie mit zusammengekniffenen Augen das Display und entnehmen Sie ihm, wie viel Geld benötigt wird.

11. Runzeln Sie die Stirn.

12. Zeigen Sie auf die Anzeige und fragen Sie Ihren Mitreisenden, ob die angegebene Summe denn *wirklich* korrekt sein könne.

13. Nachdem man Ihnen versichert hat, dass die Angabe in der Tat richtig ist, machen Sie sich daran, nach Ihrer Geldbörse oder Ihrer Brieftasche zu suchen, schütteln Sie den Kopf und murmeln Sie leise etwas vor sich hin.

14. Verbringen Sie etwa eine Minute damit, Ihre Brieftasche beziehungsweise Ihre Geldbörse ausfindig zu machen.

15. Finden Sie nun Geldbörse/Brieftasche, während der Apparat es müde wird zu warten und wieder in die Position »Fahrscheintyp auswählen« zurückgefallen ist.

16. Übersehen Sie diese Kleinigkeit.

17. Werfen Sie Geld ein. Wenn nichts passiert, kehren Sie nach einer weiteren längeren Unterredung mit Ihrem Reisegefährten zu Schritt zwei zurück.

18. Entnehmen Sie zu guter Letzt Ihren Fahrschein. Treten Sie beiseite, während Ihr Reisegefährte bei Schritt eins beginnt.

Nach etwa zwanzig Minuten erreichte Simon endlich den Anfang der Schlange. Er hatte das Geld parat und trat nach wenigen Sekunden, den Fahrschein in der

Hand, wie eine gut geölte Maschine beiseite; halb hoffte er auf einen anerkennenden Applaus von den Fahrgästen hinter ihm. Es kam keiner.

Sein Weg hinunter zum Bahnsteig verlief jedoch weniger glatt. Simon hatte noch nie zuvor versucht, öffentliche Verkehrsmittel auf Krücken zu benutzen, und die Drehkreuze, die Rolltreppen und das reine Gewicht der Leute verschworen sich allesamt gegen Simon und machten das Erlebnis zu einer entmutigenden Erfahrung. Während er so vor sich hin humpelte, war ihm bewusst, dass der gewohnte Strom menschlicher Wesen durch sein verlangsamtes Fortkommen behindert wurde. Zu seiner Demütigung hörte er hinter sich einen ganzen Chor von Seufzern laut werden, und die Seufzer klangen in seinen Ohren so unheilvoll wie ein Stamm von afrikanischen Jägern, die vor dem tödlichen Stoß zu heulen begannen. Simons Gesicht wurde rot vor Scham. Er versuchte, sich ein wenig schneller zu bewegen, und hätte dabei um ein Haar eine alte Dame niedergemäht, die noch langsamer vorankam als er selbst.

Simon kam gerade in dem Augenblick auf den Bahnsteig, als ein Zug ausfuhr. Er sah ihm mit wachsender Verzweiflung nach. Der Bahnsteig war immer noch voller Menschen, und der nächste Zug, so vermeldete die elektrische Anzeigetafel, wurde erst in sechs Minuten erwartet. Simon warf einen besorgten Blick auf seine Armbanduhr. Er würde zu spät kommen.

Als der nächste Zug ankam, war es auf dem Bahnsteig gefährlich voll. Die Türen öffneten sich, und die wartende Menge schlurfte vor, bereit, in Aktion zu treten. Als der dünne Strom aussteigender Fahrgäste sich verloren hatte, entbrannte mit einem Mal Hektik, während alle gleichzeitig versuchten einzusteigen. Simon steckte irgendwo ganz hinten im Gedränge fest, konnte aber die Fahrgäste, die unmittelbar vor ihm standen, mit einem wohl bemessenen Stochern seiner Krücken davon überzeugen, sich weiter in den Wagen hineinzubewegen und ihm gerade genug Raum zu geben, sich hineinzuzwängen, bevor die Türen sich hinter ihm schlossen.

Das Gesicht in den Rücken eines Mannes gedrückt, stand Simon nun im Wagen. Seine linke Wange rubbelte unangenehm über den Stoff des Anzugs seines Vordermannes. Die Krücken stachen ihm schmerzhaft in die Achseln. Er verdrehte den Hals, so gut er konnte, und sah sich um. Neben ihm stand ein Mann mit einer dunklen Brille, der einen übergroßen Kopfhörer trug und heftig nickte. Es klang, als wäre er mit einem besonders lärmigen Faxapparat verbunden. Auf dem nächsten verfügbaren Platz saß eine traurig wirkende Frau in ausgewaschenen Leggings und einem eingelaufenen T-Shirt, das ihre weit fortgeschrittene Schwangerschaft betonte. Auf ihrer Brust prankten die Worte: *Ich bin mit diesem Typ zusammen,* und darunter zeigte ein großer Pfeil auf ihre Nachbarin, eine kinnlose alte Frau, die sich an einen Einkaufswagen aus Bast klammerte. Selbigen Einkaufswagen bewegte sie gelegentlich, sodass seine spitzen Ecken den unglückseligen Fahrgästen, die direkt vor ihr standen, in den Hintern pikten und sie auf diese Weise in Schach hielten.

In King's Cross stiegen viele Mitfahrer aus. Simons mangelnde Bewegungsfähigkeit machte es ihm schwer, dem Strom der Fahrgäste auszuweichen, die dort ausstiegen, und um ein Haar wäre er wie ein Kegel unter ihrem Ansturm umgekippt.

Als die U-Bahn zwanzig Minuten später endlich Victoria Station erreichte, nahm Simon in der Nähe der Türen

Aufstellung, und als diese sich öffneten, ließ er sich von dem Mahlstrom menschlicher Bewegung mitreißen, der in Richtung Ausgang wogte. Er wurde über den Bahnsteig geschubst und gestoßen, wurde dann die Rolltreppe nach oben geknufft und erst in Ruhe gelassen, nachdem er sich durch die automatische Fahrscheinkontrolle gekämpft hatte, hinter der er, vollkommen erschöpft, auf seinen Krücken zusammenbrach. Die anderen Fahrgäste strömten an ihm vorbei, die Treppen hinauf und in den neuen Londoner Morgen.

Nach ein paar Minuten sprach ihn ein Mann in der Uniform eines Wachpostens an. »Sie können da nicht stehen bleiben«, erklärte er.

»Keine Sorge«, erwiderte Simon. »Ich will nur kurz verschnaufen.«

»Trotzdem«, beharrte der Wachmann, »Sie können da nicht stehen bleiben.«

Simon blickte zu dem Mann auf und atmete dabei schwer ein und aus. »Ich brauche nur zwei Minuten«, versicherte er. Er zeigte auf seine Krücken. »Ich hatte Probleme mit diesen Dingern.«

Der Wachmann sah unbeeindruckt auf die Krücken. »Kann ich mir vorstellen«, antwortete er. »Aber Sie können da nicht stehen bleiben.«

Simon sah den Wachmann gereizt an. »Warum denn das nicht, um alles in der Welt?«

»Sie versperren den Durchgang«, entgegnete der Wachmann. »Sie stören das Fortkommen der Fahrgäste.«

»Um Gottes willen«, entfuhr es Simon, »sehen Sie denn nicht, dass ich an Krücken gehe? Lassen Sie mir nur einen Augenblick Zeit.«

»Egal«, bemerkte der Wachmann philosophisch. »Sie müssen trotzdem weiter.«

»Außerdem«, wandte Simon ein, »wen störe ich hier eigentlich? Ich bin niemandem im Weg.« Er zeigte auf die wogende Masse grimmig dreinblickender Pendler, die durch die Drehkreuze wogte. Simon hatte sich abseits der Herde in Sicherheit gebracht.

»Hören Sie«, sagte der Wachmann. »Regeln sind Regeln. Technisch gesehen versperren Sie einen potenziellen Durchgang für Fahrgäste, richtig? Und wenn Sie sich nicht bewegen, und zwar pronto, lasse ich Sie verhaften.«

»Verhaften?«, rief Simon. »Weshalb? Weil ich ein Krüppel bin?«

»Weil Sie ein Krüppel in einem potenziellen Durchgang für Fahrgäste sind«, konkretisierte der Wachmann die Anklage.

»Oh, um Himmels willen«, murmelte Simon und drehte sich auf dem Absatz um, um weiterzugehen, kurz bevor ihm wieder einfiel, dass sein Fuß verbunden war und daher nicht besonders gut geeignet für Pirouetten.

»Alles in Ordnung mit Ihnen?«, fragte der Wachmann ein paar Sekunden später, als er sich bückte, um Simon aufzuhelfen.

»Alles bestens, danke«, brummte Simon. Er packte seine Krücken. »Na schön. Ich geh jetzt. Und *vielen* Dank für Ihre Hilfe.« Er funkelte den Wachmann wütend an.

»Keine Ursache«, entgegnete der Mann. »Und denken Sie daran, dass Sie mit diesen Dingern nicht einfach loslaufen können.« Der Wachmann wies beiläufig mit dem Kopf auf Simons Krücken, bevor er im Tumult menschlicher Leiber verschwand. Kurz bevor Simon ihn aus den Augen verlor, drehte er sich noch einmal um und rief: »Und wenn Sie in zwei Minuten immer noch da sind, rufe ich die U-Bahn-Polizei, okay?« Dann machte er ihm kumpelhaft ein Zeichen mit dem Daumen nach oben.

Außer sich vor selbstgerechter Entrüstung, nahm Simon an seinen Krücken wieder Haltung an und ging bedächtig in Richtung der Treppe und des wartenden Sommersonnenscheins davon.

Als Simon sich mühselig dem Laden näherte, lehnte ein Mann an der Mauer und sah ihm entgegen. Und als Simon endlich auf gleicher Höhe mit ihm war, zog der Mann eine Zeitschrift hinter dem Rücken hervor.

»*Big Issue*, Sir?«, fragte er barsch.

»Tun Sie mir einen Gefallen, Bob«, erwiderte Simon. »Nicht heute, ja? Ich bin spät dran.«

»Ah, kommen Sie schon, Simon«, meinte der Mann. »Ich kann mich doch immer auf Sie verlassen. Und am Wochenende ist nicht viel gelaufen.«

Simon seufzte. »O Gott. Na schön. Moment mal.« Er lehnte seine Krücken an die Mauer, balancierte auf seinem gesunden Fuß und tauchte seine gesunde Hand tief in seine Tasche.

»Was ist eigentlich mit Ihnen passiert?«, erkundigte sich Bob, während er ihn beobachtete.

»Fragen Sie nicht«, erwiderte Simon. »Ich bin angefurzt worden, und daraufhin bin ich gefallen und habe mich verletzt.« Er reichte dem anderen eine Pfundmünze.

»Das ist ja widerlich«, stöhnte Bob und gab Simon eine Ausgabe der *Big Issue*. »Sie sollten klagen. Man hat schließlich auch seine Rechte.«

»Was, das Recht, nicht angefurzt zu werden?«

»Yeah, so was in der Art. Man kann nie wissen. Vielleicht kriegen Sie ja Schadensersatz.«

Simon sah Bob verärgert an. Bob verkaufte jetzt seit etwa einem Jahr an genau dieser Stelle die *Big Issue* und hatte gleich zu Beginn seiner Tätigkeit in Simon die leichte Beute erkannt, die er war. Mit seiner aggressiven Verkaufstechnik und seinen schamlosen Appellen an das schlechte Gewissen der Passanten hatte Bob es geschafft, dass Simon jetzt jeden Tag eine Ausgabe der Zeitschrift kaufte, obwohl diese nur einmal wöchentlich neu herauskam.

Außerdem war Bob nicht nur ein äußerst tüchtiger Verkäufer, sondern auch ein frommer Buddhist. Zumindest behauptete er das. Seine Kenntnisse dieser Religion waren, gelinde gesagt, verschwommen, und Simon hatte häufig das Gefühl, dass Bob großzügig Dinge erfand, wie sie ihm gerade in den Kram passten, dass er ein winziges Körnchen Wissen mit Hippiemantras und allen möglichen anderen Dingen mischte, die ihm gerade in den Sinn kamen. Außerdem – und das wollte ihm nicht so recht mit dem Buddhismus zusammengehen – besaß Bob einen gnadenlos materialistischen Zug. So war Simon zum Beispiel aufgefallen, dass Bob extrem gute und teure Schuhe trug. Er rauchte nicht, und als Buddhist trank er auch nicht (er hatte Simon einmal erklärt, dass der Konsum von Alkohol in direktem Widerspruch zu einem heiligen Edikt stehe, das der Prophet Buddha erlassen habe, was schon eine Ironie war, wenn man bedachte, dass das Bier Budweiser nach ihm benannt worden war).

»Ich bin mir wirklich nicht sicher, ob ich mit einer Schadensersatzklage vor Gericht weit kommen würde«, meinte Simon.

»Man kann nie wissen«, erwiderte Bob.

»Außerdem bin ich ja gar nicht so schwer verletzt«, sagte Simon.

»Aber einen Versuch wär es doch wohl wert, oder?«, beharrte Bob. »Ich meine, immerhin humpeln Sie auf diesen verdammten Dingern durch die Gegend.« Er zeigte auf die Krücken. »Das muss doch wohl ein bisschen Kohle wert sein, oder?«

Simon zuckte die Schultern.

Bob hielt einen Finger in die Höhe. »Der Prophet sagt: ›Du sollst jeden Stein auffangen, der dir auf der Straße des Lebens an den Kopf geworfen wird, denn du kannst nie wissen, wann du diese Steine vielleicht brauchen wirst, um eine Mauer zu bauen.‹«

Simon runzelte die Stirn. »Sind Sie sich da ganz sicher?«, fragte er.

Bob blickte gekränkt drein. »Absolut. Und das Erbauen von Mauern ist der Weg zur Erleuchtung.«

Simon versuchte, sich seine Skepsis über dieses unwahrscheinliche und verwirrende Diktum nicht anmerken zu lassen – es wäre schließlich katastrophal, wenn man sich den Pfad zur Erleuchtung unwissentlich mit einer Mauer *verbauen* würde. Simon sah auf seine Armbanduhr. Er musste dringend weiter. Er kam ohnehin schon zu spät zur Arbeit.

»Ich muss los«, erklärte er.

»Natürlich«, erwiderte Bob. »Passen Sie auf sich auf. Bewahren Sie sich Ihr Karma.« Er schlug ein Friedenszeichen.

»Ähm, danke. Und bewahren Sie sich Ihres.« Dann stopfte Simon sich die *Big Issue* in die Hosentasche und humpelte davon.

Ein paar Minuten später erreichte Simon einen schäbig aussehenden Laden. Mit großen gelben Lettern stand über der Haustür »STATION MAG C«. Mitten im Fenster hing ein Spielzeugkaninchen einsam und schlabberig über den Rand eines zerbeulten Zylinders. Um das Kaninchen herum lagen verstaubte Plastikblumen und Kisten und Kästen, die über und über mit metallischem Flitter bedeckt waren. Daneben fanden sich alte Schwarzweißfotos von Männern in Abendanzügen, die lächelnden Mädchen in Bikinis Arme und Beine abschlugen. Das Schaufenster war seit Jahren nicht neu dekoriert worden, und man sah es ihm an. Simon drückte die Tür auf und ging hinein. Hinter der Glastheke stand Brian Station, der Ladenbesitzer. Er war ein relativ kleiner Mann mit schlecht gefärbtem Haar und einer leuchtend bunten und ziemlich grässlichen Weste.

»Du bist spät dran«, bemerkte er, als Simon die Tür schloss.

»Hallo, Brian«, grüßte Simon. »Tut mir Leid.«

»Was zum Teufel ist mit dir los?«, fragte Brian, als er Simons Verbände und Krücken sah. »Du siehst furchtbar aus.«

»Kleiner Unfall am Wochenende«, erklärte Simon, der wirklich keine Lust hatte, die ganze Geschichte noch einmal auseinander legen zu müssen, erst recht nicht Brian gegenüber, von dem er sich kein Mitleid erhoffte.

Brian musterte Simon kritisch. Dann zeigte er auf den Verband an Simons Hand. »Wie zum Teufel willst du mit diesem verdammten Ding an der Hand irgendetwas getan kriegen?«, wollte er wissen. »Du wirst zu nichts nutze sein.«

Darüber hatte Simon noch gar nicht nachgedacht. Brian hatte Recht: Mit einer bandagierten Hand würde er keine Zauberkunststücke vorführen können. »Du hast Recht«, stimmte er zu.

»Natürlich habe ich Recht, verdammt noch mal«, brummte Brian. »Ich habe immer Recht, verdammt. Irgendjemand muss Recht haben.« Er sah Simon voller Ingrimm an, als argwöhnte er, dass er sich absichtlich verletzt hatte. »Scheiße«, sagte er nach kurzem Nachdenken.

»Ich könnte einfach die Arbeit im Lager übernehmen und mich um die Rechnungsbücher kümmern«, schlug Simon vor.

»Aber das heißt, dass *ich* die Arbeit im Laden tun muss«, stellte Brian fest.

Es war Simon immer seltsam vorgekommen, dass jemand, der einen Laden für Zaubereiartikel besaß, es hasste, Zauberkunststücke zu verkaufen. Das eigentliche Problem lag jedoch auf einer tieferen Ebene: Brian hasste alles, was den Kontakt mit anderen Menschen notwendig machte. Er war der größte Menschenfeind, den Simon je kennen gelernt hatte. In Anbetracht dieser Tatsache war es möglicherweise keine gute Idee gewesen, einen Beruf in der Unterhaltungsindustrie anzupeilen, aber für diese Überlegung war es jetzt ein wenig spät.

Zumindest war Brian, was seine Antipathie gegen seine Mitmenschen betraf, absolut demokratisch. Er benahm sich allen Menschen gegenüber abscheulich. Simon hatte schon vor langer Zeit gelernt, ihn nur anzusprechen, wenn es sich gar nicht vermeiden ließ, und niemals irgendetwas zu bestreiten, was Brian sagte. Jeder, der es wagte, sich mit Brian auf ein Wortgefecht einzulassen, verlor. Immer. Eine Auseinandersetzung ist eine Abfolge strukturierter, miteinander in Beziehung stehender Bemerkungen oder Vorschläge, die zu einem logischen Schluss führen, kein kategorisches Leugnen von irgendetwas, gefolgt von einem Strom beleidigender Schimpfworte, auf die es keine Antworten gab. Aufbauend auf dieser Analyse gab es keine Auseinandersetzungen zu gewinnen, nur Würde zu verlieren.

Während der Sommermonate war es immer am

schlimmsten. Tagsüber wimmelte es im Laden nur so von Touristen, die sich nicht für die exotischen magischen Effekte in den Zauberkästen interessierten und stattdessen schnurstracks auf Brians beeindruckende Sammlung von falschen Brüsten, Stinkbomben und Plastik-Hundehaufen zusteuerten. Die Geschäfte liefen gut, aber Brian missfiel es, kaum mehr zu sein als ein besserer Scherzartikelladen, was wenig dazu beitrug, seine Laune zu bessern.

»Dean!«, schrie Brian.

Schwere Schritte kamen näher. Schließlich erschien ein kleiner, ziemlich dicker Mann mit rotem Haar, der sich im hinteren Teil des Ladens aufgehalten hatte. Er trug ein T-Shirt mit einem Drachen darauf und eine schmutzige Jeans. »Yeah?«, sagte Dean.

»Unser Evel Knievel hier hat sich die Hand vermurkst«, erklärte Brian und zeigte auf Simon, »also werden du und ich heute doppelt so hart arbeiten müssen.«

Dean zuckte die Schultern. »Okay«, meinte er.

»Und morgen«, fügte Brian hinzu.

»Okay.« Dean sah Brian und Simon freundlich an. Es folgte eine Pause. Brian schnaubte verärgert. Dean brachte Brian immer furchtbar in Rage. Er schlängelte sich durchs Leben, ohne sich allzu sehr wegen anderer Leute den Kopf zu zerbrechen. Er lebte in seiner eigenen Welt, die, soweit Simon sehen konnte, im Wesentlichen aus zweitklassigen Heavymetal-Bands und aus Billardbällen bestand. Dean konnte mit seinen Wurstfingern komplizierte Dinge tun, die einfach unglaublich waren. Er war ein ungeheuer begabter Zauberer, ein Talent, geboren aus harter Plackerei und der unerschütterlichen Überzeugung, dass er niemals etwas anderes tun wollte. Deans liebste Zauberkunststückchen drehten sich um Billardbälle. Einmal hatte er Simon schüchtern seine Sammlung gezeigt. Einige dieser Billardbälle waren aus Holz, andere aus Marmor, wieder andere aus Elfenbein. Simon erinnerte sich daran, dass er diese außerordentliche Ansammlung von Bällen sprachlos bewundert hatte. Sie war ein beredtes Zeugnis für die allumfassende Intensität von Deans Besessenheit. Seit jenem Tag hatte Simon das Gefühl, eine verwandte Seele entdeckt zu haben: Hier war noch ein Mann mit einer fixen Idee, die ihn vor der Gewöhnlichkeit des modernen Lebens schützte. Simon suchte Zuflucht bei seinen Jazzplatten, Dean bei seinen geliebten roten Bällen. Es war im Kern derselbe Fluchtweg.

Deans Fähigkeit, Dinge mit bloßen Händen erscheinen und verschwinden zu lassen, stand zu seinem Pech in keinem Verhältnis mit seiner Fähigkeit, soziale Kontakte zu anderen Menschen herzustellen. Seine erstaunlichen manipulativen Talente wurden durch einen anscheinend vollkommenen Mangel an Charisma, Persönlichkeit oder Glück ausgeglichen, und das war der Grund, warum er in einem Geschäft für Zaubereiartikel in der Nähe der Victoria Station arbeitete, statt vor einem glamourösen Publikum in Las Vegas aufzutreten, was seinem herausragenden Talent wahrscheinlich angemessen gewesen wäre.

Dean hatte sein Los ohne Groll akzeptiert. Er lebte sein eigenes Leben, ohne anderen allzu sehr zur Last zu fallen, und er erwartete von seinen Mitmenschen, dass sie sich ihm gegenüber genauso verhielten. Brian dagegen widerstrebte es, genau das zu tun. Aus Eifersucht auf Deans Fähigkeit quälte Brian ihn gnadenlos. Und je weniger Dean darauf reagierte, desto verbissener versuchte Brian, ihm eine Reaktion zu entlocken.

Jetzt lief Brian auf Hochtouren.

»Also«, sagte er. »Es macht dir doch sicher nichts aus, den ganzen Tag im Laden zu schuften, während unser Häschen Hüpf hier dem süßen Nichtstun frönt?«

»Nee«, antwortete Dean leutselig. »Ist schon gut.«

»Nun, aber mir macht es eine Menge aus, verdammt«, maulte Brian.

»Ich werde ja nicht *nichts* tun«, protestierte Simon. »Ich kümmere mich um die Rechnungen und das andere Zeug.«

»Davor bewahre uns der Himmel«, murrte Brian.

»Hör mal«, schlug Simon vor, »wenn es dir lieber ist, bleibe ich vorne im Laden. Mir wäre es auf jeden Fall lieber. Ich werde nur keine Zauberkunststücke vorführen können. Außerdem kann Dean das sowieso besser als ich.«

»Na schön«, gab Brian nach. »Dann mach das.« Simon atmete erleichtert auf. Die drei Männer hatten eine stets auf der Kippe stehende Möglichkeit gefunden, harmonisch zusammenzuarbeiten, deren Hauptdogma darin bestand, dass Simon und Dean sich nach Möglichkeit von Brian fern hielten.

Um halb zehn öffneten sie die Türen, und auf der Stelle wurde der Laden von einer Horde plappernder Teenager heimgesucht. Sie scharten sich um die Theke und wollten Zigaretten- und Pfefferbonbon-Imitationen sehen. Brian verschwand schnell hinter dem Samtvorhang im hinteren Teil des Ladens und maulte dabei düster vor sich hin.

Als Simon und Dean später am Morgen in behaglichem Schweigen an ihrem Tee nippten, klingelte die Glocke über der Tür. Beide Männer drehten sich zu dem neuen Kunden um, einer jungen Frau in Jeans und weißer Bluse, mit einer dunklen Brille im Haar und einer offenbar schweren Tasche über der Schulter. Sie sah mit unverbindlichem Lächeln zur Theke und machte sich dann mit Interesse daran, die Vitrinenschränke in Augenschein zu nehmen. Sowohl Simon als auch Dean beobachteten sie neugierig. Es war ungewöhnlich, Frauen im Laden zu sehen, es sei denn, sie waren die Ehefrauen oder Mütter, die ihren Männern oder Söhnen geduldig ein wenig Narrenfreiheit ließen. Die Zauberei schien im Großen und Ganzen ein männliches Hobby zu sein. Der Grund dafür war, so hatte Simon immer vermutet, dass der Zauberer allein das Geheimnis des Tricks kennt, den er vorführt. Davon ausgehend, dass Wissen Macht ist, ist der Zauberer daher mächtiger als sein Publikum. Macht ist natürlich ein Aphrodisiakum, daher war die logische Schlussfolgerung, dass Männer Zauberkunststücke vorführten, weil es sie anturnte.

Die Frau schien sich jedoch zu sehr für den Inhalt der Vitrinen zu interessieren, um für einen anderen einzukaufen. Simon versteckte sich hinter seinem Teebecher und warf ihr über den Rand des Bechers hinweg anerkennende Blicke zu. Während sie sich umsah, wackelte sie ein wenig mit ihrer Stupsnase. Simon bemerkte wohlwollend, wie gut ihr Hinterteil in die Jeans passte. Ihr Haar war blond und knapp schulterlang, und es war, so vermutete Simon, absichtlich so geschnitten, dass es unordentlich wirkte. Ihr Gesicht hatte zarte Konturen und war eher hübsch als schön.

Zu guter Letzt vollendete die Frau ihre Besichtigungstour durch den Laden und trat mit einem angenehmen Lächeln an die Theke. »Also«, meinte sie, »habt ihr zwei Hübschen meinen Hintern jetzt genug begafft?«

Simon wäre um ein Haar an seinem Tee erstickt.

»Ich ... ähm ... was?«, stotterte er. Dean erwiderte klugerweise gar nichts, obwohl er auch nicht aufhörte zu gaf-
fen.

Die Frau legte den Kopf schräg. »Na, kommt schon.
Ich hab euch doch gesehen. Ihr habt mich von oben bis
unten begutachtet.« Sie sprach mit amerikanischem Akzent.

Dean stand immer noch reglos und mit leicht geöffne-
tem Mund da, daher fühlte Simon sich verpflichtet zu
antworten. Ihm war klar, dass jetzt etwas Weltmänni-
sches und Raffiniertes vonnöten war, um die Situation zu
entschärfen und der Kundin ein gutes Gefühl zu geben.

»Nein, haben wir nicht«, erklärte er.

»Doch, habt ihr wohl«, beharrte die Frau. »Also.« Sie
schlug sich wie ein Cowboy auf den Hintern. »Was haltet
ihr davon?« Simon war klar, dass er bisher bei dem Gespräch nicht besonders gut abgeschnitten hatte. Er beschloss, die Frage zu ignorieren.

»Hören Sie«, meinte er. »Es tut mir Leid, wenn Sie den
Eindruck hatten, dass wir ... ähm ... das getan haben. Sie
irren sich nämlich. Es ist nur, dass wir hier so selten weibliche Kunden haben.«

»Nun«, antwortete die Frau, »hier bin ich, ein weiblicher Kunde. Sind Sie im Stande, mich zu bedienen, jetzt,
da Sie den Schock überwunden haben, mich in Ihrem
Laden zu sehen?«

Simon nickte stumm.

»Gut.« Die Frau legte ihre Tasche auf die Theke. »Mein
Name ist Alex Petrie«, stellte sie sich vor. »Ich arbeite für
ein paar Wochen in einem Restaurant hier in der Nähe.«
Sie deutete vage mit der Hand hinter sich. »Dort sollen
einige Zauberkunststückchen hautnah vorgeführt werden. Sie wissen, was ich meine – ich laufe zwischen den

Tischen herum, zerschneide die Kreditkarten von irgendwelchen Leuten, ziehe Münzen aus der Suppe, solche Sachen.«

»Klar«, murmelte Simon überrascht. Die Frau war ein Profi.

»Ich bin extra für diesen Gig aus New York rübergekommen«, berichtete sie. »Und ich möchte ein paar neue Sachen.«

Simon und Dean strahlten.

Eine halbe Stunde später hatte Alex Petrie eine Menge Geld ausgegeben.

Während Dean ihre Einkäufe in die Kasse eintippte, lächelte Alex Petrie Simon an. »Ich muss sagen«, meinte sie, »ihr zwei seid als Verkäufer ein gutes Gespann.«

»Danke«, erwiderte Simon.

»Mir gefällt es, wie Sie das Reden besorgen und der kleine Bursche die eigentlichen Zauberkunststücke macht.«

Simon hob seine verbundene Hand. »Reden ist im Augenblick so ziemlich das Einzige, was ich kann.«

»Sie machen es ziemlich gut.« Sie sah Simon an. »Hören Sie«, fuhr sie fort, »das mag jetzt zwar ziemlich dreist klingen, aber ich bin das erste Mal in London, und ich kenne niemanden hier. Ich habe mir sagen lassen, dass es in dieser Stadt viel zu sehen gibt. Also habe ich mich gefragt – natürlich nur wenn Sie frei sind –, ob Sie vielleicht Lust hätten, sich etwas Zeit für mich zu nehmen und mich ein wenig herumzuführen.«

Simon starrte sie sprachlos an.

Dean kam mit dem Kreditkartenzettel herangewuselt. »Unterschreiben Sie hier bitte«, erklärte er und zeigte mit einem seiner Wurstfinger auf die gepunktete Linie am unteren Rand des Papiers. Alex Petrie unterschrieb.

Sobald Dean wieder an die Kasse zurückgekehrt war, richtete sie ihre Aufmerksamkeit erneut auf Simon, der sie immer noch wortlos anstarrte. Sie sah ihn einen Augenblick lang fragend an, dann nahm sie ihre Tüten. »Keine Sorge«, meinte sie. »Vergessen Sie es. Sie haben wahrscheinlich so eine zugeknöpfte englische Freundin, hab ich Recht? Tut mir Leid, dass ich gefragt habe.« Sie wandte sich zum Gehen.

Simon fühlte sich jäh aus seinem schweigenden Tagtraum gerissen. »Nein, nein, hab ich nicht. Ich meine, eine Freundin. Ich hab keine.«

Alex Petrie drehte sich wieder zu Simon um. »Ich habe Sie nur gebeten, mich herumzuführen, um Himmels willen. Es ist nicht so, als hätte ich Sie gebeten, mit mir zu *schlafen*.«

»Bitte?«, murmelte Simon.

Sie lehnte sich über die Theke und zischte Simon ins Ohr: »Sie glauben wahrscheinlich, alle amerikanischen Frauen finden die Engländer zum Anbeißen, hm?«

»Nein, absolut nicht, hören Sie, ähm ...«, stammelte Simon. »Sie irren sich. Das denke ich überhaupt nicht. Ganz im Gegenteil, um genau zu sein. Tut mir Leid, dass ich nicht sofort geantwortet habe, aber ich war einfach ein bisschen ...«

»Was ist das nur mit euch *Engländern*?«, fragte Alex Petrie wütend. »Ihr seid alle so furchtbar *zugeknöpft*.«

Simon unternahm eine letzte Anstrengung, als Alex sich abermals zum Gehen wandte. »Hören Sie, ich würde Sie schrecklich gern ...«

»Vergessen Sie es.« Mit einer abschätzigen Handbewegung drückte sie die Ladentür auf und stürmte auf die Straße hinaus.

Simon und Dean sahen einander einen Augenblick an.

»Donnerwetter«, entfuhr es Dean.

»Halt die Klappe«, brummte Simon.

Der Rest des Tages verging ziemlich schnell. Es waren ständig Kunden im Laden, daher hatte Simon keine Zeit, über das kurze Zwischenspiel mit Alex Petrie allzu ausführlich nachzudenken, was wahrscheinlich nur gut war.

Um halb sechs sperrte Simon die Ladentür ab und drehte das kleine Pappschild herum, sodass jetzt das Wort *geschlossen* auf der Vorderseite stand. Als er zur Theke zurückhumpelte, begann Dean mit der Abrechnung.

»Ich bin froh, dass das vorbei ist«, bekannte Simon. Sein Fuß hatte unter dem Verband schrecklich zu jucken begonnen. Dean antwortete nicht, sondern hielt den Kopf über die Kasse gesenkt. Simon seufzte. Er war klug genug, Dean nicht in ein Gespräch zu verwickeln, während dieser versuchte, Zahlen zusammenzurechnen.

Brian kam hinter dem Samtvorhang hervor. »Alles klar, Jungs?«, fragte er. »Guter Tag?«

Dean sagte immer noch nichts. Er beugte sich eine winzige Spur tiefer über den Schreibblock, auf den er Ziffern kritzelte. »War ziemlich viel los«, vermeldete Simon.

Brian grunzte zufrieden. »Glänzend.«

Simon blickte zu Dean hinüber, der sich jetzt so tief über die Kasse beugte, dass es so aussah, als hätte er den Bleistift in die Nase geklemmt.

»Ach, übrigens«, meinte Brian. »Ich habe gute Neuigkeiten für euch. Ihr bekommt für eine Weile etwas Hilfe.

Ich bin wieder mal an der Reihe, mich um Vick zu kümmern, während ihre Mutter mit diesem Bastard von einem Lover Urlaub macht. Also wird sie während der nächsten paar Wochen hier sein, um euch zur Hand zu gehen.«

Ein heftiger Ruck durchfuhr Deans Körper, als das Blei in seinem Bleistift brach. Simon starrte zu Boden. Vick war ein Teenager – und Brians Tochter. Ihre Anwesenheit konnte gute Laune auslöschen wie eine Feuerdecke eine kleine Flamme. Brian ließ sie immer im Laden arbeiten, wenn ihre Mutter in Urlaub fuhr, was sie nicht gerade in die beste Laune versetzte. Genau darum ging es natürlich. Nach ein paar Wochen Arbeit im Laden hatte Vick (selbst für ihre Maßstäbe) eine so mörderisch schlechte Laune, dass sie ihrer Mutter, wenn diese aus dem Urlaub zurückkam, das Leben unerträglich machte. (Brians Scheidung vor einigen Jahren war eine bittere Sache gewesen. Seine Exfrau hatte eine gewaltige Stange Geld in den fiesesten Rechtsbeistand investiert, den sie sich hatte leisten können, und Brian war am Ende nur der Laden geblieben – den seine Exfrau nicht gewollt hatte – und sehr wenig sonst. Genauso erbittert hatten die beiden darum gekämpft, wer das Sorgerecht für ihre Tochter bekommen sollte, aber zumindest diese Schlacht hatte Brian gewonnen: Vick lebte bei ihrer Mutter.)

Simon fand endlich die Sprache wieder. »Wunderbar«, murmelte er. »Es wird schön sein, Vick mal wieder zu sehen. Nicht wahr, Dean?«

Dean begann, etwas vor sich hin zu brummeln, und kaute dabei an dem Ende seines mittlerweile nutzlos gewordenen Bleistiftes. Dean hasste Vick.

Es klopfte an der Tür.

»Scheiße«, schimpfte Brian. »Wer immer da draußen

steht und nicht lesen kann – erklärt ihm, dass wir geschlossen haben. Er kann morgen wiederkommen.«

Simon ging zur Tür. Er schloss auf und öffnete sie einen Spalt.

»Es tut mir Leid ...«, begann er und brach dann ab.

»Hi«, grüßte Joe.

»Hi«, antwortete Simon und versuchte, sich seine Überraschung nicht anmerken zu lassen.

»Lust auf einen Drink?«

5. KAPITEL

Simon und Joe gingen in einen großen, geräumigen Pub in der Nähe der U-Bahn-Haltestelle. Der Pub war voller Pendler, die noch nicht bereit waren, sich dem Heimweg in ihrer kriechenden Bahn zu stellen. Der dunkle, niedrige Raum war voller trübseliger Männer, die allein an ihren Tischen saßen, halb leere Biergläser in Händen drehten und ins Leere starrten oder in eine zerknitterte Zeitung vertieft waren. Für ein Lokal, das so voll war, war der Geräuschpegel erstaunlich niedrig. Die Luft war zum Schneiden dick von Zigarettenrauch, der unter der Decke hängen blieb und die späte Nachmittagssonne auffing, die durch die Fenster des Pubs fiel.

Simon war erleichtert über diesen Vorwand, seine Rückfahrt nach Nordlondon noch hinauszuzögern. Es war der Höhepunkt der Verkehrsstoßzeit, und das Gedränge würde eher noch schlimmer sein als am Morgen.

Simon und Joe gingen an die Theke. Dann schob Joe die Hände in die Taschen und wartete.

»Schön«, meinte Simon schließlich, »was kann ich dir holen?«

»Oh, prost«, sagte Joe. »Ein Lager-Bier. Und ein paar trocken geröstete Erdnüsse, falls es die hier gibt.« Er nahm die Hände aus den Taschen.

Simon versuchte, seine Verärgerung zu verbergen, und bestellte die Drinks.

Ein paar Minuten später fanden sie einen Tisch und

setzten sich. Beide Männer tranken schweigend. Einige Augenblicke verstrichen.

»Mein Gott«, seufzte Simon, als er das Glas wieder auf den Tisch stellte. »Das hab ich gebraucht.«

»Schlechten Tag gehabt?«, erkundigte sich Joe.

»Durchschnitt, schätze ich. Was schlecht genug ist.«

»Ah.«

»Wie war es bei dir?«

»Oh, mein Tag war in Ordnung. Ich habe im Augenblick Ferien. Ich bin Lehrer.«

»Was unterrichtest du?«

»Blagen.«

»Welches Fach?«, versuchte Simon es noch einmal.

»Oh. Englisch.«

»Wo denn?«

Joe nannte eine berühmte Privatschule in der Nähe.

Simon pfiff durch die Zähne. »Schnieke Schule.«

»Ja, hm ... Lauter arrogante kleine Biester. Ich hasse sie.« Joe nahm einen Schluck Bier. »Und ihre Eltern sind keinen Deut besser. Herablassend, alle durch die Bank. An den Elternabenden reden sie mit dir, als wärst *du* derjenige, der retardiert ist, nicht ihre kostbaren kleinen Rotznasen.«

»Ich habe immer gedacht, der Beruf eines Lehrers müsse etwas sehr Lohnendes sein.«

Joe schnaubte. »Lohnend in welcher Hinsicht?«

»Ich meine, eine Erfüllung. Du weißt schon, zu beobachten, wie deine Schutzbefohlenen intellektuell wachsen und sich entwickeln. Die Möglichkeit zu haben, ihnen auf ihrem Weg ins Leben zu helfen, ihnen vielleicht ein wenig Wissen zu vermitteln, das die jungen Menschen den Rest ihres Lebens begleiten wird.«

Joe beugte sich über den Tisch. »Quatsch mit Soße«,

erwiderte er. »Sie hören mir überhaupt nicht zu. Sie glauben, sie wissen schon alles. Das einzig Lohnende an meinem Job sind die langen Ferien.«

Es folgte eine Pause, in der die beiden Männer einander ansahen. Simon suchte verzweifelt nach irgendetwas, was er sonst noch hätte sagen können.

»Ach komm, tut mir Leid«, meinte Joe ein paar Sekunden später. »Ich wollte nicht anfangen, über die Ungerechtigkeit der Privatschulerziehung zu schwadronieren. Vergiss die Phrasendrescherei. Erzähl mir lieber, wie es dir geht. Was machen die Kriegsverletzungen?«

Simon schnitt eine Grimasse. »Ich schätze, ich gewöhne mich langsam daran. Sie machen mir das Leben bei der Arbeit ein bisschen schwer. Ich bin damit nicht zu viel nutze.« Er hielt Joe seine rechte Hand unter die Nase.

»Hast du rausgefunden, was mit deinem Fuß passiert ist?«

»Nein«, antwortete Simon. »Das wollte mir niemand erzählen.«

»Komisch.«

»Hmhm.« Es war tatsächlich komisch und auch ziemlich unbehaglich. Simon hatte sein Bestes getan, nicht allzu viel über seinen Fuß und dessen mysteriöses Schicksal nachzudenken.

»Wie kommst du denn so zurecht?«, fragte Joe.

»Schrecklich. Die U-Bahn war ein Albtraum. Ich meine, die U-Bahn ist *immer* ein Albtraum, aber hiermit war es noch schlimmer. Die Leute geben einem das Gefühl, man hätte ihnen den Tag verdorben, nur weil man sich nicht so schnell bewegen kann wie sie.«

Joe sah ihn mitfühlend an. »Du Armer. Noch dazu im Sommer«, fügte er hinzu. »Ich hasse die U-Bahn im Sommer. Sie ist zu heiß und zu voll. Und natürlich sind da auch noch die Touristen.«

Simon dachte an das Heer der Erstlings-U-Bahn-Fahrer und nickte. »Die sind ein Problem«, stimmte er zu.

»Am schlimmsten sind die ausländischen Schulkinder«, meinte Joe. »Marodieren in ihren grässlichen Anoraks in sämtlichen U-Bahnen.«

»Oh ja!« Simon nickte. »Die sind wirklich besonders schlimm.«

»Warum unternimmt nicht mal irgendjemand etwas, was diese Kinder betrifft? Sie überschwemmen die Wagons und senken die allgemeine Lebensqualität, und das mit der Effizienz einer gut gedrillten Kampfeinheit. Ich hab sie beobachtet.«

»Erzähl weiter.«

»Nun, wenn sie sich erst einmal häuslich in einem Wagon niedergelassen haben, drehen ein oder zwei von ihnen ein paar Pirouetten und schlagen mit ihren Rucksäcken links und rechts ein paar alte Damen k. o. Dann kommt einer von ihnen an einem Ende des Wagons auf die Idee, seinen besten Freund in ein Gespräch zu verwickeln, der natürlich am anderen Ende des Wagons eingestiegen ist. Woraufhin alle anderen in den Genuss einer auf Höchstlautstärke geführten Konversation in einem pubertären Kauderwelsch kommen, das sonst niemand versteht.«

»Also«, entgegnete Simon, »das ist wahrscheinlich gar nicht so schlecht. Ich glaube nicht, dass ihre Gespräche besonders erbaulich sind.«

Joe nickte nachdenklich. »Trotzdem«, beharrte er, »ich ziehe einen gewissen Trost aus der Tatsache, dass diese Kinder alle durch die Bank hässlich sind, selbst für Teenager. Sie haben alle gelbe Zähne und Akne. Grässlich.

Und sie haben Mundgeruch. Pfui Teufel. Und furchtbaren Flaum auf dem Hintern.«

»Die Jungen sind natürlich noch schlimmer«, bemerkte Simon.

Joe grinste. »Die Jungen haben zusätzliche Probleme.« Er nahm noch einen Schluck Bier. »Keiner von denen scheint jemals was von Deos gehört zu haben.«

Simon begriff und verzog das Gesicht. »Von *denen* habe ich heute Morgen wenigstens keinen getroffen«, berichtete er.

»Ich benutze öffentliche Transportmittel nur, wenn es unbedingt sein muss«, erwiderte Joe.

»Wie kommst du dann von einem Ort zum anderen?«

»Mit dem Fahrrad. Ich radle überallhin. Das ist schnell, effizient und billig. Außerdem gut für die Umwelt, aber obwohl ich immer gern erzähle, das sei mir wichtig, interessiert es mich in Wirklichkeit einen feuchten Kehricht.«

»Wo wohnst du eigentlich?«

»Kennington«, erklärte Joe.

»Dann fährst du heute Abend also mit dem Rad zurück?«

Joe schüttelte den Kopf. »Heute Abend nicht. Diesmal bin ich tatsächlich mit der U-Bahn hergekommen – sie ist nachmittags gar nicht so schlimm –, aber mit ein wenig Glück werde ich mit meinem bevorzugten Transportmittel heimfahren. Mit einem schönen, gemütlichen Taxi.« Er sah auf seine Armbanduhr. »Ich bin hier übrigens mit jemandem verabredet. Sie arbeitet in der Nähe. Ich dachte, ich komme etwas früher, damit ich dich auch sehen kann.«

»Sie?«, wiederholte Simon. »Doch nicht zufällig eine von deinen Eroberungen aus der National Gallery?«

Joe grinste. »Wie der Zufall es will, doch. Wir haben

uns vor *Ein Badeplatz bei Asnières* von Seurat getroffen. Ich habe etwas über das grandiose Ausmaß gesagt, in dem das Bild die proletarischen Badenden zu Helden erhebt, und gefragt, ob das nicht cool sei. Das war es. Bingo.« Er hielt inne. »Ich hoffe nur, dass ich nicht den ganzen Abend über Politik werde reden müssen. Hoffentlich erweist sich die Dame nicht als Sozialistin.«

»Warum nicht?«, fragte Simon.

»Weil Sozialisten so verdammte Langweiler sind«, erwiderte Joe. »Ich habe nichts gegen den Sozialismus an sich, versteh mich nicht falsch. Was ich nicht ausstehen kann, sind die Leute, die daran glauben. Rührselige Liberale und unerträglich selbstgerecht. Mir wird immer ganz komisch im Magen, wenn ich mit solchen Leuten zusammen bin.«

»Mein Gott, absolut«, stimmte Simon zu und vermerkte im Geiste, dass er Joe auf keinen Fall in Gespräche über Politik verwickeln durfte.

»Außerdem sind es nicht die Gespräche, für die ich mich interessiere.« Joe zwinkerte.

»Wirst du mit ihr schlafen?«, fragte Simon. »Einfach so?«, fügte er ein wenig sehnsüchtig hinzu

»Hm, ja«, gab Joe zurück. »Warum sonst sollte man den Abend mit einem Mädchen verbringen?«

»Auch Konversation hat ihre Vorzüge, weißt du?«, erklärte Simon.

Joe kicherte. »Yeah. Stimmt.«

»Also gut«, räumte Simon ein. »Wie kannst du so sicher sein, dass *sie* mit *dir* schlafen möchte?«

»Hör mal«, antwortete Joe. »Wir sind uns in einem Museum über den Weg gelaufen. Sie kennt mich nicht. Wir haben uns gut verstanden, und als ich sie auf einen Drink eingeladen habe, hat sie Ja gesagt.«

»Was bedeutet?«

»Was bedeutet, dass sie ein Auge auf mich geworfen hat.« Joe rieb sich die Hände.

Simon dachte nach. »Wie kannst du dir da so sicher sein?«

»Heiliger Himmel«, brummte Joe. »Das ist doch ziemlich offensichtlich, oder? Warum sonst hätte sie sich mit mir verabredet? Sie *kennt* mich doch nicht. Sie hat bestimmt nicht Ja gesagt, weil sie einfach nur *nett* sein wollte. Wir sind Fremde. Noch.« Er zwinkerte wieder.

Simon konnte die Logik in Joes Argumenten erkennen, aber sein Selbstbewusstsein machte ihn sprachlos. Das war, überlegte er, eins seiner eigenen großen Probleme. Er hatte nie genug Selbstvertrauen besessen, um Fremde anzusprechen und davon auszugehen, dass sie tatsächlich mit *ihm* würden reden wollen.

Um die Dinge noch zu verschlimmern, war Simon ein einzigartiger Trottel, was das Deuten von Signalen betraf. Er dachte an Alex Petrie, die ihn, einen Fremden, gebeten hatte, sie durch London zu führen. Bedeutete das, dass sie mit ihm schlafen wollte? Augenscheinlich nicht – tatsächlich hatte sie das sogar gesagt. Simons Mangel an Selbstbewusstsein, gepaart mit den Zweifeln an seiner Fähigkeit, weibliche Signale richtig zu interpretieren, führte dazu, dass er stets vor Angst wie gelähmt war, wenn er sich der Entscheidung gegenübersah, ob er etwas riskieren sollte oder nicht. Er war von Natur aus kein Spieler. Eine Zurückweisung war zu schrecklich, um sie auch nur in Erwägung zu ziehen. Simon interessierte sich nur für todsichere Kandidatinnen. Und selbst dann quälte er sich – manchmal fatalerweise zu lange –, bevor er diesen alles entscheidenden

Sprung wagte, nach dem es kein Zurück gab, den Sprung in das Vakuum der Liebe. Abermals erschien eine Vision von Delphines Gesicht vor seinem inneren Auge. Simon seufzte.

»Verrate mir eins«, bat er. »Kommt es dir jemals in den Sinn, dass du die Situation vielleicht falsch interpretiert haben könntest? Dass eine Frau einmal *kein* Auge auf dich geworfen haben könnte?«

»Mein Gott, natürlich«, erwiderte Joe. »Das passiert sogar ziemlich oft. Kann dann ein bisschen peinlich werden. Aber es gehört alles mit zu dem Spaß dazu. So wie ich es sehe, ist die Jagd auf Mädchen ein wenig wie ein Kartenspiel. Mal gewinnst du, mal verlierst du. Man muss akzeptieren, dass es immer mal wieder danebengeht. So ist das Leben. Aber benutz deinen Kopf doch mal zum Rechnen. Je öfter du es versuchst, desto öfter wirst du Erfolg haben.«

Die logische Konsequenz daraus war, dachte Simon, dass die Erfolgschancen, wenn man es niemals versuchte, gleich null waren.

Beide Männer hatten ihr Bier ausgetrunken. Simon wartete. Nach einer Weile fragte Joe widerstrebend: »Möchtest du noch eins?«

»Nur zu«, stimmte Simon zu.

Joe kehrte ein paar Minuten später mit den Drinks zurück. Er setzte sich Simon gegenüber und sah ihm in die Augen.

»Du hältst nicht viel von mir, nicht?«, bemerkte er.

Simon wollte gerade seinen ersten Schluck nehmen, setzte das Glas jetzt aber wieder ab. »Wie meinst du das?«

»Du hältst nichts von mir. Meine Einstellung den Frauen gegenüber gefällt dir nicht. Wie ich ihnen nachjage. Du denkst, ich sollte sie mit mehr Respekt behandeln.«

Simon öffnete den Mund, um zu antworten, aber da nichts herauskam, klappte er ihn wieder zu. »Es ist nicht so«, erklärte er nach ein paar Sekunden Nachdenken, »dass ich nichts von dir halte. Es ist nur so, dass *ich* die Dinge anders anfasse.«

Joe sah Simon neugierig an. »Dann erzähl mir doch mal, *wie* du sie anfasst?«

»Nun ja, ich ...«, begann Simon. Das war eine sehr gute Frage. »Ich *rede* mit den Frauen«, fügte er schließlich unsicher hinzu.

»Ist das *alles*?«, hakte Joe nach.

»Wie meinst du das, ob das alles ist?«

»Na ja, schläfst du nicht auch mit ihnen? Nachdem du mit ihnen geredet hast?«

Simon reckte das Kinn. »Gewöhnlich nicht, nein.«

»Liegt das daran, dass du die Frauen respektierst oder so was in der Art?«, erkundigte Joe sich argwöhnisch.

»Es ist gar nicht nötig, das in so einem Tonfall zu sagen«, erwiderte Simon. »Und, ja, tatsächlich *liegt* es daran, dass ich Frauen respektiere.«

»Gütiger Himmel«, murmelte Joe.

»Hast du ein Problem damit?«, fragte Simon.

»Nein, überhaupt nicht. Kratzt mich kein bisschen. Ich denke bloß, dass *du* vielleicht ein Problem damit hast, wenn ich das mal sagen darf.«

»Nun, da danke ich Ihnen aber sehr für Ihren Rat, Doktor Ruth«, bluffte Simon ihn an.

»Du hältst *wirklich* nichts von mir.«

Simon schüttelte den Kopf. »Es ist deine Entscheidung, du kannst tun, was dir gefällt.«

Joe beugte sich über den Tisch. »Hör mir mal zu. Es ist

okay, mit vielen zu schlafen. Es macht dich nicht zwangsläufig zu einem schlechten Menschen. Ein bisschen ober-
flächlich vielleicht, aber nicht *schlecht*.«

»Das ist deine Meinung«, entgegnete Simon und
wünschte sich von Herzen, es sei auch seine.

»Vergiss bei dem Ganzen nicht, dass die Frauen auch
Spaß am Sex haben.« Joe hielt inne. »Den weiblichen Orgasmus gibt es nämlich wirklich«, fügte er hinzu. »Ich
habe einen erlebt. Also, *sie* haben nichts dagegen, *ich* habe ganz bestimmt nichts dagegen, und niemand kommt
zu Schaden.«

»Dann glaubst du also, dass wir einfach alle so viel wie
möglich Sex haben sollten?«, meinte Simon mit krausge-
zogener Nase.

»Absolut«, stimmte Joe zu. »Man ist nur einmal jung
und so weiter und so fort. Die Frauen wollen es, die Männer wollen es, warum es also nicht einfach tun? Das Problem ist, dass heutzutage zu viele Männer empfindsam
und rücksichtsvoll geworden sind. Sie verbringen zu viel
Zeit damit, Frauenzeitschriften zu lesen. Und da liegt das
eigentliche Problem. Die Zeitschriften werden von einem
Kartell militanter Lesben betrieben, die versuchen, die
heterosexuelle Vormachtstellung der heutigen Gesellschaft zu untergraben. Sie wissen, wie viele Männer
heimlich diese Zeitschriften lesen, also gehen sie mit diesem ganzen Unsinn hausieren, von wegen, dass Frauen
sich wünschten, ihre Männer wären Pasteten backende
Nulpen, die in Kontakt mit ihrem spirituellen Ich stün-
den. Und die Männer, diese dummen Hunde, glauben
das auch noch. Das Ergebnis ist, dass die Frauen vor
Frustration schreien und darauf warten, dass diese rück-
gratlosen Idis sie flach legen, aber der Mann von heute
zaubert eher einen Meeresfrüchte-Risotto auf den Tisch

und verlangt nach einer ernsthaften Unterhaltung über den jüngsten Roman von Milan Kundera, als eine hübsche Kissenschlacht vorzuschlagen.«

Simon dachte nach. Er war selbst ein eifriger Leser von Frauenzeitschriften. »Eins meiner Probleme ist, dass ich nie jemanden kennen lerne«, überlegte er laut.

»Oh, so ein Schwachsinn«, antwortete Joe. »Frauen sind überall. Alle völlig ausgehungert danach.«

Simon dachte wieder an Alex Petrie. Er schloss frustriert die Augen.

»Hör mal, wenn du wirklich glaubst, das sei ein Problem, kann ich dich sicher mit ein paar Leuten bekannt machen«, schlug Joe vor.

Simon hob die Hand. »Nein danke. Ich komme schon klar.«

»Warte«, rief Joe. »Mir ist gerade die perfekte Frau für dich eingefallen.«

Ohne es eigentlich zu wollen, war Simon neugierig geworden. »Wie ist sie denn so?«, erkundigte er sich.

»Oh, entzückend«, erwiderte Joe. »Sie heißt Lucy. Sehr nett.« Er hielt inne. »Sie hat eine großartige Persönlichkeit.«

»Vergiss es«, entgegnete Simon sofort. »Sie ist hässlich.«

»Nein. Gar nicht.«

»Wie sieht sie denn aus?«

Es folgte eine Pause. »Na ja. Ich finde, sie erinnert an die Rubens'schen Modelle.«

»Na toll. Hässlich und *fett*.«

Joe zuckte die Schultern. »Na ja, das Angebot steht, falls du deine Meinung änderst.«

»Tausend Dank.«

Joe sah Simon kritisch an. »So, wie du aussiehst,

schätze ich, du könntest eine gute Portion Sex gebrauchen«, bemerkte er. »Es würde dir helfen, dich zu entspannen.«

»Wirklich?«, seufzte Simon, den das Thema inzwischen langweilte.

»Wirklich.« Wieder folgte eine Pause. »Ich sag dir was«, meinte Joe. »Was du brauchst, ist etwas, worauf du hinarbeiten kannst. Eine Herausforderung.«

Simon runzelte die Stirn. »Welche Art von Herausforderung?«

»Welche schon! Eine Herausforderung zum Bumsen natürlich.« Joe nahm einen langen Schluck Bier.

Simon sah seinen neuen Freund voller Abscheu an. »Oh, *bitte*«, empörte er sich. »Werd endlich erwachsen.«

Joe sah Simon verwirrt an. »Was? Was habe ich denn gesagt?«

»*Eine Herausforderung zum Bumsen?* Hör dir doch mal selbst zu, wie du redest. Du klingst wie ein Fünfzehnjähriger mit durcheinander geratenen Hormonen. Ich werde ganz bestimmt nicht bei solchen pubertären Spielchen mitmachen.«

»Oh, okay«, gab Joe zurück und machte es sich auf seinem Stuhl wieder bequem. »Verstehe.«

»Was?«, fragte Simon scharf.

»Du hast Angst«, bemerkte Joe.

»Red keinen Stuss«, begehrte Simon auf. »Es ist nur so, dass die ganze Sache, die Vorstellung von einer *Herausforderung*, anstößig ist. Frauen sind kein *Sport*.«

»Doch, sind sie«, beharrte Joe.

»Hör mal, Joe, die Antwort lautet: nein. Ich bin nicht interessiert. Ich kann mit meiner Zeit Besseres anfangen.«

»Was, rumsitzen und *reden* zum Beispiel?«

»Wenn du willst«, verteidigte Simon sich.

»Nun, ich finde immer noch, dass du es mal versuchen solltest. Ich denke, du solltest dir ein Ziel setzen, sagen wir, einen Monat, und du solltest dir vornehmen, innerhalb dieser Zeitspanne mit mindestens drei Frauen Sex ohne jeden Hintergedanken zu haben.«

»*Drei?*«, entfuhr es Simon, der einen Augenblick lang ganz vergaß, dem Thema mit Herablassung zu begegnen.

Joe zuckte die Schultern. »Weniger als eine pro Woche. Das sollte nicht allzu schwer sein, wenn du dich ein bisschen ranhältst.«

»Das ist doch lächerlich«, maulte Simon.

»Du wirst es nie rauskriegen, wenn du es nicht probierst«, erklärte Joe.

»Also, vielen Dank, aber ich glaube, ich ziehe es vor, in einem Zustand segensreicher Unwissenheit zu verharren, wenn du damit einverstanden bist.«

Joe runzelte die Stirn. »Es sind die Leute, die massenweise Sex haben, die sich in einem gesegneten Zustand befinden. Sex macht die Leute ruhiger, gibt ihnen einen größeren Seelenfrieden.« Er hielt inne. »Tolle Sache, Sex. Es ist ein absolut natürliches Stimulans. Keine Drogen, keine Präservative, keine Chemie. Jeder tut es. Na ja«, korrigierte Joe sich und deutete auf Simon, »fast jeder. Die Vögel. Die Bienen. Die Stubenfliegen.« Er hielt inne. »Fische tun es. Obwohl sich da eine Frage auftut, die mich immer schon beschäftigt hat.«

»Gott, du bist ja besessen«, bemerkte Simon.

Joe nickte. »Zweifellos. Aber es ist natürlich. Ich bin so geschaffen. Es hat eine Menge mit dem Erhalt der Spezies zu tun.«

»Nein, Joe, du redest hier nicht von Arterhaltung, du redest von Zeitvertreib. Sex als Hobby.«

»Na ja, ich könnte mir Schlimmeres vorstellen. Sex hält dich fit. Bringt dich aus dem Haus. Und du lernst jede Menge nette Leute kennen.«

Simon seufzte.

»Wie auch immer«, sagte Joe. »Noch mal zu diesen Fischen. Ich habe mich immer gefragt, ob es eine Möglichkeit gibt, bei den Fischen zwischen Damen und Herren zu unterscheiden. Denn es besteht da doch offensichtlich ein Unterschied, oder? Der weibliche Fisch legt die Eier, dann kommt der männliche dahergeschwommen und befruchtet sie.«

»Klingt vernünftig. Allerdings bin ich kein Experte, was Unterwasserpaarung betrifft.«

»Also, meine Frage ist, wie erkennt man den Unterschied zwischen männlichen und weiblichen Fischen?«

»Mein Gott, keine Ahnung.«

»Ich meine, sie *bumsen* nicht richtig, oder, die Fische? Also nehme ich an, es besteht überhaupt keine Notwendigkeit für irgendwelche äußerlichen Unterschiede.«

»Wahrscheinlich nicht«, antwortete Simon ergeben.

Joes Gesicht verzog sich plötzlich zu einem breiten Grinsen. »Da ist sie«, erklärte er. Simon drehte sich um und sah eine atemberaubende Frau näher kommen. Sie war sehr groß und bewegte sich wie ein Fotomodell. Als sie den Pub durchquerte, ruhte jedes männliche Augenpaar fest auf ihr. Simon seufzte. Das war wirklich nicht sehr fair. Joe stand auf und küsste sie auf beide Wangen. Sie setzte sich Simon gegenüber hin. Joe drängelte sich zwischen sie. Die Frau sah Simon fragend an.

»Simon, das ist Claire«, stellte Joe vor. »Claire, das ist mein Freund Simon, der hier in der Nähe arbeitet.«

»Hallo, Simon«, meinte Claire und warf sich das Haar mit einem lange geübten Manöver aus dem Gesicht.

Sie hatte eine tiefe, rauchige Stimme, die extrem sexy klang.

»Hi«, quiekte Simon.

»Wie auch immer, Kumpel«, fuhr Joe fort. »War nett, dich mal wiederzusehen. Danke für den Drink. Wir sehen uns sicher bald, ja?«

»Oh. Klar«, murmelte Simon. Er war entlassen. Joe reichte ihm seine Krücken.

»Und ab mit dir«, lachte er. »Komm gut nach Hause. Hau einfach auf jeden drauf, der dir in den Weg läuft. Ich hoffe, es geht dir dann bald besser.« Joe zwinkerte Simon zu. »Und denk mal darüber nach, was ich gesagt habe. Diese kleine Herausforderung. Ich melde mich dann wieder bei dir.«

»Okay«, erwiderte Simon, als er sich auf seine Krücken stützte. »Viel Spaß heute Abend.«

»Oh, den werden wir haben«, meinte Joe.

»Bye, Claire«, sagte Simon.

»Bye, Simon«, schnurrte Claire.

Simon humpelte aus dem Pub. Er beschloss, mit dem Bus nach Hause zu fahren, statt sich noch einmal den Rolltreppen und dem unmenschlichen Gedränge der U-Bahn auszusetzen.

Ein paar Minuten später saß er sicher in der Linie achtunddreißig, während diese sich in den Verkehr vor der Victoria Station einfädelte, wo sie sofort stehen blieb und sich mehrere Minuten lang nicht vom Fleck bewegte. Simon seufzte. Es würde ein langer Heimweg werden.

6. KAPITEL

Hallo, du. Lust auf einen Drink?«
Nein.

»Hi. Ich habe einen ganzen Hummer in meiner Wohnung. Interessiert? An mir oder an dem Hummer?«

Allmächtiger. Nein.

»Hi. Ich weiß nicht, ob du davon gelesen hast oder ob es dich überhaupt interessiert, aber im Augenblick gibt es einen wirklich guten bayrischen Film über existenzielle Floristen, und ... hm ... da hatte ich mich gefragt, ob das nicht vielleicht die Art Film ist, die du vielleicht gern sehen würdest – mit mir zusammen oder auch nicht ... Nein, wahrscheinlich nicht. Hör mal, vergiss es, es war nicht sehr wichtig, nur ein Gedanke, wirklich.«

Neeeeein.

Simon seufzte. Er stand auf und humpelte durch das Wohnzimmer. Dann drehte er die Miles-Davis-Platte auf dem Plattenteller vorsichtig um und setzte die Nadel wieder auf die sich drehende Plastikscheibe. Nach einem kurzen statischen Knistern begannen Miles, John Coltrane und Cannonball Adderley den schwungvollen Sechs-Achtel-Blues. James Cobbs Bürsten streichelten die Melodie von einem Takt zum nächsten weiter. Zwischen den sehnsüchtigen Hornklängen ertönte Paul Chambers robuster, drängender Bass. Und irgendwo schimmerte und glitzerte Bill Evans ätherisches Klavier, das die Musik zu einem auf hypnotische Weise schönen Ganzen zementierte.

Simon setzte sich hin, schloss die Augen und lauschte ein paar Sekunden lang der Musik. Während Miles' lakonisches Solo durch die Lautsprecher sickerte und sich sachte durch den Raum bewegte, fielen die Sorgen von Simon ab. Er tauchte in die Musik ein.

Tausende von Noten später kam der Plattenteller langsam zum Stillstand. Widerstrebend schlug Simon die Augen auf. Er musste sich auf das derzeitige Problem konzentrieren.

Das derzeitige Problem war, dass Simon nachgedacht hatte. Seit dem Drink hatte er versucht, nicht über Joes Theorien über Frauen nachzudenken. In vielen Punkten hatte Joe Recht gehabt: Joe stand tatsächlich für alles, was Simon missbilligte. Seine brutale, selbstsüchtige und altmodische Einstellung repräsentierte alles, was Simon immer zu meiden versucht hatte. Aber trotzdem war es Simon nicht möglich gewesen, die Tatsache zu ignorieren, dass Joe ungeachtet seines absoluten Mangels an moralischer Integrität verdammt viel Spaß hatte.

Simon dachte an die Herausforderung, die Joe ihm im Pub an den Kopf geworfen hatte. Sex mit drei Frauen in einem Monat. Er schnaubte verächtlich vor sich hin. So eine kindische Idee war typisch für Joes allgemeine emotionale Unreife. Sex zu einem Wettbewerb zu machen! Also ehrlich.

Trotzdem.

Vielleicht, sagte er sich, ist die Zeit gekommen, den Dingen ins Auge zu sehen. Die Einstellung »Frauen sind auch Menschen« hat dich nirgendwo hingeführt. Sensible Männer sind offensichtlich out. Testosteron ist in. Er verzog bei dem Gedanken das Gesicht, aber die wissenschaftlichen Beweise schienen unüberwindlich zu sein.

Vielleicht, dachte Simon vorsichtig, konnte er es ja einmal mit Joes Technik versuchen. Nur mal sehen, was dann passierte. Nicht dass Joes blöde Herausforderung ihn auch nur im Mindesten interessierte; natürlich nicht. Aber vielleicht wären drei Frauen in einem Monat eine nützliche Bezugsgröße, anhand deren er seine Fähigkeiten beurteilen konnte. Auf rein inoffizieller Basis natürlich.

Blieb die Frage, wie er jetzt weitermachen sollte. Offensichtlich war eine aktivere Vorgehensweise nötig. Er konnte nicht einfach darauf warten, dass ihm Gelegenheiten wie die mit Alex Petrie jeden Tag in den Schoß fallen würden. Er würde sie suchen müssen.

Simon dachte daran, wie Miles gewöhnlich zu seinen Frauen kam. Wenn er während eines Gigs eine schöne Frau im Publikum entdeckte, gab er ihr kühl einen Wink und beorderte sie hinter die Bühne. Die Frauen lehnten niemals ab. Nun, das war wohl auch kaum anders zu erwarten, oder? Er war Miles Davis. Simon Teller war jedoch nicht Miles Davis.

Simon seufzte und rieb sich die Augen. Er hatte versucht dahinter zu kommen, wie man ein Mädchen einlud, ohne entweder (a) wie ein schleimiger Trottel zu klingen, (b) wie ein Trottel auf Beutezug oder (c) wie ein unbeholfener, ängstlicher Trottel. Er kam zu dem Schluss, dass etwas Derartiges schlicht und ergreifend unmöglich war. Das Trotteltum – in welcher Form auch immer – schien unausweichlich zu sein. Dann war die Kernfrage also die, welche Alternative die am wenigsten schreckliche war. Simon hatte beschlossen, es mit Möglichkeit (a) zu versuchen, dem schleimigen Trottel. Aber selbst nachdem er sich mit dieser Tatsache abgefunden hatte, hatte er immer noch seine Schwierigkeiten. Er wollte nicht *zu* schleimig sein und auch, wenn er es recht bedachte, kein allzu schlimmer Trottel. Die verschiedenen Arten der Anmache, die ihm bisher in den Sinn gekommen waren, litten an einem solch krassen Mangel an Raffinesse, dass sie zwar gerade noch erträglich klangen, wenn man sie zu dem Badezimmerspiegel sagte, dass er aber mit Sicherheit vor Verlegenheit sterben würde, wenn er jemals versuchen sollte, sie einer realen Person gegenüber zu gebrauchen.

Eine weitere Schwierigkeit lag darin festzulegen, welche Frau die Glückliche sein sollte, der er nachjagen wollte. Simon hatte dieser Frage reifliches Nachdenken gewidmet. Ein paar Sekunden lang hatte er in Erwägung gezogen, Angus oder Fergus nach Delphines Telefonnummer zu fragen, dann aber widerstrebend eingesehen, dass das wahrscheinlich keine allzu glückliche Idee gewesen wäre. Nach seinem Benehmen am letzten Samstagabend war er noch nicht so weit, dass er sich einem seiner Nachbarn stellen konnte, und (was wichtiger war) er war sich nicht sicher, ob er im Stande sein würde, Delphines Gesicht zu sehen – geschweige denn den Rest ihres Körpers in Augenschein zu nehmen –, ohne einem weiteren Anfall wirren Gestammels zu erliegen. Außerdem war sie Französin, und Simon hatte schon immer den schrecklichen Verdacht gehegt, dass die französischen Männer im Bett ziemlich gut waren. Jedenfalls besser als die Engländer. Nein, er war zu einem klaren Entschluss gekommen: Delphine stellte für seinen ersten Streifzug in das Gebiet des »Sexes ohne Hintergedanken« ein unerreichbares Ziel dar. Außerdem war er sich nicht sicher, ob Sex mit einer so schönen Frau wie Delphine jemals frei von Hintergedanken sein konnte. Eher wunderbar, das ja.

Die Amerikanerin Alex Petrie wäre perfekt gewesen, das wusste er. Sie war durchaus hübsch, und es hatte ihr anscheinend nicht allzu viel ausgemacht, dass er sich ihren Hintern näher besehen hatte. Und *sie* hatte *ihn* gebeten, ihr London zu zeigen. Er hätte sich nicht einmal dem Martyrium aussetzen müssen, sie einzuladen. Nicht zum ersten Mal seufzte Simon frustriert auf. Widerstrebend kam er zu dem Schluss, dass es nur eine sichere Möglichkeit gab: Er würde es darauf ankommen lassen und eine wildfremde Frau fragen müssen. Das war in der Theorie sehr einfach, in der Praxis dagegen komplizierter. Simon hatte keine Ahnung, wo er anfangen sollte zu suchen. Ganz bestimmt hatte er nicht die Absicht, seine Zeit in der National Gallery zu vertrödeln.

Er seufzte erneut. Vielleicht sollte er die ganze Sache einfach vergessen und so weitermachen wie bisher. Sollten sich doch Leute wie Joe amüsieren, er wollte nichts damit zu tun haben. Es war alles zu kompliziert.

Das Telefon klingelte. Geistesabwesend nahm Simon den Hörer auf.

»Islington Hostel für verlorene Seelen, was kann ich für Sie tun?«

»Simon! Immer noch die alte Frohnatur, wie ich sehe.«

Simon grinste in den Hörer. »Kate. Wie geht es dir?«

»Nicht schlecht.«

Simon sah auf seine Armbanduhr. »Wie spät ist es?«

Am anderen Ende der Leitung trat eine kleine Pause ein. »Moment mal, ich bin mir nicht ganz sicher. Es ist so gegen ... was, halb sechs.«

»*Morgens?*«

»Hmhm. Ich bin gerade reingekommen und dachte, ich ruf dich mal an.«

»Also, ich bin gerührt«, erwiderte Simon.

»Ich bin ein bisschen besoffen, um die Wahrheit zu sagen«, gab Kate zu.

Tatsache war, dass Kate Simon niemals anrief, es sei denn, sie war extrem betrunken. Seit sie London vor achtzehn Monaten verlassen hatte, konnte Simon sich nicht an ein einziges Gespräch mit ihr erinnern, bei dem sie nüchtern gewesen wäre. Sie hatte das »Telefonieren im Alkoholrausch« zu einer Kunstform erhoben. Wenn sie genug australisches Bier intus hatte, verfiel Kate plötzlich in einen Anfall akuten Heimwehs, griff dann sofort zum Telefon und dröhnte ihrem jeweiligen Gesprächspartner stundenlang unzusammenhängendes Zeug ins Ohr.

Diese Anrufe waren im Allgemeinen willkommen, es sei denn, Kate hatte am Nachmittag getrunken und rief an, wenn es in England mitten in der Nacht war. Irgendwie hatte sie das Prinzip, dass Australien England in der Zeit zwölf Stunden oder so voraus war, nie verinnerlicht. Simon hatte etliche Nächte darauf verwandt, Kate zuzuhören, sich die Augen zu reiben und zu versuchen, nicht allzu oft auf seine Uhr auf dem Nachttisch zu schielen. Kate war einzigartig. Sie war die einzige Frau, mit der Simon echte Freundschaft verband, und das nun schon seit Jahren. Sie hatte sich, wie es schien, nie besonders für Männer interessiert. Sie genoss die Freiheit zu tun, was ihr gefiel, und zog es vor, Single zu bleiben, statt sich den Kompromissen romantischer Verstrickungen zu unterwerfen. Vielleicht war es Simon deswegen gelungen, der gewohnten peinlichen und schlecht getimten Verliebtheit zu ihr zu entrinnen, sodass sie einander unvermindert nahe standen, vereint in ihrem Status als Singles. Sie war der Mensch, an den Simon sich stets wandte, wenn er eine Schulter zum Ausweinen brauchte, ein freundliches Ohr, einen Seelengefährten, mit dem er lachen konnte. Während die Jahre voranschritten, waren die beiden unzertrennlich geworden.

Es war vielleicht unausweichlich, dass ein Freigeist wie Kate irgendwann versuchen würde, der einengenden Atmosphäre des Londoner Lebens zu entrinnen. Eines Abends hatte sie Simon beim Essen schonend beigebracht, dass das tägliche Einerlei ihrer Existenz sie erstickte. Sie hatte ihren Job gekündigt und sich um ein Arbeitsvisum für Australien bemüht. Simon hatte verständnislos genickt.

So kam es, dass die engste Freundschaft, die Simon als Erwachsener je geschlossen hatte, jetzt telefonisch fortgeführt werden musste, und zwar immer dann, wenn einer der beiden Protagonisten sternhagelvoll war. Keine ideale Situation, wahrhaftig.

»Also, wie geht es dir?«, fragte Kate heiter.

»Ganz gut, schätze ich«, erwiderte Simon. »Ich bin zufällig damit beschäftigt, über das Minenfeld von ›Sex ohne Hintergedanken‹ zu sinnieren.«

»Was? Das sieht dir aber gar nicht ähnlich.«

Simon erläuterte ihr kurz Joes Theorien in Bezug auf Frauen.

»Und du glaubst, du willst es mal probieren?«, hakte Kate ungläubig nach.

»Ich denke nur so darüber nach«, erwiderte Simon ausweichend. »Bisher habe ich noch keine konkreten Pläne.«

»Hm, ich finde, du solltest es probieren«, sagte Kate.

Simon runzelte die Stirn. »Findest du wirklich?«

»Absolut. Das wäre das Beste für dich. Ich schätze, du könntest etwas ordentlichen Sex gut gebrauchen.«

Simon blinzelte. Sein Gespräch mit Joe schien sich zu wiederholen. »Oh«, murmelte er nach einer ganzen Weile. »Okay.«

»Ich meine, es wird dir helfen, dich etwas zu entspannen. Sex macht Spaß.«

»Wie bitte, was?«, fragte Simon. »Ist das der stolze Single, die entschieden enthaltsame Katharine, mit der ich rede?«

Ein tiefer Seufzer drang durch die Telefonleitung. »Simon, Darling, zwischen stolzem Single und entschlossener Enthaltsamkeit liegen Welten. Ich war immer das eine, nie das andere.«

»Was sagst du da?«, wunderte sich Simon.

»Was ich ausdrücken will, ist, dass ich zwar seit sehr langer Zeit Single sein mag, dass mich das aber nicht davon abgehalten hat, regelmäßig Sex zu haben. Ich weiß guten Sex genauso zu schätzen wie jeder andere.«

»Aber das hast du mir nie erzählt«, entgegnete Simon ziemlich verstimmt.

»Wenn ich mal so offen sein darf, ich fand nicht, dass dich das etwas angeht.«

Simon dachte nach. »Und war das schon so, als wir ...«

»Damals in England? Natürlich.«

Simons Schultern sackten herab. »Verstehe«, meinte er. Das war ein bisschen viel. Selbst Kate hatte es getan, und er hatte es nie gewusst. Na ja, dachte er, wenn es gut genug für Kate ist, ist es auch gut genug für mich. »Also schön«, sagte er. »Beantworte mir eine Frage. Wenn ich es tun will, wie lerne ich die richtige Art Mädchen kennen?«

»Keine Ahnung«, erwiderte Kate gut gelaunt. »Obwohl du es natürlich wie andere Leute einfach in Bars versuchen könntest.«

»Mein Gott. Lieber würde ich mir die Zähne ziehen lassen.«

Kate gähnte. »Hm«, machte sie, »dir wird schon was einfallen.«

»Vielen Dank für deine Hilfe.«

»Tut mir Leid. Hör mal, ich glaube, ich mache Schluss für heute. Ich muss in drei Stunden zur Arbeit.«

Simon atmete tief durch. »Schon gut. Rufst du mich an, falls du einen Geistesblitz hast?«

»Klar doch. Und halte mich auf dem Laufenden, wie du klarkommst, ja? Ich bin stolz auf dich, Simon. Meinen Glückwunsch. Du stehst im Begriff, dich der menschlichen Rasse zuzugesellen. Und denk dran: Es soll Spaß machen.«

Simon schnitt eine Grimasse. »Klar. Ich werd mich bemühen, es nicht zu vergessen. Wünsch mir viel Glück.«

»Viel Glück, Schätzchen. Bis bald.« Kate legte den Hörer auf.

Simon griff trübsinnig nach der Fernbedienung fürs Fernsehen. Er versuchte, nicht gekränkt zu sein, dass Kate die ganze Zeit, die sie sich kannten, munter rumgemacht hatte, ohne es ihm gegenüber je zu erwähnen. Trotzdem, sagte er sich, das entscheidet es. Ich werde es probieren. Natürlich nur, wenn ich die richtige Frau finden kann. Oder die richtigen *Frauen*. Er schaltete den Fernseher ein. In den Nachrichten kam ein Bericht über die Unterfinanzierung des nationalen Gesundheitsdienstes. Drehort war ein Krankenhaus. Ein Reporter sprach seinen Text in die Kamera, während im Hintergrund Ärzte und Krankenschwestern ihrer Arbeit nachgingen, Teewagen hin und her rollten und sich leise miteinander unterhielten.

Plötzlich hatte Simon eine Idee. Er sollte in zwei Tagen wieder im Krankenhaus erscheinen, um sein Handgelenk und den Knöchel nachsehen zu lassen. Wie war noch gleich der Name dieser Ärztin gewesen? Simon versuchte sich daran zu erinnern. Dr. Gilbert. Sie war auf eine effiziente, arztmäßige Weise nett gewesen und wirklich ziemlich attraktiv.

Dr. Gilbert. Ja.

Victoria Station hatte schon besser ausgesehen. Als Simon am nächsten Morgen die Ladentür aufdrückte, lehnte Victoria lässig an der Theke. Ihr Äußeres hatte sich seit dem Besuch im letzten Jahr definitiv verschlechtert. Sie war noch tiefer in den fettigen Trog der Pubertät geglitten. An ihrem Kinn blühten dicke Aknepusteln. Ihr Mund war ein Gespinst glitzernder Metallspangen, Gummibänder und Plastikplatten. Sie trug ein schmutziges, übergroßes T-Shirt, auf dem vorne das Wort *Schlampen-Alarm!* stand.

»Hallo, Vick«, meinte Simon. »Schön, dich wieder zu sehen.«

Vick antwortete ihm mit einem Blick purer Verachtung und verzog sich ohne ein Wort hinter den Samtvorhang.

Victoria Station hatte jedes Recht, sauer zu sein. Der Name, den ihre Eltern ihrer kleinen Tochter ausgesucht hatten, war ein einzigartig brutaler Akt geistiger Gewalttätigkeit gewesen. Die Benennung nach einem großen, schmutzigen öffentlichen Platz legte die Vermutung nahe, dass sie alles andere als eine willkommene Ergänzung der Familie gewesen war.

Aus nahe liegenden Gründen hatte Victoria Station unter dem Spott ihrer Schulkameraden mehr als die meisten anderen gelitten. Es gibt wenige Geschöpfe auf Gottes Erde, die so ungeheuer abstoßend sein können wie heranwachsende Mädchen. Doch Victoria hatte Brian zutreffend als den Hauptverantwortlichen für ihr Elend identifiziert. Infolgedessen war die Beziehung zwischen Vater und Tochter immer frostig gewesen.

Jahrelang hatte Victoria darauf bestanden, dass sie nur Vick genannt wurde. Simon vermutete, dass eine medizinische Hustensalbe immer noch besser war als ein Bahnhof, wenn auch nicht viel.

Simon stand mitten im Laden, sah sich um und ließ im Geist den vor ihm liegenden Tag vor sich auferstehen. Plötzlich tauchte Vicks Gesicht wieder hinter dem Vorhang auf. »Übrigens«, erklärte sie, »ich nenne mich nicht mehr ›Vick‹.«

»Oh«, sagte Simon. »In Ordnung.«

»Yeah. Von jetzt an heiße ich ›V‹.«

»V. Alles klar. Kapiert.«

»Und das V steht auch nicht für Vick«, fuhr Vick fort.

»Tut es nicht?«, fragte Simon.

Vick schüttelte den Kopf.

»Wofür steht es denn dann?«

»Für Vixen – Füchsin«, antwortete Vick.

Simon blinzelte. »Ah. Klar. In Ordnung. Also schön, V.«

Vick zog sich mit einem schlecht gelaunten Wedeln des Samtvorhangs wieder zurück. Simon ging hinter die Theke und lehnte seine Krücken an die Wand. Kurz darauf kam Dean aus dem Lagerraum.

»Alles in Ordnung«, begann er vorsichtig.

»Hi, Dean«, sagte Simon.

»Hast du sie schon gesehen?«, wollte Dean wissen.

»Oh ja«, antwortete Simon. »Sie ist da drin.« Er zeigte hinter den Vorhang. Nicht einmal Vicks Anwesenheit konnte Simons gute Laune verderben. Nachdem er beschlossen hatte, sich an die reizende Frau Doktor Gilbert heranzumachen, freute er sich auf das Abenteuer. Die Aussicht erfüllte ihn zwar mit Angst, aber es war eine erregende, Herzschlag beschleunigende Angst. Er hätte jubeln können.

»Hör mal«, meinte er. »Ich langweile mich. Lass uns ein Spiel spielen. In Ordnung?«

»In Ordnung«, erwiderte Dean.

Simon sah sich die im Laden ausgestellten Waren an. Dann streckte er die Hand aus und pflückte ein großes Paar falscher Brüste von der Wand. Das Latex wabbelte dramatisch. Statt sich die Brüste über den Oberkörper zu ziehen, stülpte Simon sie sich auf den Kopf, sodass sie zu beiden Seiten abstanden. Sie sahen aus wie exotische Ohrwärmer.

»Also«, fuhr Simon fort und drehte sich zu seinem Freund um. »Wer bin ich?«

Dean schüttelte den Kopf. »Keine Ahnung«, erklärte er rundheraus.

»Hm, versuch es doch wenigstens mal«, drängte Simon gereizt.

Dean zuckte die Schultern. »Dolly Parton?«, probierte er es.

Simon starrte ihn an. »Nein«, erwiderte er nach kurzem Schweigen. »Du darfst noch mal raten.«

Dean wirkte gequält. »Samantha Fox?«

Simon schnaubte verächtlich. »Es ist Brian.«

»Brian?« Dean sah ihn verblüfft an.

»Ja. Brian. Jetzt rate mal, warum.« Er zeigte auf die Latexbrüste.

»Ähm ... Er ist ein absoluter Tittenarsch?«, fragte Dean ein wenig zögerlich.

Simon schlug mit der Hand auf die Theke. »Na bitte schön«, rief er. »Das war doch gar nicht so schwierig, oder?« Er machte sich auf die Suche nach weiteren Utensilien.

Dean sah sich nervös um.

»Weiter im Text.« Simon setzte eine Groucho-Marx-Brille auf, über deren oberem Rand riesige falsche Augenbrauen befestigt waren, während am unteren Rand ein Schnurrbart mitsamt einer großen Plastiknase hing. »Dann mal los. Was heißt das?«, fragte er.

Dean sah Simon unsicher an. »Brian ist so blöd wie die Marx Brothers?«, riet er ins Blaue hinein.

»Versuch es noch mal.«

Deans Gesicht war der Inbegriff der Konzentration. Schließlich ließ er resigniert die Schultern sinken. »Ich weiß es einfach nicht«, bekannte er.

»Es ist doch offensichtlich«, behauptete Simon. »Der Schnurrbart ist das Entscheidende. Er bedeutet, dass Brian ein Faschist ist.«

»Was? Das sagt der Schnurrbart?«, fragte Dean.

»Natürlich.«

»Dann war Groucho Marx also ein Faschist?«

»Nein, *Hitler* war ein Faschist«, erklärte Simon ungeduldig.

»Aber das Ding da hat überhaupt keine Ähnlichkeit mit Hitlers Schnurrbart«, wandte Dean ein.

»Hör mal, wenn du den Pedanten rauskehren willst, macht das hier überhaupt keinen Spaß«, maulte Simon. Die großen Latexbrüste schwabbelten hin und her, als er den Kopf schüttelte.

»Tut mir Leid«, murmelte Dean.

»Also.« Simon begann wieder zu stöbern. Nach ein paar Sekunden kam er mit einem Hundehaufen aus Plastik zurück, den er sich vorsichtig auf den Kopf setzte, zwischen die beiden Brüste, die daraufhin zur Seite absackten. Dann drehte er sich zu Dean um. »Irgendeine Ahnung?«

»Er hat Scheiße im Kopf?«, vermutete Dean.

»Jetzt hast du langsam den Bogen raus!«, lobte Simon.

»Ich glaube, da kommt Brian«, flüsterte Dean.

Simon riss sich die Brüste, den Hundehaufen und die Groucho-Brille ab und warf alles auf die Theke. Ein paar Sekunden später wurde der Vorhang zurückgerissen, und Brian trat in den Laden, gefolgt von seiner Tochter. »Schön, du bist hier«, bemerkte Brian.

»Ähm, ja, hallo Brian«, grüßte Simon und schob die Überreste seiner Vorstellung so beiläufig wie möglich zur Seite.

»Wie ihr seht, ist Vick hier«, erklärte Brian.

»Es heißt jetzt ›V‹«, korrigierte Vick.

»Oh, na klar«, brummte Brian. Er drohte Simon und Dean mit dem Zeigefinger. »Es heißt jetzt V, also nicht dass ihr mir das vergesst.« Dann wandte er sich wieder an seine Tochter. »Also schön, du kennst das alles noch von letztem Jahr, davon bin ich überzeugt.« Vick sah ihren Vater gelangweilt an und schwieg. Simon versuchte, sich noch ein winziges Grinsen abzuringen. Vick sah ihn an und seufzte tief. »Ich dachte, ähm ... V könnte vielleicht heute im Lagerraum arbeiten«, fuhr Brian fort, »und die letzte Lieferung neuer Partysachen sortieren.«

»Alles klar«, stimmte Simon zu. »Das scheint mir eine gute Idee zu sein.« Vick im Lagerraum war eine verlockendere Aussicht als Vick im Laden. Je weiter sie weg war, desto besser.

»Schön«, sagte Brian säuerlich. »Dann wollen wir keine Zeit mehr verschwenden, ja?« Sprachs und verschwand hinter dem Vorhang.

Etwa eine Stunde später ging Simon in den Lagerraum hinunter, um Vick eine Tasse Tee anzubieten. Sie war nirgends zu sehen. Er stand ein paar Sekunden lang mitten im Raum und fragte sich, wohin sie verschwunden sein konnte. Plötzlich kam hinter einem Stapel Pappkartons eine weiße Rauchwolke hervorgequollen.

»Hallo?«, rief Simon.

Vick trat hinter den Kartons hervor, eine halb gerauchte Zigarette in der Hand. »Alles in Ordnung«, meinte sie. »Ich habe mir nur eine kurze Pause gegönnt.«

Simon sah sie schockiert an. »Weiß dein Vater, dass du rauchst?«, fragte er.

Vick runzelte die Stirn. »Nein. Aber es interessiert ihn sowieso nicht.«

Simon sah in ihr trotziges Gesicht. »Du solltest nicht rauchen«, mahnte er.

»Yeah, ich weiß. Ich gehe in die Schule. Man predigt uns das im Unterricht. Jedes Halbjahr zeigen sie uns Dias von einer Raucherlunge und dem ganzen Scheiß.«

»Und?«

»Und was?«

»Bedeutet das denn gar nichts für dich? Machst du dir keine Gedanken darüber, was du deinem Körper antust?«

»Hör mal«, begehrte Vick auf. »Ich bin fünfzehn. Man *erwartet* von mir, dass ich rauche.«

Jetzt war es an Simon, die Stirn zu runzeln. »Hm, was glaubst du, was dein Vater dazu sagen würde? Ich bin mir sicher, dass er das gar nicht gern sähe.«

Vick seufzte. »Okay. Erstens, er weiß es nicht. Zweitens, selbst wenn er es wüsste, *erwartet* niemand von ihm, dass er es gut findet.«

»Dann soll ich ihm also erzählen, was du hier treibst?«, drohte Simon.

Vick nahm noch einen langen Zug. »Tu, wozu du Lust hast«, antwortete sie.

»Hm, für diesmal werde ich es übersehen, aber wenn ich dich noch mal erwische, werde ich es ganz bestimmt deinem Dad erzählen«, erklärte Simon. Es folgte eine Pause, in der die beiden einander ansahen.

»Außerdem«, fuhr Simon fort, »ist es riskant, hier unten zu rauchen. All diese Pappkartons könnten wie der Blitz Feuer fangen. Falsches Rührei ist extrem leicht entzündlich.«

»Ich gehe das Risiko ein«, erwiderte Vick, warf die Kippe auf den Fußboden und trat sie mit dem Absatz ihres Turnschuhs aus.

Simon schüttelte den Kopf, erstaunt über dieses trotzige kleine Mädchen.

Vick sah Simon gedankenvoll an. »Du könntest mir nicht vielleicht einen Gefallen tun, oder?«, wollte sie plötzlich wissen.

Simon war sofort auf der Hut. »Kommt ganz drauf an«, meinte er. »Worum geht es denn?«

»Hm«, murmelte Vick. »Würde es dir was ausmachen, mir noch ein paar Zigaretten zu beschaffen?«

»Ja, es würde mir verdammt noch mal etwas ausmachen«, fuhr Simon auf.

Vick seufzte. »Bitte.«

»Kommt nicht infrage«, schnaubte Simon.

»Na los«, drängte Vick.

»Auf gar keinen Fall«, entschied Simon. »Mach es selbst.«

»Oh«, sagte Vick. »Ich verstehe.« Sie besah sich ihre Schuhe. »Das ist wirklich schade. Nun, Dad würde sicher gern mehr über deine kleine Vorstellung heute Morgen im Laden hören. Was bedeutete dieser Hundehaufen noch gleich? Scheiße statt Gehirn, war es nicht so?«

»Ich ... ähm ... nein, das heißt, woher wusstest du das?«, stammelte Simon.

»Ich habe dich beobachtet«, antwortete Vick selbstgefällig. »Hinter dem Vorhang. Du warst ja so damit beschäftigt anzugeben, dass du mich gar nicht bemerkt hast.«

»Hör mal«, erklärte Simon wenig loyal, »Dean hat das gesagt, nicht ich.«

»Tut mir Leid.« Vick schüttelte den Kopf. »Ich hab es gesehen. Du bist derjenige, der damit angefangen hat.«

»Das ist Erpressung«, maulte Simon.

Vick nickte. »Dann holst du mir also welche?«, fragte sie.

Simon dachte kurz nach und streckte dann die Hand aus. Er schien nicht viel Handlungsspielraum zu haben. »Gib her«, flüsterte er. »Nur dieses eine Mal.«

Vick griff in ihre Jeans und gab Simon etwas Geld. »Zwanzig Benson and Hedges. Und eine Schachtel Streichhölzer.«

»Zwanzig Benson and Hedges«, wiederholte Simon mürrisch. »Geht in Ordnung.«

Eine halbe Stunde später humpelte Simon zum nächsten Kiosk. Er strich ein paar Minuten lang verstohlen durch den Laden und wartete darauf, dass die anderen Kunden gingen. Während er wartete, betrachtete er die ausgelegten Zeitschriften. Die Überschriften deckten eine gewaltige Spannweite ab, von Inneneinrichtung bis Tierpräparation, von Ziergärten bis hin zu Schwangerschaftstests. Simon sah sich um, um festzustellen, ob es eine Zeitschrift für ledige Männer gab, die sich den mittleren Jahren näherten ohne die geringste Aussicht darauf, je wieder Sex zu haben. Natürlich gab es mehrere davon, und sie lagen alle auf dem oberen Regal.

Endlich war Simon mit dem Mädchen hinter der Theke allein im Laden. Als er auf es zuging, kratzte sich das Mädchen unter der Achsel.

»Hallo«, grüßte Simon. Er nahm sich demonstrativ einen Schokoriegel von der Theke und schob ihn neben die Kasse. Das Mädchen legte den Kopf zur Seite, um das Preisschild auf dem Schokoriegel zu lesen, und tippte den Preis ein. »Und zwanzig Benson and Hedges bitte«, fügte Simon schnell hinzu. »Und Streichhölzer.«

Das Mädchen legte die Zigaretten neben den Schokoriegel auf die Theke und tippte wieder ein paar Preise in die Kasse. Schließlich erschien das Endergebnis in grünem Neon auf dem Display der Kasse. Das Mädchen zeigte auf das Display, um sich die Mühe zu sparen, den Mund zu öffnen und sprechen zu müssen. Als Simon ihr Vicks Geld reichte, klimperte die Glocke über der Ladentür.

»Hallo«, rief Brian und kam zur Theke hinüber. »Was ist das? Eine unangemeldete Pause? Ein vorzeitiges Mittagessen?«

»Brian«, erwiderte Simon peinlich berührt. »Ich ... ähm ...«

Brian zeigte mit dem Kopf auf die Zigaretten auf der Theke. »Ich wusste ja gar nicht, dass du rauchst.«

»Tu ich auch eigentlich nicht«, entgegnete Simon. »Nur ab und zu mal, weißt du? Ich ... ähm ... hatte heute Morgen plötzlich wieder Lust auf eine.«

Brian schnalzte mit der Zunge. »Schreckliche Angewohnheit«, brummte er. »Ekelhaft.«

Simon nickte. »Ich weiß. Aber manchmal kann ich einfach nicht dagegen an.« Er grinste schwach. Das Mädchen gab ihm das Wechselgeld zurück. Er wandte sich zum Gehen.

»Einen Moment mal«, bat Brian, der sich ausgerechnet diesen Tag ausgesucht hatte, leutselig zu sein. »Ich brauche nur ein paar Sekunden. Dann können wir zusammen zurückgehen.«

»In Ordnung«, antwortete Simon unter Qualen.

Brian wandte sich an das Mädchen hinter der Theke. Er kaufte zwei Päckchen extrastarke Pfefferminzbonbons. Als er sich zum Gehen wandte, bedeutete er Simon, vorzugehen.

Draußen drehte Brian sich zu Simon um und fragte: »Also? Willst du dir keine anzünden?«

»Was?«, entfuhr es Simon.

»Deine Zigarette? Die, nach der du solchen Schmacht hattest? Willst du sie nicht rauchen?«

»Oh. Hm, nein, ich dachte, ich warte noch ein bisschen«, murmelte Simon verzweifelt.

»Unsinn«, gab Brian zurück. »Mach nur. Schließlich können wir nicht zulassen, dass du im Laden rauchst, oder?« Er lachte herzhaft. Simon stimmte mit ein, so gut er konnte, obwohl sein Herz düster vor sich hin pochte, als er an Brians Tochter dachte, wie sie im Lagerraum munter paffte. Da er keine andere Möglichkeit sah, schälte Simon die Plastikfolie von der Zigarettenpackung. Vorsichtig zog er eine Zigarette heraus und steckte sie sich zwischen die Lippen. Simon hatte das letzte Mal etwa zu der Zeit geraucht, als er die Sidney-Bechet-Platte seines Vaters entdeckt hatte. Jetzt war nicht der Zeitpunkt, damit wieder anzufangen. Während Brian zusah, balancierte er mühsam auf seinen

Krücken, schlug ein Streichholz an und entzündete die Zigarette.

Simon zog so vorsichtig wie möglich daran. Eine vertraute Wärme erfüllte seinen Mund. Er behielt den Rauch ein paar Sekunden lang dort, dann atmete er durch die Lippen aus. Hm, das war gar nicht so übel, dachte er. Er entspannte sich leicht und nahm den nächsten Zug. Rauch schoss in seine Lungen, kratzte in seiner Kehle. Augenblicklich verspürte Simon den Drang zu husten, aber er wusste, dass das verdächtig aussehen würde. Stattdessen rang er um Fassung, mit bebenden Lungen und tränenden Augen, bis der Mahlstrom in seiner Brust sich legte und er wieder leichter atmen konnte. Dann kam Simon in den Sinn, dass er wahrscheinlich so aussehen sollte, als genösse er es.

»Ah«, seufzte er ohne jede Überzeugung, »so ist es schon besser.«

Brian sah im zu. »Ich begreife nicht, wie du es aushältst, diese Dinger zu rauchen«, meinte er. Simon schwieg. Er nahm noch ein paar zaghafte Züge und versuchte nach Kräften, nicht zu inhalieren, während sie schweigend über den Bürgersteig gingen. Sobald er es mit einiger Glaubwürdigkeit tun konnte, warf Simon die Zigarette auf den Bürgersteig und trat sie erleichtert aus. Als sie wieder im Laden waren, ging Simon in den Lagerraum hinunter, um seine Beute abzuliefern.

»Bitte schön«, wandte er sich säuerlich an Vick, als er ihr das Päckchen reichte.

Vick sah sich die Schachtel an und öffnete sie. »Moment mal«, murmelte sie. »Hast du eine geklaut?«

»Ich musste. Dein Vater hat mich gezwungen, vor seinen Augen eine zu rauchen.«

»Er hat dich ertappt, wie?«

»Auf frischer Tat. Und du wirst dich freuen zu hören, dass er definitiv etwas gegen das Rauchen hat.«

Vick sah ihn mitleidlos an. »Nun, du solltest mir die eine, die du geraucht hast, bezahlen«, überlegte sie.

Simon sah ihr gerade in die Augen. »Du machst natürlich Witze«, entgegnete er.

Vick schüttelte den Kopf. »Natürlich nicht. Es ist mir todernst. Mach schon.« Sie streckte die Hand aus. »Spuck aus.«

Es war eine unglückliche Wortwahl. »Es ist nicht so, als hätte es mir Spaß gemacht«, beklagte sich Simon. »Mir ist ganz schlecht.«

»Ach, papperlapapp«, erwiderte Vick wenig beeindruckt. »Na los. Zwanzig Pennys. Sonst erzähle ich Dad das mit heute Morgen.« Sie schlug hitlermäßig die Hacken ihrer Turnschuhe zusammen und salutierte.

Simon schloss die Augen. Vick war wirklich unvorstellbar widerwärtig. Es ging, das war ihm klar, hier ums Prinzip, aber unter den gegebenen Umständen war es wahrscheinlich klüger, einen pragmatischen Standpunkt zu beziehen. Er schob die Hand in die Tasche und zog eine Münze heraus.

»*Vielen* Dank«, sagte Vick und riss die Münze an sich.

Simon verließ ohne ein weiteres Wort den Lagerraum. Er versuchte nicht daran zu denken, dass er Vick noch weitere zwei Wochen im Laden würde ertragen müssen. Bisher war sie erst seit etwa zweieinhalb Stunden dort.

An diesem Freitagabend ging Simon wieder ins Krankenhaus. Er war nervös, aber nicht wegen der medizinischen Untersuchung: Er wollte Dr. Gilbert ins Kino einladen. Er hatte angestrengt darüber nachgedacht, welcher

Vorschlag für ein erstes Rendezvous der sicherste wäre – der sicherste insofern, als er (a) die geringste Chance auf eine Zurückweisung bot und (b) das geringste Potenzial für peinliche Augenblicke im Verlauf des Abends darstellte.

Daher hatte Simon sich auf Ereignisse konzentriert, die sie zu Mitgliedern eines größeren Publikums machten und auf diese Weise die Notwendigkeit einer gemeinsamen Konversation verringerten, zumindest bis nachher, wenn sie natürlich etwas haben würden, worüber sie reden konnten. Mehrere Alternativen boten sich an: ein Film, das Theater, eine Oper vielleicht oder ein Jazzkonzert. Eine Möglichkeit nach der anderen hatte Simon durchgearbeitet und jede einzelne verworfen. Jazz war zu riskant. Oper zu prätentiös. Ein Theaterstück schien schon sicherer zu sein, aber andererseits bestand die Gefahr, zu protzig zu wirken oder sich zu sehr anzustrengen. Nein, beschloss er, ein Kinofilm war der beste Vorschlag. Außerdem war er ganz zufällig der billigste.

Als Nächstes stellte sich die Frage, welchen Film sie sich ansehen sollten. Das war insofern von entscheidender Bedeutung, als er schließlich den richtigen Eindruck machen musste. Nichts zu Undurchsichtiges, aber auch nichts zu Kitschiges. Er überflog die Kritiken in der Zeitung, um etwas Passendes zu finden. Schließlich hatte er sich für einen Film von einem berühmten Regisseur entschieden – der ihm den (sehr durchschaubaren) Vorwand für folgende Konversation liefern sollte:

Er: Natürlich mag ich Pedro Marimba viel lieber. Er ist fantastisch.

Sie: O Gott. Absolut. Haben Sie *Teeny Tiny Toes* gesehen?

Er: Zweimal.

Sie: Der Mann ist ein Genie. So witzig. So *relevant*.

Er: Übrigens, sein neuer Film ist gerade ins Kino gekommen, falls Sie Lust hätten, ihn sich anzusehen.

Sie: Oh ja, schrecklich gern! Aber nur wenn Sie anschließend mit mir schlafen.

Simon erwartete nicht wirklich, dass Frau Doktor Gilbert seine Einladung annehmen würde. Er hatte sich mit der Tatsache abgefunden, dass ihm zweifellos etliche Fehlschläge ins Haus standen, während er an seiner Technik arbeitete. Es war das Beste, diese Fehlschläge so schnell wie möglich hinter sich zu bringen. Er erinnerte sich an Joes Worte, dass das Ganze ein Glücksspiel mit einer gewissen Trefferquote sei. Zurückweisungen seien, wenn man Joe Glauben schenkte, ein Teil des Spaßes. Ein kalter Schauder der Furcht durchlief ihn. Simon wollte keine Zeit verschwenden, seine erste Zurückweisung verdauen zu können und sich mit dem Gefühl abgrundtiefer Demütigung vertraut zu machen. Seine Finger schlugen einen rasanten Trommelwirbel auf die Armlehne seines Stuhls. Er ging im Geiste noch einmal seine Zeilen durch. Mach, dass es schnell und schmerzlos abgeht, dachte er.

Simon musste vierzig Minuten warten, bevor Dr. Gilbert erschien. Sie sah, wenn überhaupt, noch hübscher als bei ihrer letzten Begegnung aus. Diesmal trug sie eine schwarz geränderte Brille. Simon hatte immer eine Vorliebe für bebrillte Frauen gehabt.

»Hallo, Mr. Teller«, sagte Dr. Gilbert.

»Simon bitte«, erwiderte Simon. Und sofort brach ihm am ganzen Körper der Schweiß aus.

»Folgen Sie mir bitte.« Sie führte ihn in einen kleinen,

hell erleuchteten Raum. »Wie geht es Ihnen?«, fragte sie, als sie die Tür schloss.

»Sehr gut, vielen Dank, Frau Doktor«, erwiderte Simon. Er wartete darauf, dass sie ihn aufforderte, sie beim Vornamen zu nennen. Sie tat es nicht. Er preschte resolut weiter. »Mein Fuß juckt ein bisschen, und ich hatte ein paar Probleme mit den Krücken, aber abgesehen davon bin ich gut klargekommen.«

Dr. Gilbert blickte auf ihren Klemmblock hinab. Simon überprüfte verstohlen, ob sie an der linken Hand einen Ring trug. Tat sie nicht.

»Also«, meinte Dr. Gilbert, ohne aufzusehen, »das klingt ja alles sehr ermutigend.«

»Ähm, hören Sie«, bat Simon. »Ich würde es wirklich zu schätzen wissen, wenn Sie mir erzählen könnten, was letzten Samstagabend passiert ist. Sie wissen schon, mit meinem Fuß.«

»Meine Güte«, entfuhr es Dr. Gilbert, »haben Sie sich noch immer nicht an diese kleine Geschichte erinnert?«

»Nein«, antwortete Simon. »Daher habe ich mich gefragt, ob es Ihnen wohl viel ausmachen würde, mir wenigstens in groben Zügen zu schildern, was da los war.« Er lächelte schwach. »Nur um mich zu beruhigen.«

»Ich bin da eigentlich nicht die richtige Ansprechpartnerin für Sie«, erklärte Dr. Gilbert. »Ich habe an dem Abend keinen Dienst gehabt.«

»Aber Sie haben offensichtlich das eine oder andere gehört«, wandte Simon ein.

Dr. Gilbert schnaubte. »Oh ja, das kann man wohl sagen. Setzen Sie sich bitte auf das Bett.«

Während sie sein Handgelenk und den Knöchel gründlich untersuchte, versuchte Simon, seiner Frustration Herr zu werden. Sie würde ihm offensichtlich nicht erzählen, was passiert war. Er versuchte, sich zu fassen. Es gab wichtigere Dinge, über die er sich den Kopf zerbrechen musste.

Sobald sie ihn untersucht hatte, konsultierte Frau Dr. Gilbert abermals ihren Klemmblock. »Hätten Sie etwas dagegen, ein paar Tests für mich zu machen, bitte?«

»Absolut nicht«, antwortete Simon galant.

»Dann stehen Sie bitte auf und heben Sie den linken Arm über den Kopf.«

Simon tat wie geheißen. Er holte tief Luft. Auf los gehts los, dachte er. »Ich hab letzte Woche irgendwo gelesen, dass die Zahl der Kinobesucher so hoch ist wie nie«, bemerkte er.

»Ach, wirklich?«, murmelte Dr. Gilbert.

»Ja, was ich interessant fand.«

»Wirklich?«, sagte Dr. Gilbert abermals.

»Vor allem, wenn man bedenkt, wie beliebt heutzutage doch Videos sind«, fuhr Simon fort. Es folgte eine Pause.

»Ich habe keinen Videoapparat«, erzählte Dr. Gilbert schließlich.

Aha, dachte Simon. Sie hat keinen Videoapparat! Offensichtlich geht sie *nur* ins Kino, und sie erzählt mir das, weil sie möchte, dass ich sie zu einem Film einlade! Ein Fortschritt!

»Also, mögen Sie Filme?«, fragte er.

»Eigentlich nicht. Jetzt können Sie die Augen schließen und sich so lange nach rechts drehen, bis Sie glauben, dass Sie wieder in dieselbe Richtung sehen wie vorher.«

Simon tat es. Während er sich drehte, dachte er darüber nach, was er als Nächstes tun sollte. Er kam zum Stehen und schlug die Augen auf. Dr. Gilbert war direkt vor ihm.

»Sehr gut«, lobte sie.

»Ich habe auch nicht allzu viel für Filme übrig«, behauptete Simon. Er hielt inne. Plötzlich hatte er eine Erleuchtung. »Aber ich gehe gern in Kunstgalerien.«

»Ach ja?«, meinte Dr. Gilbert. »Ich kann sie nicht ausstehen. Langweilig. Und voller Touristen. Würden Sie jetzt bitte beide Arme zur Seite strecken?«

»Hm, ja«, pflichtete Simon ihr bei, »da ist was dran. Sie sind wirklich voller Touristen. Sie haben Recht.«

Dr. Gilbert nahm einen kleinen Hammer aus ihrer Manteltasche. »Und jetzt«, erklärte sie, »möchte ich, dass Sie sich ein paar Sekunden lang überhaupt nicht bewegen.«

»Natürlich«, versuchte Simon es weiter, »gehe ich sehr gern ins Theater.«

»Ich habe nichts für Theaterstücke übrig«, entgegnete Dr. Gilbert.

»Ganz recht«, stimmte Simon ihr zu und schüttelte dabei ebenso zustimmend wie verwirrt den Kopf. »Ich auch. Nicht. Ich meine, ich auch nicht. Grässlich langweilig, Theaterstücke.« Hm, dachte er, das läuft bisher ja ziemlich gut. Er hatte inzwischen jede Hoffnung aufgegeben und dachte, dass er genauso gut jede Einladung so klingen lassen konnte, als wäre es ihm ernst damit. »Was ich am liebsten tue«, sagte er, »ist essen.«

»Oh ja. Ich auch.« Dr. Gilbert schlug Simon mit dem Hammer ziemlich kräftig auf den rechten Ellbogen. Simon zuckte vor Überraschung zusammen, und seine Überraschung galt ebenso sehr dem Hammerschlag wie ihrer Antwort.

»Wirklich?«, wunderte er sich.

»Natürlich. Ich liebe es zu essen. Wer tut das nicht?«

»Hm, ganz recht.« Simon beschloss, die Schwachsinnsmaschine noch ein bisschen anzukurbeln. »Es gibt doch nichts Schöneres, als jemanden zum Essen dazuhaben und sich gemeinsam an gutem Essen, gutem Wein und geistreicher Konversation zu erfreuen.«

»Oh, da bin ich ganz Ihrer Meinung«, stimmte Dr. Gilbert zu und nahm Maß für einen gut gezielten Schlag auf seinen linken Ellbogen. Simon konnte nur mit Mühe einen schrillen Schrei unterdrücken. Es folgte eine kurze Pause, während sie sich auf ihren nächsten Schlag konzentrierte. Simon schluckte. Jetzt oder nie.

»Nun, wenn Sie solche Sachen wirklich gern tun, sollten Sie mir vielleicht erlauben, einmal abends für Sie zu kochen«, platzte er heraus.

Es folgte eine lange Pause.

»Ja, meinetwegen«, antwortete Dr. Gilbert und setzte dann zu ihrem bisher härtesten Schlag an.

Simon blinzelte gegen die Schmerzenstränen. »Äh ... wenn ich sage ... Sie verstehen schon, ich koche Ihnen was, aber wenn Sie es lieber hätten, könnten wir auch ausgehen. In ein Restaurant.«

»Nein. Ich würde es vorziehen, wenn *Sie* kochen«, meinte Dr. Gilbert.

»Oh. Klar«, murmelte Simon und schwieg dann. »Sind Sie sich ganz sicher?«, vergewisserte er sich schließlich.

»Natürlich bin ich mir sicher«, erklärte Dr. Gilbert.

»Oh. Hm. Gut.« Simon fand sich plötzlich in unkartografierten Gewässern wieder. Er wusste nicht recht, was er als Nächstes tun sollte. Es folgte eine Pause.

»Wann soll ich denn kommen?«, fragte Dr. Gilbert.

»Wann *können* Sie kommen?«

Zu Simons Erleichterung legte Dr. Gilbert ihren Hammer weg. »Ich habe in etwa zwei Wochen Urlaub. Wenn Sie vorher kochen wollen, wie wär es dann mit morgen in einer Woche, wenn Sie da nichts anderes geplant haben?«

Simon tat so, als müsste er nachdenken. »Mal sehen. Nächsten Samstag ...« Er schürzte die Lippen, um Konzentration zu heucheln. »In Ordnung«, sagte er nach einer wohl erwogenen Pause. »Ich denke, ich kann das einrichten. Es wäre großartig. Vielen Dank.«

»Ich denke«, entgegnete Dr. Gilbert, »dass ich diejenige sein sollte, die Ihnen dankt.«

Simon grinste. Er war plötzlich sehr zufrieden mit sich und fragte sich, weshalb um alles in der Welt er vorher so nervös gewesen war. »Also«, versicherte er. »Sie sind mir herzlich willkommen.«

»Schön. Ich freue mich darauf. Was Ihre Gesundheit betrifft, kann ich zu meiner Freude sagen, dass es Ihnen bestens zu gehen scheint«, erklärte Dr. Gilbert. »Wir werden Sie bald aus Ihren Verbänden befreien können. Aber die Krücken werden Sie wohl noch ein Weilchen brauchen.«

»Bestens«, erwiderte Simon.

Es folgte noch eine Pause.

»Wo wohnen Sie?«, erkundigte sich Dr. Gilbert. Simon gab ihr die Adresse. »Alles klar«, meinte sie nur. »Um wie viel Uhr soll ich kommen?«

»Gegen acht?«

»Okay. Also dann, bis dahin.« Dr. Gilbert verschwand durch die Tür und ließ einen ziemlich benommenen Simon zurück. Verdammte Scheiße, dachte er. Du hast es wirklich getan. Er lächelte zufrieden. Er würde es Joe zeigen. Eine Herausforderung, wahrhaftig. Ha!

Na schön, dachte er. Und was jetzt?

7. KAPITEL

Die nächsten acht Tage waren mehr als ausgefüllt.

Simon war ein hervorragender Koch. Das Problem bestand darin, Speisen für jemanden auszusuchen, den man nicht kannte, den man aber gern verführen wollte. Es gab da einige nahe liegende Erfordernisse:

Es sollte gut schmecken.
Es sollte gut aussehen.
Es sollte *schwierig* aussehen.
Es sollte exzessiv und augenscheinlich teuer aussehen.
Es sollte Alkohol enthalten; *oder:*
Es sollte ein wirksames Aphrodisiakum sein.

An diesem Wochenende brütete Simon über seiner Sammlung von Kochbüchern und versuchte etwas geziemend Beeindruckendes zu finden, das Dr. Gilbert an der passenden Stelle dazu bringen würde, in seinen Armen zu schmelzen. Am späten Sonntagabend hatte er sich folgendes informelle Menü zurechtgelegt:

Bellotine vom Perlhuhn, gefüllt mit sautierter Foie Gras angerichtet auf einem Bett von Radicchio- und Endivienblättern

149

mit selbst gebackenen Croûtons al forno
und einer pikanten Löwenzahn-Vinaigrette

gefolgt von

Hummer in Chili-Sahne-Sauce mit Trüffeln und Pistazien
sowie einer Mousse von Weißwein und Basilikum
mit einem Hauch von luftgetrocknetem Safran

dazu

Gratin von King Edward Pommes de Terre mit einer Spur
braisiertem Fenchel

nach einer diskreten Pause gefolgt von

Leichter Birnenmousse mit Kapstachelbeere und Kirschgeist

(und)

Petits Fours mit Kaffee,
serviert mit einem hoffnungsvollen Lächeln und einem
nervösen Zucken.

Simon verbrachte die nächste Woche in einem Nebel, sein Verstand war ein Pudding aus Rezepten und möglichen Gesprächsthemen. Er schlenderte geistesabwesend durch seine Tage im Laden und zog seine Zweiernummer mit Dean ab, ohne groß darüber nachzudenken.

Am nächsten Samstag wachte Simon um fünf Uhr morgens auf. Er war so nervös, dass er nicht wieder einschlafen würde, das ging ihm sofort auf. Stattdessen stieg er aus dem Bett und bereitete eine armlange Einkaufsliste vor.

Den größten Teil des Tages verbrachte er mit hektischen kulinarischen Vorbereitungen. Simon war mit dem Kochen so beschäftigt, dass er kaum Zeit hatte, viel über den Abend selbst nachzudenken, und so ging er ihm mit der Sorglosigkeit eines kopflosen Huhns entgegen.

Im oberen Regal seines Kühlschranks stand eine extrem teure Flasche Champagner. Simon versuchte, nicht an Joes Beteuerung zu denken, dass Frauen sich bei solchen Anlässen nicht viel um die Qualität von Essen oder Wein scherten. Simon glaubte fest an das Prinzip, dass Investitionen sich auszahlten. Wenn das stimmte, musste seine Dividende *gewaltig* sein.

Etwa gegen vier Uhr nachmittags wurde Simon bewusst, dass in seiner Wohnung absolutes Chaos herrschte. Zum ersten Mal zog er in Erwägung, so richtig in Panik zu geraten. Eine halbe Stunde verbrachte er mit dem Versuch, etwas von der offensichtlicheren Unordnung in der Wohnung wegzuschaffen, und er stapelte benutzte Kaffeetassen übereinander, leerte Mülleimer und sortierte Bücher und Schallplatten zu ordentlicheren Häufchen auf dem Fußboden.

Als er sich eine Weile später das Wohnzimmer besah, wurde Simon plötzlich klar, dass er, wenn die Dinge plangemäß verliefen, auch das Schlafzimmer würde aufräumen müssen. Und schlimmer noch, sogar das Badezimmer musste dran glauben. Mit einem Seufzer machte er sich an die Arbeit.

Als die Aufräumarbeiten hinter ihm lagen, putzte Simon sich mit Bürste und Zahnseide die Zähne und beträufelte sich dann großzügig mit *Rhino pour Homme*, einem neuen Rasierwasser, das er sich am Morgen gekauft hatte. Auf der Packung hatte es geheißen, dies sei ein raffinierter neuer Duft für den *modernen Mann* mit einem Hauch von Holz und Leichtherzigkeit, aber ohne melancholische, eichene Untertöne sowie einer hintergründigen Spur von Zimt und Vanille. Simon war fasziniert gewesen. Als sich der Duft jedoch auf seiner Haut ausbreitete, war der überwältigende Eindruck nicht der von Holz oder Leichtherzigkeit, sondern eher etwas, das an eine Latrine erinnerte, die seit etlichen Wochen nicht gesäubert worden war. Simon tat sein Bestes, um das Zeug runterzuwaschen, aber so sehr er sich bemühte, er konnte den subtilen Hauch von Latrine nicht vertreiben, der noch nach fünf Minuten energischer Waschungen in der Luft hing.

Dann zerbrach Simon sich den Kopf, worüber er sich mit Dr. Gilbert unterhalten sollte. Das war das Problem bei Verführungsprozeduren auf der Überholspur. Wenn Einladungen unter einem weniger fadenscheinigen Vorwand ausgesprochen wurden, in einer vorzeigbaren Absicht und nicht um der bloßen Lust willen, war damit auch der perfekte Hintergrund für ein diskretes Gespräch gegeben, das geflissentlich die Sache selbst umging, bis beide Beteiligten dafür entweder entspannt oder betrunken genug waren. Aber die Dinge wurden entschieden peinlicher, wenn es keinen solchen gemeinsamen Grund, kein geteiltes Interesse gab. Er nahm den Telefonhörer auf und rief Joe an.

»Hallo, mein Bester«, sagte Joe. »Wie steht es denn so?«

»Ich wollte dich um deinen Rat bitten«, erklärte Simon. Er skizzierte ihm grob, wo er bisher mit Dr. Gilbert stand.

Ein lauter Pfiff tönte durch die Leitung. »Fuck«, murmelte Joe. »Du hast es wirklich getan. Schön für dich.«

»Es hatte natürlich nichts mit dieser dummen Herausforderung von dir zu tun«, versicherte Simon hastig.

»Oh, natürlich nicht«, pflichtete Joe ihm bei.

Es folgte eine Pause.

»Die Sache ist die«, fuhr Simon fort, »ich wollte dich deswegen anzapfen.«

»Schieß los«, meinte Joe.

»Ich weiß nicht, was ich zu ihr sagen soll«, erklärte Simon. »Worüber reden wir?«

»Ich dachte, du wärst derjenige, der sich für Konversation als ehrenwerten Zeitvertreib ausgesprochen hat«, entgegnete Joe trocken.

»Das war damals«, erwiderte Simon. »Dies hier ist jetzt.«

»Ah«, machte Joe. Simon hörte irgendwo im Hintergrund ein hohes weibliches Lachen. »Worüber habt ihr euch denn bisher unterhalten?«

»Vorwiegend über meine Verletzungen.«

»Über sonst nichts?«

»Nun, ich habe ermittelt, dass sie weder Filme noch Theaterstücke mag.«

»Okay, dann versuch herauszufinden, *was* sie mag. Du verstehst schon, frag sie, was sie in ihrer Freizeit tut. Welche Hobbys hat sie? Bring sie dazu, das Reden selbst zu übernehmen. Frag sie irgendwas. Welches war ihre denkwürdigste Mahlzeit? Ist sie gern Ärztin?«

Simon zog die Nase hoch. »Nicht besonders originell«, wandte er ein.

»Hm, nein«, gab Joe zu. »Originell ist es nicht. Aber es besteht keine Notwendigkeit, originell zu sein. Du kriegst keine Zensuren für *Originalität*. Manche Frauen mögen das nicht einmal. Es bringt sie aus dem Gleichgewicht und zwingt sie zum Nachdenken. Wenn du auf

Nummer sicher gehen willst, halte dich an die erprobten und bewährten Sachen.«

»In Ordnung«, meinte Simon. »Und was noch?«

»Frag sie nach ihren Träumen. Du weißt schon, nach ihren Hoffnungen, nach ihren Zielen und Ambitionen. Das ist im Allgemeinen eine gute Nummer.«

»Träume«, wiederholte Simon. »Bist du dir sicher?«

»Vertrau mir«, versicherte Joe. »Frauen lieben diesen Scheiß.«

»Okay«, antwortete Simon unsicher. »Träume. In Ordnung.«

»Wenn du ein paar gute Geschichten auf Lager hast, ist das immer hilfreich. Nimm dich selbst auf die Schippe, diese Art Humor kommt immer an. Zeigt, dass du dich nicht zu ernst nimmst.«

Simon dachte an Joes Bericht über die Dinnerparty vor zwei Wochen. *Das* würde eine großartige Geschichte für eine Frau abgeben, die man zu beeindrucken versuchte. Er seufzte. »Also gut. Geschichten. Davon kenne ich genug.«

»Davon abgesehen finde ich, solltest du dich einfach der Stimmung anpassen. Warte ab, wo der Abend dich hinführt«, riet Joe. »Ihr findet schon was zum Reden, bis ihr anfangt, euch gegenseitig auszuziehen.«

Simon schloss in freudiger Erwartung die Augen. »Danke, Joe«, sagte er.

»Keine Ursache. Ruf mich morgen an, ja? Erzähl mir, wie es gelaufen ist. Und viel Glück. Dann hast du eine flachgelegt und noch zwei vor dir.«

»Nein, ich habe es dir doch schon erklärt ...«, unterbrach Simon ihn, aber dann hörte er bereits den Summton im Ohr. Joe hatte aufgelegt.

Simon wusste nicht, ob er hysterisch kichern oder weinen sollte. Das Ganze war Wahnsinn, absoluter Wahnsinn. Auf dem Schreibblock neben dem Telefon notierte er sich: *Hobbys, denkwürdige Mahlzeit, Ärztin, Träume. Mich selbst auf die Schippe nehmen.*

Simon zog sein schönstes Hemd an. Er deckte den Tisch im Wohnzimmer und zündete zwei Kerzen an.

Schließlich, fünfzehn Minuten bevor er seinen Gast erwartete, fiel Simon erschöpft auf das Sofa. Er hatte eine Platte des Modern Jazz Quartett aufgelegt, das Melodien aus *Porgy and Bess* spielte. Die ruhige, beherrschte Musik besänftigte Simons überängstliches Gehirn. Er holte ein paarmal tief Atem und begann, sich zu entspannen. Hoffentlich war das Ganze der Mühe wert, dachte er düster.

Plötzlich durchlief ihn ein Frösteln. Trotz all seiner sorgfältigen Vorbereitungen und seiner ausgefeilten Planung hatte er etwas Entscheidendes vergessen.

Kondome.

Simon hievte sich vom Sofa hoch und huschte ins Badezimmer, wo er verzweifelt den Schrank durchwühlte. Irgendwie hatte er die vage Hoffnung, dass sich in dem Chaos von Tablettenschachteln und Rasierklingen noch ein lange vergessenes Prophylaktikum von einem früheren Feldzug finden würde. Fehlanzeige. Simon sah auf seine Armbanduhr und versuchte das Gefühl der Panik niederzuringen, das in seiner Kehle aufstieg. Sie war Ärztin um Himmels willen. Sicher würde sie, wenn ihr der Sinn nach Sex stand, ihre eigenen Vorräte mitbringen. Aber wahrscheinlich würde es trotzdem schlecht aussehen, wenn er keine zu Hause hatte. Anmaßend. Arrogant. Und vor allem dumm. Oder würde es charmant wirken, so, als wäre ihm die Möglichkeit, dass der Abend so enden könne, gar nicht in den Sinn gekommen?, überlegte Simon hoffnungsvoll. Eher nicht, befand er. Er seufzte. Es ließ sich nicht vermeiden. Er würde noch mal losziehen und welche kaufen müssen. Er machte sich auf die Suche nach seinen Krücken.

Für ein Einzelhandelsgeschäft war der Laden an Simons nächster Ecke schon etwas ganz Besonderes. Gewisse Produkte waren besser repräsentiert als andere. Wenn man frischen Chili kaufen wollte, bekam man in diesem Laden die beste Auswahl in ganz London. Auch in Bezug auf die selteneren Arten der Kumquat war das Geschäft ziemlich gut. Wenn man jedoch Brot oder Margarine brauchte, hatte man schon eher ein Problem.

Der Laden war lang und schmal. Die Wände hatten keine erkennbare Farbe; dafür waren sie zu schmutzig. Abgesehen von einem schmuddeligen Fenster vorne im Laden und zwei düstereren Oberlichtern war die größte Lichtquelle die leuchtende Neonröhre im Innern der Tiefkühlabteilung, die mitten im Laden stand, flankiert von getrockneter Pasta auf der einen Seite und Kartons mit Chipstüten auf der anderen. Der vorherrschende Geruch im Laden rührte von Currypulver her.

Charlie, der Ladenbesitzer, stand wie immer hinter seiner Kasse. Er begrüßte Simon mit einem breiten Grinsen. »Alles klar«, sagte er.

»Kann nicht klagen«, antwortete Simon. Charlie liebte es, seine spezielle Marke selbst gesponnener Philosophie mit seinen Kunden zu teilen, und wenn er gerade Quasselwasser getrunken hatte, konnte man für eine ganze Weile bei ihm festsitzen. »Hören Sie, Charlie«, erklärte Simon quasi als Präventivschlag, »ich bin ein bisschen in Eile.«

Charlie breitete seine dicken Hände vor sich aus. »Was es auch sei, ich werde Ihnen helfen, wenn ich kann«, versicherte er.

»In Ordnung, gut. Die Sache ist die, ähm ... Eigentlich brauche ich ein Päckchen Kondome.«

Charlies Gelächter dröhnte kreuz und quer durch den Laden, sodass die anderen Kunden einen Augenblick lang aufsahen. Simon stand mit gequälter Miene vor der Kasse.

»Sie?«, fragte Charlie ein paar Sekunden später.

»Gibt es da ein Problem?«, entgegnete Simon steif.

»Ein Problem? Nein, kein *Problem*. Es ist nur – na ja.«

»Na ja *was*?«

»Na ja. Wozu brauchen Sie Kondome?«

»Ich hätte gedacht, das sei ziemlich klar«, bluffte Simon ihn an.

»Aber Sie haben noch nie *Kondome* gekauft. Schlagen Sie eine neue Seite im Buch Ihres Lebens auf?«

»Hören Sie«, seufzte Simon, der darauf brannte, endlich in seine Wohnung zurückzukommen. »Verkaufen Sie mir nun welche oder nicht?«

»Schon gut, immer mit der Ruhe«, meinte Charlie sachte. »Welche Sorte wollen Sie?«

»Was?« Simon sah ihn verständnislos an.

»Welche Sorte? Sie können gerippte haben, bunte, welche mit Duft, welche mit so komischen Noppen am Ende, große, kleine. Was Sie wollen, ich habe alles da.«

»Gott. Keine Ahnung. Suchen Sie was aus.«

»Das kann ich nicht machen«, widersprach Charlie. »Zu große Verantwortung, Mann.«

»Hm, na schön, haben Sie irgendwelche normalen?«, wollte Simon wissen.

Charlie blickte enttäuscht drein. »Wahrscheinlich ja.«

»Dann nehme ich ein Päckchen davon, bitte.«

»Drei, sechs, zwölf, achtzehn oder vierundzwanzig?«

»Heiliger Himmel. Drei.« Simon hielt inne. »Nein, besser sechs.«

»Braver Junge. Ich hoffe, Sie haben Ihre Milch getrunken.« Charlie tippte den Preis der Kondome in die Kasse ein. »Möchten Sie eine Tüte, Sir?«, fragte er in dem Bemühen, sein Feixen zu verbergen.

»Nein danke«, antwortete Simon und riss ihm das Päckchen aus der Hand. Dann stopfte er es sich in die Tasche und begann, zu seiner Wohnung zurückzuhumpeln.

Als Simon um die Straßenecke bog, machte sein Herz eine komische kleine Bewegung, indem es gleichzeitig sank und sich dem Himmel entgegenreckte. Dr. Gilbert stand an seiner Haustür und wartete. Simon sah auf seine Armbanduhr. Es war Punkt acht. Was für eine Art Frau kommt pünktlich zu einer Dinnerverabredung?, fragte er sich. Vielleicht die Art, die die Sache schnell hinter sich bringen will, erklärte ihm der pessimistischere Teil seines Gehirns.

»Hi«, rief er.

Dr. Gilbert drehte sich zu ihm um und warf ihm ein erleichtertes Lächeln zu. »Hi«, grüßte sie. »Ich habe mich schon langsam gefragt, ob ich den falschen Tag erwischt hätte.«

»Nein, nein«, versicherte Simon und zog seinen Schlüssel aus der Tasche. »Ich musste nur noch mal schnell in den Laden rüber, um ein paar letzte Vorräte zu kaufen.«

Dr. Gilbert sah ihn abschätzend an. »Haben Sie gekriegt, was Sie wollten? Sie haben keine Tüten dabei.«

»Oh. Ähm, nein. Hab ich nicht.«

»Was brauchten Sie denn? War es wichtig?«

Simon schloss verzweifelt die Augen und versuchte, sich auf eine Antwort zu besinnen. »Nicht wirklich«, flunkerte er. »Nur etwas zur Dekoration. Wir können auch ohne zurechtkommen.«

»Sicher?«

»Sicher bin ich mir sicher.« Simon lächelte schwach. »Kommen Sie doch herein.«

8. KAPITEL

In der Wohnung nahm Simon Dr. Gilbert den Mantel ab und hängte ihn auf.

»Also, ähm ...«, begann er.

Sie sah ihn an. »Ich heiße Rachel«, meinte sie. Dann förderte sie eine Flasche Wein zu Tage, die sie bisher hinter dem Rücken gehalten hatte. »Das ist für Sie«, erklärte sie.

»Wow«, rief Simon. »Der sieht großartig aus. Fantastisch«, fügte er in dem Bewusstsein hinzu, dass er so klang, als hätte noch nie zuvor jemand ihm eine Flasche Wein geschenkt. »Vielen Dank. Also, Rachel. Herzlich willkommen. Danke, dass Sie gekommen sind. Was kann ich Ihnen zu trinken anbieten?«

»Was haben Sie denn da?«

Simon beschloss, kein Blatt vor den Mund zu nehmen. »Wie wär es mit einem Glas Champagner?«

Rachel lächelte. »Champagner klingt gut. Vielen Dank.« Sie zog die Nase kraus. »Was ist das für ein Geruch? Haben Sie ein Problem mit Ihren Abflussrohren?«

»Ja, ja, habe ich«, flunkerte Simon hastig und bedauerte seinen freizügigen Umgang mit *Rhino pour Homme* früher am Abend. »Nächste Woche kommt der Klempner. Aber kommen Sie doch herein und nehmen Sie Platz. Fühlen Sie sich ganz wie zu Hause.«

Simon ging in die Küche und nahm den Champagner aus dem Kühlschrank. Dann folgte er Rachel ins Wohnzimmer, wo das MJQ immer noch seine sanfte Musik spielte. Plötzlich drang ein langsames, stetiges Dröhnen aus Angus' und Fergus' Wohnung durch die Decke. Oh nein, dachte Simon. Tolles Timing. Er schenkte zwei Gläser ein und reichte eines Rachel. Sie sahen einander einen Herzschlag zu lange an.

»Also dann, prost«, bemerkte Simon und leerte die Hälfte seines Glases in einem Zug.

»Prost«, erwiderte Rachel, die einen manierlicheren Schluck nahm. Sie sah sich um. »Nette Wohnung.«

»Danke«, sagte Simon, dessen Magen vor Nervosität zu einem Knoten verkrampft war.

»Was ist das für ein Lärm?«, erkundigte sich Rachel mit Blick zur Decke. Das Dröhnen wurde lauter und schneller.

Simon zuckte die Schultern. »Keine Ahnung«, behauptete er und bedeutete Rachel, auf dem Sofa Platz zu nehmen. Dann zermarterte er sich das Hirn nach irgendeiner Bemerkung. Joes Ratschläge waren samt und sonders aus seinem Kopf entschwunden. »Viel zu tun gehabt heute?«, platzte er schließlich heraus.

»Ziemlich viel«, antwortete Rachel. »Ich hatte einiges für meinen Urlaub vorzubereiten. Ich habe Sonnenlotion gekauft, Bücher und solche Dinge. Nicht sehr aufregend. Und Sie?«

»Oh. Ich hatte wohl auch dies oder das zu tun«, log Simon. »Genauso langweilig eigentlich. Ich war ein bisschen einkaufen und hab das Abendessen zusammengehauen.«

»Was ist das für eine grässliche Musik?«, fragte Rachel.

Es folgte eine kurze Pause. »Das ist das Modern Jazz Quartett«, erklärte Simon.

»Hätten Sie etwas dagegen, etwas anderes aufzulegen?«, bat Rachel. »Klingt für mich wie ein quietschender Aufzug.«

»Oh. Okay.« Ein quietschender Aufzug? Simon, der sein Entsetzen zu verbergen suchte, hielt den Plattenspieler an. »Vielleicht hätten Sie ja Lust, etwas auszusuchen«, schlug er vor.

»Ja, gute Idee«, meinte Rachel.

»Mögen Sie Jazz?«

»Mein Gott. Nein. Ich hasse ihn. Das sind doch alles Schwachköpfe, die sich für cool halten, nur weil sie in verräucherten Nachtclubs dunkle Brillen tragen. Und die *Musik*, wenn man das so nennen kann, ist nur ein einziges Gequake und Gequäke. Viel zu viele Trommeln. Igitt.«

»Na ja, das ist sicher auch eine Meinung«, entfuhr es Simon erschrocken. »Dann überlasse ich Ihnen also die Wahl. Ich bin im Nu wieder da.« Er zog sich in die Küche zurück und überließ es Rachel, die Rücken seiner Plattensammlung zu mustern.

In der Küche füllte er ein paarmal seine Lungen tief mit Luft. Die Frau war eine Spießerin. Na ja, dachte er, damit wäre ein Problem jedenfalls aus der Welt. Wenigstens weißt du, dass keine Gefahr besteht, dich in sie zu verlieben. Sieh einfach zu, dass du die Mahlzeit hinter dich bringst, den Sex bekommst, und das war es dann. Simon arrangierte den ersten Gang dekorativ auf zwei Tellern. Als er wieder ins Wohnzimmer kam, beäugte Rachel immer noch seine Platten.

»Ich seh hier nicht viel, das ich kenne, um die Wahrheit zu sagen«, bemerkte sie und richtete sich auf.

»Wie wär es mit Mozart?«, schlug Simon vor. »Würde der gehen? Das ist jedenfalls kein Jazz.«

»Haben Sie denn *gar* nichts Anständiges?«

»Mozart ist nicht schlecht«, protestierte Simon.

»Ansichtssache«, erwiderte Rachel naserümpfend.

»Na ja, es ist wahrscheinlich das Beste, was ich zu bieten habe«, gab Simon zu, zog seine Platte mit Mozarts Klarinettenkonzert aus der Hülle und legte sie auf den Drehteller. Dann folgte eine Pause, während sie beide den ersten Takten des Stücks lauschten und dabei versuchten, das beharrliche Gedröhn von oben zu ignorieren, dessen Rhythmus mittlerweile halsbrecherische Geschwindigkeit angenommen hatte. Simon ging beiläufig zur Stereoanlage hinüber und stellte die Lautstärke höher.

Plötzlich schrillte Heathers unverkennbares Wiehern durch die Wohnung, begleitet von einem Refrain hechelnden Grunzens, das von Fergus stammte. Rachel blickte argwöhnisch zur Decke auf. Ein paar Sekunden später brach das Dröhnen ab.

Es folgte eine verlegene Pause.

»Also, Rachel«, setzte Simon mit hochroten Wangen zu sprechen an. Dann brach er wieder ab. Was sollte er doch gleich als Nächstes sagen? Ach ja, Hobbys. »Erzählen Sie mir etwas über sich«, fuhr er fort und bemühte sich, nicht allzu sehr wie ein Talkshow-Moderator zu klingen. »Haben Sie irgendwelche Hobbys?«

Rachel nahm noch einen Schluck Champagner. »Nun ja«, meinte sie, »ich schwärme für Toxophilie.«

Simon nickte langsam. »Klar«, sagte er. Was um alles in der Welt war Toxophilie? Wahrscheinlich hatte es etwas mit Giften zu tun. »Toxophilie«, wiederholte er, rollte das Wort im Mund herum und probierte es aus. »Aha. Warum das? Hängt wahrscheinlich damit zusammen, dass Sie Ärztin sind.«

Rachel runzelte die Stirn. »Hm, in gewisser Weise ja,

denke ich. Ich mache es zusammen mit anderen Leuten aus dem Krankenhaus.«

Simon nickte. Komisches Hobby, dachte er. »Wo machen Sie es denn?«, erkundigte er sich.

»In Kent. In der Nähe von Tonbridge.«

»Wirklich? Warum so weit weg?«

»Nun, man braucht ein großes Feld, und wir haben in Kent eins gefunden.«

»Ein Feld? Sie tun es *draußen*?«

Rachel sah Simon merkwürdig an. »Wo denn sonst?«

»Also, was ... Üben Sie an Tieren? An Streunern vielleicht, die da irgendwo durch die Gegend streifen?«

»An Tieren? Gott im Himmel, natürlich nicht. Halten Sie uns für Ungeheuer?«

»Nein, nein, auf keinen Fall«, versicherte Simon hastig. »Also, was benutzen Sie denn dann?«

»Nun, Ziele natürlich, wie alle anderen auch.«

Langsam dämmerte Simon, dass er mit den Giften vielleicht auf dem Holzweg gewesen war. Ziele. Er dachte hastig nach. »Und haben Sie Ihre eigenen ... Sachen? Die Sie ... ähm ... mit den Zielen benutzen?«, tastete er sich mühsam durch das Dunkel.

»Die Pfeile und Bögen? Nein. Die mieten wir, wenn wir dort ankommen.«

Bogenschießen. Warum konnte sie das nicht einfach sagen? Er versuchte, sich auf eine interessante Bemerkung zu besinnen. »Sind Sie gut?«, erkundigte er sich.

»Nicht wirklich. Ich bin noch Anfängerin. Im Kleinkaliberschießen bin ich besser.«

Simon richtete sich auf. »Sie schießen Kleinkaliber?«

Rachel nickte. »Seit meiner Schulzeit.«

»Verstehe.« Simon rutschte unbehaglich auf seinem Platz hin und her. Woher kam bloß diese Besessenheit, um sich zu schießen? Er hoffte, dass er nicht unwissentlich auf die Idee gekommen war, mit einer Psychopathin zu schlafen. Er wollte von Mord und Verstümmelung wegkommen und das Gespräch in harmlosere Bahnen lenken, daher ging er im Geiste schnell noch einmal die Liste der Themen durch, die Joe vorgeschlagen hatte. »Hobbys, denkwürdige Mahlzeit, Ärztin, Träume. Mich selbst auf die Schippe nehmen.«

»Also«, sagte er. »Erzählen Sie mir von Ihren Träumen.«

Rachel schloss kurz die Augen. »Ich träume nicht«, erwiderte sie. »Ich leide an akuter Schlaflosigkeit.«

»Oh«, murmelte Simon. »Eigentlich meinte ich, als ich Sie auf Ihre Träume ansprach, eher ...«

»Was in meinem Job vielleicht gar nicht so schlecht ist«, fuhr Rachel bitter fort, »wenn man unsere Arbeitszeiten bedenkt.«

Wieder trat eine Pause ein. Simon ging auf, dass er etwas Mitgefühl zeigen sollte. »Oh, Sie Arme«, rief er.

»Was machen *Sie* eigentlich beruflich?«, fragte Rachel plötzlich und sah ihn zum ersten Mal, seit sie sich hingesetzt hatte, direkt an.

»Ich? Oh, ich ... nichts Besonderes«, stammelte Simon, der sich plötzlich für die Belanglosigkeit seines Tuns schämte. Sie retten Leben, ich verkaufe Stinkbomben. »Erzählen Sie mir mehr über Ihre Schlaflosigkeit«, schlug er vor, um nur ja von sich selbst abzulenken.

»Es ist schrecklich«, erwiderte Rachel. »Ich falle total erschöpft ins Bett und starre dann die ganze Nacht lang an die Decke, außer Stande, auch nur ein Auge zuzutun.«

»Gibt es denn gar nichts, was Sie dagegen tun können?«

»Es gibt verschiedene Dinge wie Hypnose, obwohl ich

das nie ausprobiert habe. Bei mir gibt es nur eins, was funktioniert: Ich muss mich betrinken.«

»Ah«, murmelte Simon.

»Und dann leide ich an Nakrolepsie.« Als sie Simons ausdruckslose Miene sah, erklärte sie: »Das bedeutet, dass man einschläft, wenn man gar nicht soll.«

»*Ah*«, wiederholte Simon. Was für eine merkwürdige Frau, dachte er. »Ähm, also«, sagte er. »Haben Sie Hunger?«

Rachel lächelte ihn an. »Wie ein Bär.«

»Bestens.« Simon deutete auf den Tisch. »Nehmen Sie doch Platz. Ich bin in einer Minute wieder da.« Er kehrte in die Küche zurück, stellte einen Topf mit Wasser auf den Herd, brachte es zum Kochen, gab den Hummer hinein und stellte die Zeituhr auf zwanzig Minuten. Dann beäugte er kritisch den ersten Gang und gestattete sich ein selbstgefälliges Lächeln. Es sah alles perfekt aus. Er trug die Teller ins Wohnzimmer und stellte stolz einen vor Rachel hin. »Voilà«, hauchte er.

Es folgte eine kurze Pause, während Rachel ihre *Bellotine vom Perlhuhn, gefüllt mit sautierter Foie Gras und angerichtet auf einem Bett von Radicchio- und Endivienblättern mit selbst gebackenen Croûtons al forno und einer pikanten Löwenzahn-Vinaigrette* beäugte.

Schließlich flüsterte sie: »Oh.«

»Was denn?«, fragte Simon.

»Es ist meine Schuld«, fuhr Rachel fort. »Ich hätte etwas sagen sollen.«

»Was sagen?«, hakte Simon nach.

»Ich bin Vegetarierin«, erklärte Rachel. »Tut mir Leid.«

Simons Mund öffnete und schloss sich ein paarmal.

»Aber es sieht wirklich hübsch aus«, versicherte Rachel.

»Sind Sie eine sehr gewissenhafte Vegetarierin?«, wollte Simon wissen.

»Oh, absolut, fürchte ich.«

Simon schloss verzweifelt die Augen. Plötzlich dachte er an den Hummer in seinem Topf auf dem Herd. »Was für eine Art Vegetarierin sind Sie genau?«, fragte er und versuchte, nicht in Panik zu geraten.

»Wie meinen Sie das?«

»Essen Sie Fisch und solche Dinge?«

Rachel nickte. »Oh ja. Ich *liebe* Fisch. Ich bin eine Lacto-Ovo-Pesco-Vegetarierin.«

»Gut«, meinte Simon. »Dann sind wir wenigstens beim Hauptgang auf der sicheren Seite.« Er sah Rachels Teller an. »Können Sie das Fleisch liegen lassen und den Rest essen?«, erkundigte er sich. »Es ist nämlich ganz gut, selbst wenn man auf das Fleisch verzichtet.«

Rachel schüttelte entschieden den Kopf. »Das kann ich nicht. Es ist verunreinigt. Es hat auf demselben Teller gelegen.«

Simon sah Rachel ungläubig an. »Mein Salat ist verunreinigt?«, brachte er mühsam hervor.

»Ich fürchte ja.« Sie sah ihn voller Verachtung an. »Keine Sorge. Essen Sie nur. Dann habe ich mehr Platz für den Hauptgang. Hätten Sie etwas dagegen, wenn ich stattdessen noch ein Glas Champagner trinke?«

»Aber sicher, bedienen Sie sich«, bot Simon an und verfluchte sich im Stillen, dass er vergessen hatte, ihr Glas nachzufüllen. Wenn das so weiterging, würden sie beide sternhagelvoll sein, wenn später noch etwas passieren sollte.

Simon aß, so schnell er konnte. Vom Perlhuhn schmeckte er kaum etwas. Während er den Gang in seinen Mund schaufelte, brachte er Rachel dazu, ihm von ihrem bevorstehenden Urlaub in Griechenland zu erzählen.

Endlich war er fertig. »Also schön«, meinte er und kaute noch an seinem letzten freudlosen Bissen, als er sich auch schon erhob. »Mal sehen, ob wir das mit dem Hauptgang etwas besser hinkriegen. Nehmen Sie sich doch noch Champagner. Ich bin nicht lange weg.« Er sah auf seine Armbanduhr und ging in die Küche. Der Hummer musste fast fertig sein. Jetzt brauchte er nur noch die Soße aufzuwärmen, die er zuvor vorbereitet hatte, und dem Ganzen den letzten kulinarischen Schliff zu verleihen. Simon griff in den Kühlschrank und nahm eine kleine rote und sehr scharfe frische Chilischote heraus. Er hackte die Schote in winzige Stückchen, schob sie in die Soße und begann zu rühren.

Simon zog den Hummer aus dem kochenden Wasser. Er war leuchtend rot. Dann arrangierte er die Hummerstücke auf den Tellern und löffelte die Weißwein- und Basilikummousse zu kunstvollen Häufchen daneben. Die Sahnesoße köchelte leise vor sich hin. Fast fertig, dachte er. Das würde gut sein. So, wie die Dinge bisher gelaufen waren, *musste* es gut sein.

»Wir sind fast soweit«, rief er. »Ein Momentchen noch.« Dann ging er ins Badezimmer, um zu pinkeln.

Während er vor der Toilette stand, gönnte er sich ein geistiges Schulterklopfen. Was auch sonst bisher schief gegangen war – und selbst wenn Rachel eine vegetarische Spießerin war, die Jazz hasste –, der Hummer würde alles rausreißen. Es war eine beeindruckende Köstlichkeit. Wenn das und der Champagner nicht genügten, um Rachel Gilbert in sein Bett zu locken, dann half alles nichts.

Plötzlich wurde Simon bewusst, dass etwas nicht so

war, wie es sein sollte. An seinen Genitalien machte sich ein unangenehmes Gefühl breit. Ein oder zwei Sekunden später war das unangenehme Gefühl fort, und an seine Stelle trat ein fürchterlicher Schmerz. Sein Penis schien in Flammen zu stehen. Es war, als hätte ihm jemand eine rot glühende Nadel rüde in die Harnröhre gestoßen.

Simon erstickte ein gequältes Aufheulen. In Ermangelung irgendeiner nützlichen Alternative begann er, auf der Stelle auf und ab zu hüpfen, wobei er die Zähne zusammenbiss, um nur ja keinen Laut von sich zu geben. Sein Penis hüpfte beim Springen auf und ab, aber nicht einmal diese effiziente Art, ihn der kühlenden Luft auszusetzen, konnte dem Brennen einen Abbruch tun. Es war, als hätte er seine Männlichkeit in einen Topf mit kochendem Wasser gehängt. Plötzlich begriff er, was der Hummer empfunden haben musste.

Dann wurde Simon plötzlich klar, was geschehen war. Die Chilischote. Er hatte vergessen, sich die Hände zu waschen, nachdem er den kleinen Bastard zerhackt hatte – Hände, mit denen er jetzt seinen glücklosen Penis anfasste. Tränen traten ihm in die Augen. Der Schmerz war qualvoll. Es fühlte sich an, als hätte sich ein Schwarm kriegerischer Wespen auf seiner Vorhaut niedergelassen.

Mit der Vorsicht eines Bombenentschärfungsexperten schob Simon seine schmerzende Männlichkeit wieder in seine Unterhose. In gekrümmter Haltung schrubbte er sich wild die Hände, bevor er in die Küche zurückhumpelte.

»Alles in Ordnung mit Ihnen?«, rief Rachel aus dem Wohnzimmer.

»Alles bestens«, murmelte Simon.

»Ich habe mir noch ein Glas Champagner genommen«, berichtete Rachel. »Ich hoffe, das ist okay.« Sie kicherte.

»Hoppla. Champagner auf nüchternen Magen. Wie dumm von mir.«

Simon schloss die Augen. Die Prioritäten des Abends hatten sich plötzlich auf dramatische Weise verlagert. Jetzt wollte er Rachel nicht einmal mehr in der Nähe seiner intimsten Körperteile haben. Seinen Penis hätte er am liebsten in eine Schüssel mit Eiswürfeln geschoben. In dem Bemühen, alle Gefühle unterhalb seiner Taille zu ignorieren, löffelte Simon die Sahne- und Chilisoße vorsichtig über den Hummer.

»Okay«, rief er. »Ich komme.« Dann nahm er die beiden Teller auf und ging vorsichtig zurück ins Wohnzimmer. Als er den Teller vor Rachel hinstellte, sah er, dass die Champagnerflasche fast leer war.

Rachel inspizierte ihren Teller. »Das sieht hübsch aus«, stellte sie fest.

»Vielen Dank«, wisperte Simon. Der Schmerz war nicht zurückgegangen.

»Was ist das?«, wollte Rachel wissen.

»Hummer«, antwortete Simon. »Mit Trüffeln und Pistazien und solchen Dingen. Ich hoffe, es schmeckt Ihnen.«

Rachel sah Simon an. »Es tut mir wirklich Leid, Simon«, erwiderte sie bekümmert, »aber ich kann das nicht essen.«

Simon sah sie sprachlos an. Schließlich brachte er hervor: »Aber Sie sind Lacto-Ovo-Pesco-Vegetarierin. Das hier sind Meeresfrüchte. Es ist in Ordnung.«

»Ich bin Jüdin, Sie Dummkopf«, entgegnete Rachel nicht unfreundlich. »Es ist ein Schalenfisch. Den *darf* ich nicht essen.«

Simon sah seinen Gast entsetzt an. »Sie haben nichts von *Schalen*-Fischen gesagt.«

»Nun ja, Sie haben nicht danach gefragt.«

Simon ließ sich auf seinen Stuhl sinken. Eine koschere Vegetarierin. Unglaubliches Glück, aus kulinarischer Perspektive gesehen. Der Schmerz in seinen Lenden schien von dieser Neuigkeit ein wenig überlagert zu werden. »Was machen wir denn jetzt?«, murmelte er.

Rachel lehnte sich auf ihrem Stuhl zurück und sah ihren Teller mit dem unberührbaren Essen an. »Haben Sie etwas Salat da, den ich essen könnte?«, erkundigte sie sich.

»Ich denke schon.« Simon stand wieder auf und nahm ihren Teller.

»Ich werde natürlich einen sauberen Teller brauchen«, erklärte sie. »Und wenn Sie noch etwas Wein dahätten, wäre das auch schön.«

»Klar«, meinte Simon. Das war, wie er sehen konnte, ein sehr guter Plan. Sie sollten sich beide betrinken. Was den zusätzlichen und nicht unwesentlichen Vorteil hätte, seine Lenden zu narkotisieren. Er ging zum Kühlschrank, nahm einen Plastikbeutel mit gewaschenem Salat heraus und kippte ihn wenig liebevoll auf einen sauberen Teller. Es hatte jetzt kaum noch Sinn, sich große Mühe zu geben. Er nahm den Teller und eine Flasche fertige italienische Vinaigrette mit ins Wohnzimmer und stellte beides vor Rachel hin.

»Wie ist das?«, fragte er.

Rachel inspizierte den Salat. »Scheint in Ordnung zu sein«, antwortete sie.

»Gut.« Simon holte eine Flasche Wein und den Flaschenöffner aus der Küche und öffnete die Flasche. Das Essen würde warten müssen. Er schenkte ihnen beiden reichlich Wein ein und begann zu trinken. Das Essen als solches verlief mehr oder weniger schweigend. Rachel beäugte jedes Blatt aufs Genaueste, bevor sie es sich in den Mund schob. Simon tat sein Bestes, den Hummer zu genießen, aber er hatte den Appetit verloren. Sein Penis pochte immer noch schmerzhaft, und er bewegte die untere Hälfte seines Körpers so wenig wie möglich. Um die Dinge noch zu verschlimmern, hatte sein Fuß zu jucken begonnen. Das Klarinettenkonzert war zu Ende, aber Simon wagte es nicht, eine andere Platte aufzulegen. Simon sah Rachel an, die kaum etwas von ihrem Salat gegessen hatte, die dafür aber beim Trinken Schluck um Schluck mit ihm gleichgezogen hatte. Oben klingelte die Türglocke, und Simon und Rachel lauschten einer lärmenden Begrüßung und lautstarken Luftküssen. Angus und Fergus wussten, wie man Gäste bewirtete, dachte Simon traurig. »Alles in Ordnung?«, fragte er höflich.

»Alles klar. Und bei Ihnen?«

Simon nickte. »Oh ja. Alles bestens.«

»Gut.«

Es folgte eine Pause.

»Noch etwas Wein?«, meinte Simon.

Stunden später hatten weder Simon noch Rachel sich von der Stelle gerührt, außer um zu trinken. Sie hatten kaum ein Wort miteinander gewechselt. Simon hatte sich sein zunehmend benebeltes Gehirn zermartert, um ein Gesprächsthema zu finden. Oben war die Party in vollem Gang, und der Lärm von Musik, Gelächter und guter Laune drangen in Simons Wohnung hinunter, ein dramatischer Kontrapunkt zu der albtraumhaften Verlegenheit, die sich dort breit gemacht hatte. Mit jedem satten Ploppen eines Korkens, mit jedem Witz, auf den silberhelles Gelächter folgte, spürte Simon, wie seine Seele ein wenig mehr dahinwelkte. Er fragte sich, ob Delphine wieder eingeladen worden war. Delphine! Sein Herz flatterte. Was, um Himmels willen, machte er hier unten mit Rachel?

Dann war da natürlich noch die Kleinigkeit von Simons Genitalien, die immer noch unaussprechlich schmerzten. Während er in die Küche humpelte, um die Weinflasche zu holen, die Rachel mitgebracht hatte, kam ihm ein Gedanke. Rachel war Ärztin! Plötzlich wusste er, was er mit seinem Penis tun würde. Ihm wurde klar, dass er sie von Anfang an hätte fragen sollen. In diesem Stadium des Abends würde es verdächtig wirken, wenn er jetzt ins Wohnzimmer zurückkehrte und feierlich erklärte, dass er bisher ganz vergessen habe zu erwähnen, dass sein Penis höllisch brannte, und sich erkundigte, ob es ihr wohl etwas ausmachen würde, schnell mal danach zu sehen.

Das war noch so etwas. Was, um alles in der Welt, tat Rachel immer noch hier? Sie hatte buchstäblich nichts zu essen bekommen, und sie hatten den ganzen Abend kaum mehr als eine Hand voll Worte gewechselt. Sie hätte schon vor langer Zeit aufstehen und sich unter einem Vorwand verabschieden sollen. Die Zeit, dass sie ohne Peinlichkeit hätte verschwinden können, war lange vorbei. Und trotzdem war sie immer noch hier und kippte den Wein, als könnte sie es gar nicht erwarten, das Bewusstsein zu verlieren.

Ein beunruhigender Gedanke schlich sich in Simons Gehirn. Was, sagte der Gedanke, wenn sie es genau auf das abgesehen hat, worauf du es abgesehen hattest? Was, wenn sie auf Sex wartet?

Simon schluckte. Das würde eine Menge erklären. Es würde erklären, warum sie seine kunstlose Einladung überhaupt angenommen hatte und warum sie nach einem derart katastrophalen Abend immer noch an seinem Tisch saß. Simon dachte an Joes Bemerkung über die Bedeutungslosigkeit, die dem Essen bei einer Verführung zukam. Nun, dachte er kläglich, ich glaube, das haben wir jetzt zweifelsfrei geklärt. Er sah auf seine Armbanduhr. Es war nach Mitternacht. Keine U-Bahn mehr. Simon ließ sich an der Wand der Küche zu Boden sinken und fragte sich, was, um Himmels willen, er tun sollte. Bei dem Gedanken, Rachel könne sich in irgendeiner anderen Eigenschaft als einer rein medizinischen seinen Genitalien nähern, wurde ihm ganz schwach vor Furcht. In dem Falle würde er sie einfach nach bestem Vermögen abwehren müssen. Mit verhaltenen Bewegungen kehrte Simon ins Wohnzimmer zurück. Rachel hatte sich – oh Schreck – auf das Sofa gesetzt.

»*Hi*«, sagte sie.

»Ähm, hi«, erwiderte Simon.

»Ich dachte, wir könnten hierher umziehen«, erklärte Rachel. »Es uns etwas ... du weißt schon ... *bequemer* machen.«

Simon schluckte. »In Ordnung«, murmelte er. Widerstrebend setzte er sich aufs Sofa und begann, ihre Gläser mit Wein zu füllen. Während er dies tat, beobachtete Rachel ihn mit neu erwachtem Interesse.

»Hmhm«, seufzte sie. »Wunderbar.«

Simon schwieg. Die Verwandlung von der wortkargen Alkoholikerin in die verführerische Versucherin war entnervend. Rachel ließ kokett ihre Wimpern klimpern. »Also«, meinte sie. »Das ist aber hübsch.« Sie rückte näher an ihn heran. Simons Penis begann erschrocken zu schreien.

»Meine Güte«, ächzte er. »Es ist schon spät.« Er sah demonstrativ auf die Uhr. »Wie die Zeit verfliegt, wenn man sich gut amüsiert.« Das sollte eigentlich sarkastisch klingen, kam ihm aber aus irgendeinem Grund seltsam ernst über die Lippen.

»Und wir werden uns noch viel besser amüsieren«, murmelte Rachel sinnlich, während sie beharrlich weiter das Sofa hinaufrückte.

»Soll ich ... ähm?«, fragte Simon, bevor er von seinem Platz hochschoss und zum Schallplattenspieler hinüberging. Er suchte in seinen Platten nach etwas ganz und gar Unpassendem, das die Stimmung mit Sicherheit zerstören musste. Zum ersten Mal seit Jahren wünschte er sich, er hätte nicht all seine Platten von Southern Death Cult weggegeben.

»Leg etwas Sanftes auf«, bat Rachel.

Simon schloss die Augen. »Okay«, antwortete er gehorsam. Er zog eine Platte von Soloklavierstücken von Satie heraus. Die ersten sehnsüchtigen Klänge schwebten in den Raum. Simon humpelte zurück zum Sofa und dachte verzweifelt nach.

Rachel nickte ihm anerkennend zu. »Sehr hübsch«, meinte sie. Der Schmerz in seinen Genitalien schraubte sich noch ein Stück weiter in die Höhe. Simon ließ sich wieder auf dem Sofa nieder und nahm einen großen Schluck Wein.

»So«, sagte er.

»So«, stimmte Rachel ihm zu.

Simon beschloss, alle Subtilität in den Wind zu schlagen. »Soll ich Ihnen ein Taxi rufen?«, fragte er.

Ein unwilliger Ausdruck huschte über Rachels Gesicht. »Ich glaube nicht, dass wir schon fertig sind«, wandte sie ein.

»Oh?«, machte Simon. Kaum hatte er es ausgesprochen, war ihm klar, dass er einen furchtbaren Fehler begangen hatte. Was eigentlich erforderlich gewesen wäre, war ein entschiedenes: Ich fürchte, dass es doch so ist – ich habe morgen viel zu tun, danke für Ihren Besuch, vielleicht sehen wir uns ja bald mal wieder und tschüss, aber stattdessen hatte er »Oh« gesagt, und das womöglich noch in hoffnungsvollem Ton. Um Himmels willen, dachte er. Du kannst aber auch *gar nichts* richtig machen.

Rachel stellte ihr Weinglas entschlossen beiseite. O Gott, jetzt geht es los, durchfuhr es Simon. Sein Penis pochte ängstlich vor sich hin.

»Also«, erklärte Rachel, »ich habe bisher einen sehr schönen Abend gehabt.«

»Oh, gut«, antwortete Simon unsicher und fragte sich, wie dann wohl ein schlechter Abend aussehen musste.

»Und ich möchte die Dinge gern noch ein bisschen weiterverfolgen.« Rachel klimperte abermals mit den Wimpern, und ihre Zunge schob sich zwischen den Lippen hervor. Simon schluckte.

»Und ich glaube«, fuhr Rachel heiser fort, »dass wir ein bisschen ... intimer werden sollten.« Mit diesen Worten stürzte sie sich auf Simon auf der anderen Seite des Sofas und überwand dabei mühelos die kleine Befestigung aus Kissen, die er beiläufig zwischen ihnen zu errichten versucht hatte. Simon sah hilflos zu, wie sein Gast ihm entgegenschoss, angetrieben von amourösen Absichten. Als sie näher kam, öffnete Simon den Mund, um zu protestieren, was (rückblickend) ein taktisch naiver Schritt gewesen war: Rachel nutzte die Gunst des Augenblicks, um ihre Zunge in seinen Mund zu schieben, bevor er protestieren konnte.

Eine halbe Sekunde später kam der Rest von Rachels Körper näher und prallte unsanft mit Simons zusammen. Für eine kleine Frau hatte sie ganz schön viel Schwung bekommen, und Simon war halb k. o. Er lag wie eine schlaffe Stoffpuppe der Länge nach auf dem Sofa und rang um Atem. Rachel wertete seinen Mangel an aktivem Protest als Ermutigung und fuhr mit einer Hand durch Simons Haar, während sie die andere zwischen seine Beine schob.

Das war der Punkt, an dem Simon sich genügend erholt hatte, um zu begreifen, dass ihm jetzt keine andere Wahl blieb, als zu reagieren – Rachel nestelte an seiner Hose herum, und die darauf folgende Verdoppelung des Schmerzes in seinen unteren Regionen zwang ihn, die Initiative zu ergreifen. Er versuchte zu protestieren, aber ihr Mund presste sich auf seinen, und alles, was er zu Stande brachte, war ein gedämpftes Stöhnen. Rachel hatte ihrerseits begonnen, ein wenig zu stöhnen, um zu zeigen, dass auch sie sich gut amüsierte.

Nachdem dieser unerquickliche und leicht ungleiche Kampf noch ein paar Sekunden weitergegangen war, schaffte Simon es, Rachel wegzuschieben. Sie setzte sich wieder hin; ihre Pupillen waren geweitet, und ihr Atem ging schwer.

»Wow«, hauchte sie.

»Ähm«, erwiderte Simon.

»Das«, meinte Rachel, »war *schön*.« Sie lehnte sich zurück und griff nach ihrem Weinglas. Als Simon sie beim Trinken beobachtete, kam ihm eine Idee.

Er verzog gequält das Gesicht.

»Stimmt etwas nicht?«, fragte Rachel.

Simon umklammerte die Armlehne des Sofas. Er sagte nichts, sondern blickte nur leidend drein.

»Was ist denn?«, begehrte Rachel zu wissen.

Simon erhob sich unsicher auf die Füße. »Tut mir Leid«, stammelte er. »Mir ist plötzlich gar nicht gut.«

Rachel runzelte die Stirn. »Was ...?«, fragte sie, bevor

Simon, der den Augenblick perfekt wählte, mit einem geziemend theatralischen Ächzen aus dem Zimmer stürzte und sich dabei beide Hände auf den Mund presste. Er ging ins Badezimmer, wo er sich mit dem Rücken an die Tür lehnte und ein paarmal tief Luft holte.

Dann begann Simon laute Würgegeräusche auszustoßen. Er hustete, er gurgelte. Er saß auf der Toilette und starrte elend an die Decke, während er ein üppiges akustisches Wandgemälde von etwas heraufbeschwor, das unter grausamer Übelkeit litt. Und, das musste er zugeben, es klang ziemlich gut.

Da klopfte es leise an der Tür. Simon kniete sich hastig vor die Toilette hin und öffnete den Deckel. »Ja, bitte?«, stöhnte er.

Die Tür öffnete sich einen Spaltbreit, und Rachel spähte hinein. »Ist alles in Ordnung bei dir?«, fragte sie.

Wow, eine schöne Ärztin bist du mir, dachte Simon. Er drehte sich zu ihr um und sah sie mit seinem treuesten Welpenblick an. »Mir ist nicht gut«, wiederholte er. »Ich habe mich sogar ein bisschen übergeben müssen.« Er wischte sich mit dem Hemdsärmel über den Mund und hoffte, dass Rachels berufliche Neugier sie nicht verleiten möge, das Erbrochene zu inspizieren. Hastig bewegte er sich eine Spur zur Seite, um ihr den Blick in die makellos saubere Toilettenschüssel zu versperren.

»Ich hab es gehört«, entgegnete Rachel. »Klang schlimm.«

Simon nickte traurig. »War es auch. Ist es. Das heißt, ich glaube nicht, dass ich ...« Er drehte sich hastig um, steckte den Kopf tief in die Toilettenschüssel und begann, schwer zu atmen.

»Ich glaube, ich lasse dich jetzt besser allein«, erklärte Rachel, bevor sie die Tür hinter sich zuzog.

Simon stand wieder auf und begann gekonnt, so zu tun, als müsste er sich übergeben, während er griesgrämig sein Gesicht im Badezimmerspiegel betrachtete. Wie lange, fragte er sich, würde er so weitermachen müssen, bevor Rachels Leidenschaft sich gänzlich abgekühlt hatte?

Ein paar Minuten später kam Simon aus dem Badezimmer zum Vorschein. Er hatte keinen Plan B parat, für den Fall, dass Rachel inzwischen nicht völlig angewidert war von seiner Darbietung im Bad. Nervös spähte er ins Wohnzimmer.

Rachel Gilbert war auf dem Sofa eingeschlafen.

9. KAPITEL

Es gab eine laute Explosion, als ein Automotor eine Fehlzündung hatte.

Ein Auge.

Eine Schwadron dickbrüstiger Vögel begann vor dem Fenster zu singen. Vom Gehsteig schwoll ein Kinderschrei herauf.

Anderthalb Augen.

Das BUM BUM BUM des Bassmülleimers eines Nachbarn ließ die Fensterrahmen klappern.

Zwei Augen.

Simons Kopf blieb reglos auf dem Kissen liegen, während langsam die Erinnerungen an den vergangenen Abend in sein Gehirn zurückgespült wurden. Er stöhnte. Zumindest war der Schmerz in seinen unteren Regionen verschwunden. Die Erleichterung, die diese Erkenntnis normalerweise ausgelöst hätte, wurde jedoch ein wenig von der Wildheit von Simons Kater gedämpft, der sich so anfühlte, als wäre der vordere Teil seines Gehirns in einem stramm gespannten Schraubstock gefangen. Vorsichtig drehte er sich um. Das Bett war leer. Simon hievte sich heraus. Dann spähte er durch die Tür ins Wohnzimmer. Das Sofa war leer.

Simon stieß einen Seufzer der Erleichterung aus. Rachel Gilbert war verschwunden. Er ging in die Küche und stellte den Kessel auf. Neben der Spüle lagen einige zusammengefaltete Bögen Papier. Obenauf befand sich eine Seite von dem Schreibblock neben dem Telefon. Darauf waren einige Worte gekritzelt worden.

Hallo, Simon. Danke für einen interessanten Abend. Ich hoffe, es geht Ihnen heute besser. Tut mir Leid, dass ich Ihnen einfach eingeschlafen bin. Wie auch immer. Ich dachte, dies hier würde Sie vielleicht interessieren.

Rachel

P. S.: Tut mir Leid, dass ich keine der »Geschichten, mit denen ich mich selbst auf die Schippe nehme«, zu hören bekommen habe. Das klang interessant.

Stirnrunzelnd nahm Simon die Notiz zur Hand und inspizierte sie. Auf der anderen Seite standen die Worte: *Hobbys, denkwürdige Mahlzeit, Ärztin, Träume. Geschichten, mit denen ich mich selbst auf die Schippe nehme,* die er sich nach seinem Gespräch mit Joe notiert hatte. Er warf den Zettel in den Müll. Dann nahm er sich die anderen Papiere, die Rachel dagelassen hatte, und begann zu lesen.

Stiftungskrankenhaus St. Botolph
Internes Memorandum
Streng privat und vertraulich

An: Personalvorstand
Sekretariat des Stifterverbandes
Chefarzt Chirurgie

Absender: Krankenhausverwaltung

Betr.: Samstag, der 10. Juli

Ich bin gebeten worden, einen Bericht über die Vorfälle zu verfassen, die sich in der Notaufnahme des Krankenhauses am Abend des 10. Juli ereigneten.

Mr. Teller kam schätzungsweise um dreiundzwanzig Uhr fünfzehn in die Notaufnahme. Schwester Bagnall, die zu der Zeit Dienst tat, sah sofort, dass Mr. Teller gewisse Schwierigkeiten hatte zu sprechen. Schwester Bagnall glaubte, dies könne ein Symptom einer vorangegangenen Gehirnerschütterung sein, und piepte einen Arzt an, damit eine Voruntersuchung des Patienten vorgenommen werde.

Die Untersuchung wurde von Dr. Cooper durchgeführt, der feststellte, dass Mr. Teller lediglich extrem betrunken war. Außerdem habe Mr. Teller sich das rechte Handgelenk verstaucht (siehe beigelegten medizinischen Bericht).

Nachdem festgestellt worden war, dass keine unmittelbare Gefahr bestand, wies Dr. Cooper Mr. Teller an, in der Ambulanz Platz zu nehmen, bis ein Arzt sich sein Handgelenk ansehen könnte. Mr. Teller kehrte schätzungsweise um elf Uhr fünfundvierzig abends in den Wartebereich zurück.

Der nächste Zwischenfall ereignete sich gegen null Uhr dreißig vor dem Kaffeeautomaten im Wartebereich der Notaufnahme. Mr. Stuart Booker hatte Anstoß daran genommen, wie Mr. Teller zuvor mit seiner Freundin, Anita Hulse, gesprochen hatte, und war Mr. Teller zum Kaffeeautomaten gefolgt, um ihn deswegen zur Rede zu stellen. Dort bezichtigte er Mr. Teller, Miss Hulse gegenüber zweideutige und anstößige Bemerkungen gemacht zu haben. Später bezüglich dieser Anschuldigungen befragt, deutete Mr. Booker an, Mr. Teller habe mit Miss Hulse darüber gesprochen, wie Samenflüssigkeit in Badewasser aussehe.

Im Verlaufe der Unterredung vor dem Kaffeeautomaten scheint Mr. Booker Mr. Teller angerempelt zu haben, sodass Mr. Teller rückwärts gegen eine fahrbare Liege geschleudert wurde, auf der Mrs. Ida Matthews lag. Unglücklicherweise waren deren Bremsen nicht festgestellt worden, sodass die Liege mit Mrs. Matthews darauf durch Mr. Tellers Aufprall rückwärts rollte.

Der Kaffeeautomat in der Notaufnahme befindet sich neben der Treppe, die zu Block C und zum Leichenschauhaus hinunterführt. Mrs. Matthews' Liege stand oben an dieser Treppe, und die Kraft, die durch Mr. Tellers Aufprall übertragen wurde, führte dazu, dass das Bett über die Treppe nach unten stürzte. Glücklicherweise wurde es aufgehalten, bevor es die unterste Treppenstufe erreichte, sodass Mrs. Matthews keine anderen abträglichen Nachwirkungen zu beklagen hatte als ein gewisses Maß an gefühlsmäßigem Aufruhr, der durch ihren vorzeitigen Abstieg zum Leichenschauhaus verursacht worden war. Die Liege wurde von Mr. Liam Thrush gebremst, der soeben im Leichenschauhaus den Leichnam seiner Mutter identifiziert hatte und sich daher in einem Zustand der Erregung befand. Nachdem er Mrs. Matthews' Sturz gebremst hatte, sah Mr. Thrush Mr. Teller oben an der Treppe an der Wand lehnen. Daraus schloss Mr. Thrush, dass Mr. Teller Mrs. Matthews' Krankenbett aus Jux und Tollerei die Treppe hinuntergestoßen haben müsse.

Dies ist der Grund, den Mr. Thrush für sein folgendes Benehmen genannt hat. Er begann, Mr. Teller durch den Wartebereich zu jagen, und Mr. Booker schloss sich der Verfolgung bald an.

Mr. Teller rannte daraufhin durchs Krankenhaus, um seinen beiden Verfolgern zu entkommen. Als er jedoch um die Ecke am oberen Ende des Treppenhauses drei bog, kollidierte er mit Sanitäter Hughes, der gerade auf dem Weg in den OP war. Sanitäter Hughes trug ein Herz, das dem Opfer eines tödlichen Autounfalls in den West Midlands entnommen worden war. Wie die Mitglieder des Vorstands wissen werden, werden Herzen in Fluggepäckkoffern aus Aluminium transportiert. Bei seinem Zusammenstoß mit Mr. Teller ließ Sanitäter Hughes den Aluminiumkoffer fallen. Glücklicherweise wurde der Sturz des Koffers dadurch gebremst, dass er auf Mr. Tellers großem Zeh landete.

Nachdem er den Koffer wieder an sich genommen hatte, konnte Sanitäter Hughes seinen Weg zum OP fortsetzen. Das Herz wurde durch den Zwischenfall nicht beschädigt und die Transplantation erfolgreich durchgeführt. Der Aufprall des Aluminiumkoffers führte zu einer schweren Prellung von Mr. Tellers großem Zeh.

Mr. Teller war so betrunken, dass er den Schaden an seinem Zeh gar nicht zu bemerken schien, und er rannte weiter, um den Herren Thrush und Booker zu entfliehen. Schließlich kam er in eine Sackgasse, und zwar in dem Korridor, der zu Station E führt (deren Türen seit dem Bakterienalarm im letzten Frühjahr abgeschlossen sind). Am Ende des Korridors standen mehrere leere Betten. Als Mr. Thrush und Mr. Booker sich näherten, kletterte Mr. Teller auf das nächstbeste Bett und begann, mit den Füßen nach den beiden Männern zu treten. Dabei verlor er das Gleichgewicht und fiel von dem Bett herunter, und beim Aufprall auf dem Boden verrenkte er sich das Gelenk des linken Fußes, was zu weiterem Schmerz führte.

An dieser Stelle erschien Krankenhauspersonal auf dem Plan, um die beiden anderen Herren davon zu überzeugen, dass mit weiteren Gewalttätigkeiten gegen Mr. Teller nichts zu gewinnen sei.

Mr. Teller wurde augenblicklich in Behandlung genommen, um die Möglichkeit weiterer Angriffe auszuschließen. Er wurde am Sonntagnachmittag entlassen.

rjt

Simon las den Bericht noch zweimal. Aha. Sein Zeh war von einem Herzen verletzt worden. Was für eine Ironie! In der Vergangenheit war es gewöhnlich sein Herz gewesen, das verletzt worden war, weil es mit Füßen getreten worden war. Als er auf der Suche nach Aspirin durch die Wohnung wanderte, dämmerte ihm langsam, warum die Schwester so verschlossen gewesen war und dabei gleichzeitig hysterischem Gelächter so nah. Hm, dachte er. Da hast du wirklich den tiefsten Tiefstand erreicht. Simon humpelte ins Badezimmer und musste sich prompt übergeben, und diesmal war es nicht gespielt.

Ein paar Stunden später hatten sich die Dinge noch nicht entscheidend gebessert.

Simon sah sich in der Küche um. Sie befand sich in

185

einem absolut chaotischen Zustand. Neben der Spüle lag die unberührte zweite Portion Hummer, die jetzt gänzlich verdorben war. Simon zog sich ins Bett zurück.

Als der Nachmittag schon weit fortgeschritten war, schlüpfte Simon endlich in Pullover und Hose und begann, die Trümmer des vergangenen Abends zu entsorgen. Als dies geschehen war, ging er aus, um eine Zeitung zu kaufen. Es musste besser sein, über die Probleme anderer Leute zu lesen, als über den eigenen zu brüten, fand er.

Zurück in der Wohnung und wieder auf dem Sofa, überflog Simon etliche der verschiedenen Sparten der Zeitung, war aber zu abgelenkt, um viel aufzunehmen. Er sah auf seine Armbanduhr. Es war jetzt Spätnachmittag. Der Tag verging zu langsam und zog Simons Elend unnötig in die Länge. Er schaltete den Fernseher ein und zappte durch die Kanäle. Sämtliche Sendungen drehten sich entweder um Religion oder um Antiquitäten. Eine handelte sogar von religiösen Antiquitäten. Er schaltete den Fernseher aus.

Simon hatte sich noch nie so einsam gefühlt.

Er rang mit sich, ob er Kate anrufen sollte, und versuchte herauszufinden, wie viel Uhr es in Australien sein musste. Sehr früh am Montagmorgen. Kate würde entweder tief schlafen oder noch mit den Einheimischen zechen.

Schließlich wanderten Simons Gedanken wieder zu seinem Gespräch mit Joe in dem Pub zurück. Er dachte an Joes unbeschwerte Einstellung gegenüber One-Night-Stands. Er hatte sein Bestes getan, aber nicht mehr zu Wege gebracht als einen One-Night-Krampf. Wie stellte Joe es an, dass die Sache dermaßen klappte? Oder, um genauer zu sein, wie schaffte Simon es, dass alles so schief lief?

Er starrte das Telefon lange an, bevor er endlich den Hörer aufnahm.

10. KAPITEL

Pillock and Pineapple«, Pint 1

»Prost.«

»Prost.«

»Oh, fantastisch. Erdnüsse. Du bist ein Gedankenleser. Also, was ist passiert?«

»Hm, nichts. Das ist es ja. Ich kam vom Klo, und sie war auf dem Sofa eingeschlafen.«

»Hast du nicht versucht, sie zu wecken?«

»O Gott, nein. Es war perfekt. Dem Himmel sei Dank für diese Nakrolepsie. Sie war schlichtweg k. o. gegangen.«

»Und am Morgen?«

»Am Morgen war sie weg. Verschwunden.«

»Und dein Penis?«

»Scheint jetzt wieder in Ordnung zu sein. Keine nennenswerten Spätschäden, soweit ich sehen kann.«

»Voll betriebsfähig also?«

»Sieht so aus.«

»Schade, dass deine Ärztin nicht lange genug geblieben ist, damit du ihn ausprobieren konntest.«

»Ich bin davon überzeugt, dass sie es gar nicht erwarten konnte wegzukommen. Ich habe bei der Vorstellung im Bad wirklich mein Bestes gegeben. Es muss geklungen haben, als hätte ich die Beulenpest. Außerdem hatten wir nicht gerade einen erfolgreichen Abend hinter uns.«

»Das mit dem Essen war Pech.«

»Unglaubliches Pech. Hör mal, danke, dass du herge-kommen bist.«

»Himmel, nicht der Rede wert. Es ist nicht direkt harte Arbeit, Bier zu trinken und Erdnüsse zu essen, oder?«

»Na ja, trotzdem, ich weiß es zu schätzen. Ich musste einfach raus aus meiner Wohnung. Ich war kurz davor, mir eine Überdosis Aspirin und Selbstmitleid zu gön-nen.«

»Wirklich, keine Ursache. Außerdem wollte ich der Erste sein, der den ganzen saftigen Klatsch und Tratsch zu hören bekommt.«

»Und, hat es sich gelohnt? War es dir saftig genug?«

»Nun, ich muss zugeben, so eine Geschichte habe ich lange nicht mehr gehört.«

»Kann ich mir vorstellen.«

»Oh, komm schon, Kopf hoch. Ich habe schon Schlim-meres gehört.«

»Wirklich?«

»Hm, na schön, nicht direkt Schlimmeres, aber Sachen, die genauso schlimm waren.«

»Das fällt mir schwer zu glauben.«

»Sieh mal, Simon, mir ist klar, dass es nicht ganz nach Plan gelaufen ist, aber du darfst dich davon nicht runter-ziehen lassen. Ich meine, schließlich wollte sie mit dir ins Bett gehen, nicht wahr?«

»Na ja, es sah jedenfalls so aus, aber ich wollte nicht ...«

»Genau. *Sie wollte es.* Okay, du bist dann doch nicht zum Zug gekommen, aber du hast die eigentliche Hürde genommen. Trotz all der Katastrophen mit dem Essen fühlte sie sich zu dir hingezogen. Sie wollte Sex.«

»Worauf willst du hinaus, Joe?«

»Ich will darauf hinaus, dass du die letzte Nacht als

Ermutigung nehmen solltest, statt deswegen niedergeschlagen zu sein. Du warst ein Erfolg. Sie hat danach gelechzt.«

»Ich weiß nicht. Ich habe nur das Gefühl, dass das ganze Unternehmen unter einem schlechten Stern steht. Ich spüre einfach, dass ich mich bei jeder sich bietenden Gelegenheit zum Narren machen werde. Ich weiß es einfach. So ist das bei mir. Keine Abenteuer mehr. Meine Karriere als Schwerenöter ist offiziell vorbei.«

»Aber *warum*? Nur wegen eines kleinen Missgeschicks wie diesem?«

»Einfach *darum*, in Ordnung?«

»Nun, es ist schwer, gegen eine derart zwingende Logik zu argumentieren.«

»Ach, hau doch ab.«

»Schon gut. Komm wieder runter.«

»Entschuldige. Ich bin einfach niedergeschlagen.«

»Das sehe ich. Und ich versuche, dich aufzumuntern.«

»Es funktioniert nicht.«

»Warum hast du mich dann auf einen Drink eingeladen?«

»Ich weiß nicht. Vielleicht weil das Ganze *deine Schuld ist*?«

»Oh, na komm schon, das ist aber nicht fair.«

»Fair? Wer hat hier irgendwas von *Fairness* gesagt?«

»Hör mal, du musst einfach wieder Oberwasser kriegen. Sei nicht so hart gegen dich selbst. Du kannst nicht wegen einer einzigen glücklosen Nacht die Flinte ins Korn werfen. Betrachte es als eine Lernerfahrung.«

»Was genau soll ich eigentlich lernen?«

»Etwas über Frauen.«

»Gott im Himmel. Ich bin einunddreißig.«

»Na ja, du hängst in der Schule ein paar Jahre hinterher, wegen dieses ganzen Schwachsinns, von wegen: Frauen sind auch Menschen.«

»Im Ernst, Joe, es ist alles ein bisschen zu wenig, zu spät. Es leuchtet mir nicht ein, wieso es sich lohnen könnte, auf dieser Schiene weiterzumachen.«

»*Natürlich* lohnt es sich. Alles, was du brauchst, ist am Anfang ein bisschen Glück, und bevor du weißt, wie dir geschieht, kannst du dich vor verfügbaren Frauen gar nicht mehr retten. Ich verspreche es. Du wirst schon sehen.«

»Könnte ich nicht lieber eine richtig Nette haben statt einer ganzen Horde?«

»Darf ich diesem sehnsüchtigen Tonfall entnehmen, dass du jemand Bestimmtes im Sinn hast?«

»Natürlich nicht.«

»Dachte ich mir doch. Jemand, den ich kenne?«

»Mach dich nicht lächerlich.«

»Warte mal. Ich weiß es. Diese Französin. Bei der Dinnerparty. Wie hieß sie noch gleich?«

»Gott, du kannst einfach unmöglich sein.«

»*Delphine*. Sie ist es, nicht wahr?«

»Ach, halt die Klappe.«

»Nein, nein, hör mal, das ist eine exzellente Wahl. Sie ist zum Anbeißen.«

»Wenn du jetzt auch noch eine Bemerkung über Scheißhaustüren oder Hurrikans machst, bist du ein toter Mann.«

»Der Gedanke ist mir nie in den Sinn gekommen. Also, wenn du ein Auge auf Delphine geworfen hast, warum hast du dich nicht bei ihr gemeldet?«

»Oh, nun mach mal halblang. Warum schlägst du mir nicht gleich vor, ich soll in Unterhosen auf den Himalaja klettern? Das läuft einfach nicht.«

»Warum nicht?«

»Weil sie *absolut* unerreichbar für mich ist.«

»Simon, niemand, und ich meine *niemand*, ist für irgendjemanden unerreichbar. Sieh dir Billy Joel an.«

»Was ist mit Billy Joel?«

»Nun, er ist hässlich, nicht wahr? Aber er ist trotzdem mit Christie Brinkley verheiratet.«

»Was, und weil Billy Joel es kann, kann ich es auch?«

»Genau.«

»Es gibt da einen kleinen Unterschied zwischen mir und Billy Joel, den du vergessen hast.«

»Und der wäre?«

»Nun, Billy Joel ist sagenhaft reich.«

»Und?«

»Na hör mal, du kannst nicht abstreiten, dass diese Kleinigkeit etwas damit zu tun haben könnte.«

»In Ordnung. Vielleicht hast du da nicht ganz Unrecht. Aber Tatsache ist doch, dass der hässliche Kerl das wunderschöne Mädchen bekommen hat.«

»Und daraus sollte ich Trost schöpfen?«

»Natürlich.«

»Hm, das ist *sehr* inspirierend.«

»Vielen Dank. Ich bemühe mich zu gefallen.«

»Ach, übrigens, ich wollte noch fragen, wie es mit diesem Mädchen gelaufen ist? Dem Seurat-Mädchen. Wie war noch gleich ihr Name?«

»Himmel. Kann mich nicht erinnern. Claire?«

»Genau die meine ich.«

»Yeah. Es war gut.«

»Was habt ihr gemacht?«

»Wir haben uns ein paar Drinks genehmigt und sind dann zu mir gegangen. Dann haben wir *alles* gemacht.«

»Was? Einfach so?«

»Simon, du musst endlich in den Kopf bekommen, dass alle anderen Menschen einen anderen Zeitplan haben als du. Du musst ein bisschen Dampf machen und die Sache so schnell wie möglich erledigen. Keine Zeit verschwenden.«

»Das sagst du mir jedenfalls.«

»Es ist *wahr*. Wenn du in dem Tempo weitermachst, wirst du nie wieder Sex haben, nie wieder.«

»Alles klar. Aber mal angenommen – *angenommen* –, dass ich mich entschließe, mit diesem kleinen Experiment fortzufahren, was soll ich deiner Meinung nach das nächste Mal anders machen?«

»Also, zum einen: Pack nicht deinen Pimmel an, wenn du Chilisaft an den Fingern hast.«

»Davon mal abgesehen.«

»Davon abgesehen nicht viel. Du hast doch alles richtig gemacht, oder?«

»Na ja, ich war alles andere als entspannt. Es wäre nett, wenn ich einen Teil davon hinter mich bringen könnte, ohne mich die ganze Zeit so verdammt unwohl in meiner Haut zu fühlen. Ich meine, wenn ich mich recht erinnere, ist es nicht unvernünftig zu erwarten, dass man dabei *Spaß* hat. Darum geht es doch eigentlich, oder?«

»Weißt du, was vielleicht helfen könnte?«

»Was?«

»Ein neues Image.«

»Wirklich? Was ist denn an meinem alten auszusetzen?«

»Oh, nichts, gar nichts. Es ist nur, dass dir eine Veränderung vielleicht gut tun würde. Du weißt schon. Eine Veränderung ist genauso gut wie eine Ruhepause, dieser ganze Quatsch eben.«

»Was hast du denn im Sinn?«

»Dein Haar zum Beispiel.«

»Was ist an meinem Haar auszusetzen?«

»Es ist nichts daran *auszusetzen*. Es ist nur ein bisschen ... Ich weiß nicht. Du könntest einen flippigeren Haarschnitt gebrauchen.«

»Das ist ja fantastisch. Einen flippigen Haarschnitt. Ist das dein Ernst?«

»Absolut. Hör mal, ich kenne da einen Frisör. Der Mann ist Iraner, glaube ich. Er ist gut. Ich gehe schon seit Jahren zu ihm.«

»Und du meinst wirklich, das würde helfen?«

»Keine Frage. Und schaden kann es auf keinen Fall, oder? Sein Name ist Corky. Hast du einen Kuli?«

»Hier.«

»Das ist seine Adresse. Versuch es mal mit ihm.«

»Vielleicht. Aber ich verspreche nichts.«

»Wie du willst. Ich versuche ja nur zu helfen.«

»Ich kann es nicht fassen, dass ich das auch nur in Erwägung ziehe.«

»Oh, komm schon. Es wird bestimmt Spaß machen.«

»Diese ganze Jagd nach ›Sex ohne Hintergedanken‹. Ich muss verrückt sein.«

»Nein, du bist lediglich *normal*.«

»Ich weiß nicht mehr, was normal ist. Ich meine, bei allem Respekt, du bist völlig besessen.«

»Vielleicht. Wusstest du, dass es in Deutschland ein Kaff namens Hodenhagen gibt?«

»Übrigens Joe, es gibt da etwas, das ich dich fragen wollte.«

»Schieß los.«

»Na ja. Wir sind nicht mehr in den Sechzigern. Sex ist heutzutage schon ein bisschen beängstigend. Du weißt schon, mit all den Krankheiten, die es so gibt. Man hat heute eine Verantwortung, die früher nicht da war, meinst du nicht auch?«

»Oh, na klar. Man muss heutzutage vorsichtig sein.«

»Trägst du immer ein Kondom?«

»Heiliger Himmel. Natürlich tue ich das. Ich habe jetzt seit Jahren schon keinen ungeschützten Sex mehr gehabt.«

»Und davor?«

»Na ja, da hatte ich auch meistens ein Kondom, aber manchmal hab ich es auch ohne getan. Das war in dem Stadium, als die Leute noch glaubten, Aids sei lediglich eine Krankheit von Schwulen, Drogenabhängigen und Blutern.«

»Aber machst du dir denn niemals deswegen Sorgen?«

»Ich habe mir Sorgen gemacht. Na ja, Sorgen ist nicht das richtige Wort. Ich hatte Todesangst, um genau zu sein. Ich habe in der Badewanne gelegen und an all die Frauen gedacht, mit denen ich geschlafen hatte, und dann habe ich mich natürlich gefragt, mit wem sie geschlafen hatten und mit wem *die* wiederum geschlafen hatten. Ich wurde ganz krank, wenn ich nur darüber nachdachte.«

»Du scheinst jetzt aber in dem Punkt ziemlich gelassen zu sein.«

»Ich habe einen Test machen lassen.«

»Wirklich?«

»Klar. Ich konnte vor Angst nicht mehr schlafen. Nicht weil ich besonders leichtsinnig gewesen wäre, nur einfach *darum*. Es war die Ungewissheit, die so schrecklich war. Ich wollte es einfach wissen.«

»Mein Gott. Wie war es denn?«

»Grässlich. Es hat Tage gedauert, bis das Ergebnis vorlag. Diese Tage waren nicht besonders spaßig. Ich konnte mich auf nichts konzentrieren. Ich konnte nur an eins denken: Dies hier wird dein Leben für immer verändern. Dies könnte ein Tag sein, an den du dich für den Rest deines Lebens erinnern wirst, der Tag, an dem sich alles veränderte. Vergiss den Tod – ich dachte an den Rest meines Lebens. Als ich in der Klinik ankam, war ich nur noch ein sabberndes nervliches Wrack.«

»Aber es war alles in Ordnung.«

»Yeah. Es war alles bestens. Ich war richtig stolz darauf, dass ich nicht an Ort und Stelle vor Erleichterung in Tränen ausgebrochen bin.«

»Es war sehr mutig von dir, dass du den Test überhaupt hast machen lassen.«

»Hm. Vielleicht. Aber ich *musste* es tun, um meinetwillen, um mir nicht mehr ständig Sorgen zu machen. Es war die eine höllische Woche schon wert.«

»Ich bin mir nicht sicher, ob ich das durchstehen würde.«

»Simon, Kumpel, es klingt nicht so, als hättest du es nötig, bei dem Tempo, in dem du sie flachlegst.«

»Sehr witzig. Reib es mir ruhig noch unter die Nase.«

»Haben wir noch Zeit für ein Glas?«

»Pillock and Pineapple«, Pint 2

»Vielen Dank. Hast du heute Abend schon was gegessen?«

»Nein. Es ist eine Zeitverschwendung zu essen, wenn man später noch was trinken will. Es verlangsamt lediglich den Prozess des Betrunkenwerdens.«

»Ich dachte, genau darum ginge es.«

»Na ja, kommt auf den Standpunkt an. Gehst du in den Pub, um dich an der Gesellschaft deiner Freunde zu er-

freuen, an der warmen Atmosphäre des von dir gewählten Gasthauses, an den schlagfertigen Antworten und
dem Geplänkel der Gespräche, oder gehst du hin, um
obszöne Lieder zu singen und dich ordentlich voll laufen
zu lassen?«

»Warum sollte irgendjemand obszöne Lieder singen
wollen? So benimmt man sich einfach nicht.«

»Hast du es schon mal versucht?«

»Lieber Himmel. Nein.«

»Aha. Dann kannst du gar nicht wissen, was für ein
Riesenspaß das ist.«

»Hm, klar. Aber ist es nicht möglich, sich seine Mischung einfach anders zusammenzustellen und das mit
den schlagfertigen Antworten und dem Besaufen zu
kombinieren?«

»Natürlich kann man das machen, aber wenn das Besaufen dein Endziel ist, dann trinkst du am besten auf
leeren Magen. Das bringt viel mehr. Und ist auch billi-
ger.«

»Es überrascht mich, dass du das zugibst.«

»Warum?«

»Weil die meisten Leute das nicht tun würden. Und
wenn doch, dann normalerweise in einem überraschten
Tonfall am Ende des Abends. Du weißt schon, sie stehen
plötzlich neben dir, legen dir eine Hand auf die Schulter
und flüstern: ›Ich glaube, jetzt bin ich tatsächlich blau‹,
als wäre das nach sieben Litern Bier etwas Unerwarte-
tes.«

»Aber Simon, das ist doch alles nur ein Teil der fiktio-
nalen Welt, in der die Männer leben. Sieh dir die Fakten
an. Erstens: Wenn du genug Bier trinkst, bist du am Ende
betrunken. Das wissen wir. Zweitens: Je mehr Bier du als
Mann trinkst, desto mehr Respekt genießt du bei deinen

Kumpanen. Warum? Vor allem wegen Tatsache eins. Aber aus irgendeinem Grund ist es absolut verboten, die bloße Existenz von Tatsache eins zuzugeben. Jeder leugnet die Sache mit dem Alkohol, bis man sternhagelvoll ist und nur noch lallen kann oder in der Gosse liegt, und an dieser Stelle applaudieren dann alle, weil du so ein guter Kumpel bist.«

»Aber es ist doch dämlich, sich so zu benehmen. Sich in aller Öffentlichkeit bis zur Besinnungslosigkeit zu betrinken. Das ist wie mit den obszönen Liedern. Widerlich. Deshalb überrascht es mich wahrscheinlich, dass du *zugibst*, dass du dich betrinken willst.«

»Das Leben ist zu kurz, um den Macho zu markieren. Ich habe im Augenblick Ferien. Ich brauche morgen nicht zur Arbeit zu gehen. Was schert es mich, ob ich morgen einen Kater habe?«

»Also isst du nie was, wenn du noch einen trinken gehst?«

»Das kommt drauf an. Vor einer großen Kneipenrunde esse ich im Allgemeinen nichts. Wenn es ein guter Abend war, kann man sich im Allgemeinen darauf verlassen, dass irgendjemand kurz vor der Sperrstunde noch einen Ausflug in das nächste indische Restaurant vorschlägt, um was zu essen.«

»Pfui Teufel.«

»Pfui ist das richtige Wort. Aus irgendeinem Grund hat der Gedanke an ein Currygericht einen gewaltigen Reiz, wenn man im Pub bei seinem letzten Glas Bier sitzt. Und selbst während man riesige Löffel von dieser glitschigen Minzsoße über sein Zwiebelbhaji klatscht und mit einem nachgeahmten indischen Akzent spricht, kommt es einem noch begehrenswert vor. Erst wenn sie den Teller mit dem klebrigen Reis und einem dampfenden Haufen unidentifizierbaren *Fleisches* vor dich hin-stellen, kommt dir der Gedanke, dass das Ganze viel-leicht doch keine besonders gute Idee war.«

»Warum machst du es dann immer wieder?«

»Keine Ahnung. Vielleicht haben die Männer irgend-wo eine kleine Drüse in ihrem Gehirn, die wie jene der Frauen funktioniert und die gleich nach der Geburt eines Babys die Erinnerung an den Schmerz der Wehen aus-löscht.«

»Ich bin mir nicht sicher, ob ich dir ganz folgen kann.«

»Also, diese Drüse der Frauen ist eine biologische Not-wendigkeit, weil sonst niemand mehr als ein einziges Kind bekäme. Und erst wenn sie das nächste Mal Wehen bekommen, denken sie: ›Oh, *Mist*. Jetzt fällt mir wieder ein, wie verdammt *weh* das getan hat.‹ Aber dann ist es natürlich zu spät. Und ich schätze, die Männer haben ein ähnliches Organ zur Auslöschung von Erinnerungen, wenn es um den Verzehr von Curry geht. Man erinnert sich einfach nicht mehr daran, wie sehr man es bedauert hat, das Zeug beim letzten Mal gegessen zu haben. Wäre da nicht diese kleine Besonderheit des männlichen Ge-hirns, hätten die meisten Inder in London schon vor Jah-ren Pleite gemacht.«

»Ich selbst bin kein großer Curryfan.«

»Ich auch nicht. Versteh mich nicht falsch, die Leute gehen nicht zum Inder, weil sie Curry mögen.«

»Ach nein?«

»Gott im Himmel, nein. Sie gehen zum Inder, weil sie da weiter Bier trinken können, wenn die Pubs schon ge-schlossen haben. Aber noch wichtiger, sie gehen wegen des Currywettkampfs.«

»Und das wäre?«

»Menschenskind, du hast wirklich was verpasst, oder?

Im Wesentlichen geht es darum, dass jeder Kerl versucht, im Restaurant das schärfste, ungenießbarste Curry zu essen, ohne zu heulen. Wer gewinnt, hat vielleicht einen irreparablen Schaden an seinen Geschmacksknospen davongetragen, aber er hat sich auch die Bewunderung und den Respekt seiner Kumpane verdient.«

»So ähnlich wie der, der nur noch lallen kann.«

»Genau. Übrigens handelt es sich dabei oft um dieselbe Person.«

»Wunderbar.«

»Ich kannte mal jemanden, dessen Vindaloo so scharf war, dass er am nächsten Tag ins Krankenhaus musste, solchen Schaden hatte er seinem Verdauungsapparat zugefügt. Jetzt kann er nichts essen, was stärker ist als ein mildes Langustenkorma.«

»Ehrlich, Joe, du bist ein Quell verführerischer Anekdoten.«

»Vielen Dank.«

»Vielleicht bin ich ja ein bisschen dämlich, aber ich sehe einfach den Reiz des Ganzen nicht.«

»Es *hat* keinen Reiz. Es geht mehr um Tradition und das männliche Ich-Gefühl.«

»Heiliger Bimbam. Was für ein Spaß.«

»Rümpf deswegen nicht die Nase. Du solltest es irgendwann mal versuchen.«

»Es ist schwer zu glauben, dass ich dieses Stadium meines Lebens erreicht habe, ohne jemals eine Erfahrung gemacht zu haben, die ein derart erfüllter und lohnender Zeitvertreib zu sein scheint.«

»Es ist nie zu spät anzufangen. Haben wir noch Zeit für ein Glas?«

»Pillock and Pineapple«, Pint 3

»Bitte schön.«

»Klasse. Vielen Dank.«

»Wann sind deine Ferien zu Ende?«

»Die Schule fängt Mitte September wieder an.«

»Macht es dir Spaß?«

»Ja und nein.«

»Faszinierend. Erzähl weiter.«

»Es ist schwer zu erklären. Ich unterrichte gern. Ich glaube, ich mache meine Sache ziemlich gut. Und ich habe weder politische noch philosophische Probleme mit privater Schulbildung. Wenn ich die hätte, wäre ich ein Heuchler, ausgerechnet in dieser Schule zu arbeiten. Wenn die Leute ihr Geld auf die Ausbildung ihrer Kinder verschwenden wollen, dann ist das ihre Sache. Meine Einwände gründen sich eher auf die empirischen Ergebnisse des Systems.«

»Was bedeutet?«

»Also, sieh mal, diese Schulen sind Geschäfte wie alle anderen auch. Um erfolgreich zu sein, müssen sie ihre Auftragsbücher füllen. Wie macht man das? Man braucht ein Produkt, das man verkaufen kann. Was ist in diesem Fall das Produkt? Es sind die Kinder, die man am Ende wieder ausspuckt.«

»Kapiert.«

»Nun ist es viel leichter, ein Produkt zu verkaufen, wenn die jeweiligen Produkte mehr oder weniger die gleichen sind. Du verstehst schon, man braucht eine Markenidentität oder etwas in der Art. Also haben diese Schulen sich in Fabriken verwandelt, die denselben nichts sagenden Stereotypen vom Fließband lassen und dabei jede Individualität ausmerzen.«

»Klingt nicht sehr gesund.«

»Ist es auch nicht.«

»Wobei du nicht vergessen darfst, dass ich eine solche Schule besucht habe.«

»Da hast du es. Du, Simon, bist die Ausnahme, die die Regel beweist. Wie auch immer. Erzähl mir was über deinen Job. Wie bist du eigentlich zur Zauberei gekommen?«

»Ich habe einmal zu Weihnachten einen Zauberkasten geschenkt bekommen. Meine Eltern haben mich für den Rest des Nachmittags nicht mehr zu Gesicht bekommen. Ich habe mein Zimmer erst wieder verlassen, als ich jeden Trick in dem Kasten beherrschte. Ich muss da so ungefähr neun gewesen sein. Nachdem ich für meine Familie den Weihnachtstag gerettet hatte, indem ich ihn ganz und gar in meinem Zimmer verbracht hatte, habe ich ihn anschließend wieder ruiniert, indem ich sie zwang, sich jeden einzelnen Trick von mir anzusehen, wodurch sie die erste Hälfte des Agatha-Christie-Films verpasst haben. Sie haben die Sache allerdings mit Fassung getragen. Ich glaube, sie hatten den Film schon mal gesehen.«

»Und dann?«

»Na ja, von da an hat sich die Sache eben weiterentwickelt. Ich ließ mir Kataloge schicken, kaufte Bücher und lag meinem Dad in den Ohren, mich in Geschäfte für Zaubereiartikel mitzunehmen, wann immer wir einen Tag in London verbrachten. Nach einer Weile hatte ich eine recht ansehnliche Sammlung von Zauberkunststücken angehäuft. Ich habe stundenlang geübt. Ich stand vor dem Spiegel, sah mir in die Augen und redete mit mir selbst, während ich aus dem Nichts Taschentücher hervorzauberte. Du kennst doch diese Leute, die ohne Gitarre einen Gitarrenspieler mimen – das hier war praktisch das Gleiche. Traurig, aber wahr. Die meisten Leute damals träumten davon, bei den Sisters of Mercy zu sein. Ich wollte einfach nur Paul Daniels sein.«

»Dann warst du also gut?«

»Nicht wirklich. Es war nur ein Hobby. Ich meine, ich hatte immer den Wunsch, es professionell aufzuziehen, aber in dem Alter wollte ich auch für Arsenal spielen und Rennfahrer werden. Es war ein Problem, mich zu entscheiden, auf welche glamouröse Karriere ich mich nun konzentrieren sollte. Überflüssig zu sagen, dass ich mit der Zauberei aufhörte, sobald ich in die Pubertät kam. Es kam gar nicht infrage, *das* weiterzumachen. Es war nicht cool genug, nicht annähernd. Also lagen all meine Zauber-Utensilien jahrelang unter meinem Bett, bis ich einmal in den Ferien von der Universität zurückkam. Eines Nachmittags langweilte ich mich und begann, noch mal mit den alten Sachen zu zaubern. Am Anfang des Semesters kehrte ich mit einer Menge Tricks zurück und fing an, meine Freunde zu Tode zu langweilen. Es war genau dasselbe wie bei jenem ersten Weihnachten. Nach der Universität kam ich nach London und ging allen möglichen grausam langweiligen Jobs nach. Ich wusste dabei nur eins, nämlich dass ich keinen richtigen Job wollte, bevor ich nicht mindestens fünfunddreißig war.«

»Hört sich für mich wie ein vernünftiger Plan an.«

»Also, eines Tages kam ich an dem Laden vorbei, in dem ich jetzt arbeite, und im Fenster stand ein Schild, dass ein Verkäufer gesucht werde. Ich bin aus einer Laune heraus reinmarschiert. Und da bin ich immer noch, zweieinhalb Jahre später.«

»Ah. Ich liebe Geschichten mit Happy End.«

»Tja, aber die Arbeit ist nicht direkt erfüllend. Ich meine, Zauberei ist ein amüsanter Zeitvertreib, doch die Welt wird man damit nicht verändern, nicht wahr?«

»Womit verändert man schon die Welt?«

»Gute Frage. Ich weiß es nicht.«

»Also, was würdest du wirklich gern machen?«

»Oh, das ist leicht beantwortet. Ich möchte einen Jazzclub betreiben.«

»Wirklich? Ich hätte dich nie für ein Geschöpf der Nacht gehalten.«

»Bin ich auch nicht. Ich habe noch nie begriffen, warum die Leute glauben, sie können nur nach zwei Uhr morgens Jazz hören.«

»Du magst Jazz?«

»Ha. Sozusagen. Ich bin ein bisschen besessen, was das betrifft, um ehrlich zu sein.«

»Ich selbst habe mich darauf nie richtig einlassen können.«

»Oh, das solltest du aber. Der Jazz hat etwas an sich, das ihn zu mehr macht – er ist mehr als Musik, viel mehr. Er transzendiert die Musik. Es ist irgendwie unheimlich. Als schüfe der Jazz eine direkte Verbindung zwischen dem Musiker und dem Zuhörer. Er ist elektrisierend. Hör dir mal ein großes Jazzsolo an – Miles, Ben Webster, Clifford Brown –, dann wirst du es einfach *wissen*. Du wirst es wissen. Und das alles, ohne dass ein Wort gesagt würde. Und die andere erstaunliche ... was ist denn?«

»Tut mir Leid, Simon, ich kann dir schon lange nicht mehr folgen.«

»Oh.«

»Aber es war trotzdem interessant.«

»Ich schätze, bei dem Thema gehen immer ein bisschen die Pferde mit mir durch.«

»Wir sollten zusammen einen Jazzclub aufmachen.«

»Also, *das* ist wirklich eine gute Idee.«

»Es wäre perfekt. Du könntest die Musik organisieren und zwischen den Auftritten Zaubertricks vorführen, und ich könnte Vorträge über *Heinrich IV., Teil eins* halten.«

»Klingt nach einer faszinierenden Kombination.«

»Wir könnten uns jeden Abend besaufen und müssten am nächsten Tag erst spät aus den Federn.«

»Und wir könnten die besten Musiker der Welt engagieren, die in unserem Club spielen wollten, weil es der beste in ganz London wäre.«

»Und er wäre so richtig exklusiv, und wir würden nur die Reichen und Berühmten aufnehmen, und draußen würden immer Paparazzi warten, um zu sehen, wer bei uns auftaucht.«

»Und wir könnten den Jazz richtig populär machen und ihn weiter verbreiten, sodass immer mehr Menschen an der Musik Gefallen finden würden.«

»Und alle würden uns kennen lernen wollen, und die schönsten Frauen würden mit uns schlafen wollen, nur um im Club aufgenommen zu werden.«

»Wir sollten es machen.«

»Yeah.«

»Nein, wirklich. Wir sollten es tun. Es wäre einfach große Klasse.«

»Also schön. Machen wir es. Hast du Lust, vorher noch irgendwo anders hinzugehen?«

»Faggot and Gherkin«, Pint 4 und 5 in einem

»My oneskin lies over my twoskin
My twoskin lies over my three
My threeskin lies over my foreskin

205

So pull back my foreskin for me

PULL BACK
PULL BACK
Pull back my foreskin for me
For me
PULL BACK
PULL BACK
Pull back may foreskin for me«

**»O'Malley McShamrock's Genuine Irish Hostellerie«,
Pint 6**
»He, hast du Lust auf einen schnellen Curry, wenn wir
ausgetrunken haben?«
   »Ja! Tolle Idee!«

»Bombay Balti Brasserie«, später
»Da ist Ihr Bier, Gentlemen. Kann ich jetzt Ihre Essensbe-
stellung aufnehmen?«
   »Mal sehen. Die machen hier eine gute Hühner-Tikka-
Masala.«
   »Oh, vergiss es. Ich möchte ein ... Wie hast du es noch
gleich genannt?«
   »Rindfleisch-Vindaloo?«
   »Genau, das meine ich. *Das* nehme ich.«
   »Bist du dir sicher?«
   »Klar bin ich mir sicher. Glaubst du, ich werde nicht
damit fertig?«
   »Nein, Simon, es ist nur ... oh, vergiss es.«
   »Also gut. Ein Rindfleisch-Vindaloo und ein paar Po-
palongs, bitte.«

206

»Poppadoms, Sir?«
»Genau.«
»Und für Sie, Sir?«
»Oh, ich nehme nur ein Langustenkorma, bitte.«

»Bombay Balti Brasserie«, noch später
»Simon, geht es dir gut?«
  »Ähm, ja.«
  »Sicher? Du siehst ein bisschen ... komisch aus.«
  »Nein, es ist alles in Ordnung. Mir ist nur ein bisschen ...«
  »Schnell, trink noch ein Bier.«

Eine Gosse, noch später
»Simon. Simon? Bist du okay? Kannst du aufstehen? Simon? Kannst du mich hören?«

11. KAPITEL

Donnerwetter«, entfuhr es Dean am nächsten Morgen, als Simon mit einer halben Stunde Verspätung zaghaft die Tür aufdrückte. »Du siehst ja schrecklich aus.«

»'n bisschen verkatert«, flüsterte Simon. »Ich hatte gestern eine tolle Nacht.«

»Ja?« Dean sah beeindruckt aus. »Was hast du gemacht?«

»Ich bin nur mit einem Kumpel von mir auf ein paar Drinks rausgegangen. Dann haben wir einen Curry gegessen.«

Dean wirkte überrascht. »Ich hätte nicht gedacht, dass du der Typ bist, der Curry isst.«

»Oh, doch«, erwiderte Simon. »Ich liebe einen guten Curry.« In Wahrheit hatte er eine gewisse Mühe beim Sprechen, die auf etliche aufgeplatzte Geschwüre an seinem Gaumen zurückzuführen waren. Schuld an diesen Geschwüren waren fünf Bissen – mehr hatte er nicht geschafft – von seinem brühheißen Rindfleisch-Vindaloo. Er hatte beschlossen, nie mehr auch nur in die Nähe eines indischen Restaurants zu gehen.

Simon lehnte sich an die Theke und schloss die Augen. Er hatte einen astronomischen Kater. Statt der üblichen schuldbeladenen Selbstvorwürfe bei einem Glas Wasser, in dem Schmerztöter vor sich hin zischelten, war der heutige Tag jedoch anders gewesen. Tatsächlich war Simon bester Laune. Zum ersten Mal in seinem Leben *genoss* er seinen Kater.

Er feierte: Letzte Nacht hatten er und Joe sich betrunken. Sie hatten geredet, sie hatten gezecht, und, ja, sie hatten obszöne Lieder gesungen. Ein Teil der Gespräche, das musste er zugeben, war von minderer moralischer Qualität gewesen, und ein Wirt hatte sie zum Gehen aufgefordert (was schon an sich eine neue Erfahrung für Simon war), aber alles in allem hatten sie einen tollen Abend gehabt, davon war er überzeugt.

In der Vergangenheit hatte Simon seine Kneipentouren eher mit Frauen gemacht, und die Nächte waren weniger lärmende und dafür zivilisiertere Angelegenheiten gewesen, selbst wenn das Trinken an sich entschlossener vonstatten gegangen war. Letzte Nacht jedoch war er in einer *Gang* unterwegs gewesen. Einer Gang, die nur aus zwei Männern bestanden hatte, zugegeben, aber die männliche Kameraderie, die er und Joe genossen hatten, hatte ihm eine unleugbare Befriedigung verschafft. Endlich, endlich fühlte Simon sich *zugehörig*. Das Leben widerfuhr nicht länger immer nur anderen Menschen; endlich war auch er einmal an der Reihe. Der Erfolg des vergangenen Abends hatte sogar das katastrophale Zwischenspiel mit Rachel Gilbert ausgelöscht.

Endlich verstand Simon, warum Männer sich wie Idioten benahmen, wenn sie zum Trinken durch die Kneipen zogen: Es machte Spaß, schlicht und einfach Spaß.

»Wie steht es mit dir, Dean?«, fragte Simon. »Schönes Wochenende gehabt?«

»Yeah, nicht schlecht«, antwortete Dean.

»Hast du was Nettes unternommen?«

»Nicht viel.«

»Hast du jemand Nettes gesehen?«

»Nicht wirklich.«

»Aber es war ein schönes Wochenende.«

»Yeah, nicht schlecht«, bestätigte Dean.

Simon wechselte die Taktik. »Freust du dich schon auf eine neue Woche voller Zauberei und Zerstörung?«

Dean schnitt eine Grimasse. »Nicht wirklich«, bekannte er.

»Nein«, stimmte Simon ihm zu. »Ich kann nicht behaupten, dass ich dir da einen Vorwurf mache.«

Vick war aus dem Lagerraum gekommen und hörte ihr Gespräch mit an. Ihre Anwesenheit nervte sowohl Simon als auch Dean, und schon bald verfielen sie in unbehagliches Schweigen.

»Simon«, begann Vick.

Simon drehte sich um. »Ja?«

»Kann ich ein Wort mit dir reden?«

»Also dann«, meinte Dean. »Ich bin weg.«

»Wo gehst du hin?«, wollte Simon wissen.

»Ähm, du weißt schon, weg«, antwortete Dean, bevor er in den Lagerraum eilte und Simon seinem Schicksal überließ.

»Okay, ich gehöre ganz dir«, erklärte Simon widerstrebend. Er machte sich auf einiges gefasst.

»Du bist ein Kerl, oder nicht?«, fragte Vick.

Simon zuckte die Schultern. »Okay, dann beantworte mir Folgendes«, fuhr Vick fort. »Warum gehst du als Kerl mehrmals mit einem Mädchen aus, ziehst diese ganzen romantischen Nummern ab, du weißt schon, und verschwindest dann plötzlich in der Versenkung?«

»Oje«, seufzte Simon. »Die junge Liebe läuft also nicht so glatt, wie sie sollte?«

Vick runzelte die Stirn. »Was?«, fragte sie gereizt.

»Probleme mit dem Freund?«, versuchte Simon es weiter.

Vick nickte. »Wenn er ein Freund ist.«

»Wie heißt er denn?«

Vick sah Simon argwöhnisch an. »Russell«, antwortete sie.

»Und wo genau liegt das Problem?«

»Er ruft mich nicht mehr an.«

Simon unterdrückte ein Lächeln. Es war tröstlich zu wissen, dass er nicht der Einzige mit romantischen Problemen war. Er stellte sich den unglückseligen Russell vor, sein Teenagergesicht verziert mit Akne und Babyflaum.

»Sprich weiter«, bat er. »Erzähl mir von Russell. Zum Beispiel, wo hast du ihn kennen gelernt?«

»In einem Club«, erwiderte Vick.

»Was, einem Schauspielclub? Fitnessclub?«

Vick sah Simon sehr merkwürdig an. »In einem Nachtclub in Brixton«, erklärte sie.

»Oh«, murmelte Simon. »Was hast du da gemacht?«

»Es findet jeden zweiten Donnerstag statt und nennt sich ›Überfall‹. Mit DJ Roadkill.«

Simon hakte nach. »Also schön, du hast ihn in diesem ›Club‹ kennen gelernt. Wann war das?«

»Vor ungefähr drei Wochen.«

»Alles klar. Und du hast ihn seither noch mal gesehen?«

»Ein- oder zweimal. Wir sind in andere Clubs gegangen und solche Sachen.«

»Und jetzt ruft er nicht an?«

Vick schüttelte den Kopf. »Wir wollten uns eigentlich letzten Donnerstag in einem neuen Club in Camberwell treffen, und er ist einfach nicht aufgetaucht. Und seither habe ich nichts von ihm gehört, keine Entschuldigung, gar nichts.«

»Na ja, vielleicht konnte er es nicht einrichten, und jetzt ist es ihm so peinlich, dass er sich nicht traut, dich anzurufen.« Simon sah im Geiste Russells Eltern vor sich, wie sie streng mit dem Zeigefinger drohten und eine Elf-Uhr-Sperrstunde an Schulabenden verhängten.

Vick sah nicht so aus, als hätte er sie überzeugt. »Aber er hätte anrufen sollen«, jammerte sie.

»Kannst *du* nicht ihn anrufen?«

Vick sah ihn schockiert an. »Sei nicht blöd«, brummte sie.

»Hm, na schön, also nicht«, gab Simon nach, den seine gute Laune großzügig machte. »Wenn du ihn zurückhaben willst, musst du ihn dazu bringen, dich zu begehren.«

»Und wie genau soll ich das anstellen?«

»Vielleicht solltest du ihn eifersüchtig machen.«

Vick sah ihn zweifelnd an. »Wie?«

Simon dachte nach. »Du könntest so tun, als würdest du mit einem anderen ausgehen. Jemandem, der viel cooler ist als er.«

»Und wie genau soll ich das anstellen?«

»Ganz leicht. Du lügst.«

Vick überlegte. »Okay. Also sagen wir, ich mache das. Und was dann?«

»Dann wartest du ab. Sobald ihm diese Geschichten über dich und den anderen Kerl zu Ohren kommen, wird ihm vielleicht klar, was für einen Fehler er gemacht hat, dann kommt er zu dir zurückgekrochen und bettelt darum, dass du ihn zurücknimmst. Und dann werdet ihr beide glücklich leben bis ans Ende eurer Tage.« Wobei Letzteres eher unwahrscheinlich war, dachte Simon.

»Interessant«, meinte Vick nachdenklich. »Ich werd es vielleicht mal versuchen.«

»Und jetzt erzähl mir noch ein bisschen mehr über diesen Russell.«

»Na ja«, begann Vick, »sein Name ist Russell Square.«

»Oh«, entfuhr es Simon. Russel Square und Victoria Station. Es war perfekt. Zwei Londoner U-Bahnen in der Liebe vereint. Simon verstand, warum die beiden sich zueinander hingezogen fühlten. Sie hatten wahrscheinlich beide auf dem Spielplatz eine Menge Spott über sich ergehen lassen müssen und daher beieinander Zuflucht gesucht. Simon blickte auf seine Schuhe hinab und versuchte, nicht in Gelächter auszubrechen.

»Komisch, nicht?«, fragte Vick.

»Aber gar nicht«, erwiderte Simon mit ausdruckslosem Gesicht. »Ein absolut anständiger Name.«

Vick schien ein wenig versöhnt zu sein. »Na ja. Wie auch immer. Danke für deinen Rat.« Sie dachte einen Augenblick lang nach. »Ich bin gleich vielleicht mal eine Minute weg«, erklärte sie. »Um schnell einen Anruf zu erledigen.«

»In Ordnung«, entgegnete Simon. »Was du heute kannst besorgen, das verschiebe nicht auf morgen.«

Vick sah Simon mit runden Augen an. »Genau«, sagte sie. »Bin gleich wieder da.« Sie drehte sich um und lief aus dem Laden.

Ein oder zwei Minuten später kam Dean aus dem Lagerraum und sah sich nervös um. »Ist sie weg?«, fragte er.

Simon nickte. »Die Luft ist rein.«

»Worum ging es denn?«, wollte er wissen.

»Probleme mit einem Jungen«, erklärte Simon.

Dean schnitt ein Gesicht.

»Hör mal«, meinte Simon. »Du wirst nicht glauben, wie dieser arme Junge heißt.«

Dean verschränkte die Arme vor der Brust. »Ich warte auf den Knüller.«

Simons Augen blitzten vor Heiterkeit. »Russell Square.«

Eine Weile blieb es still im Raum.

»Russell *Square*«, wiederholte Simon. »Du weißt schon, wie der Russell Square. Die U-Bahn-Station.«

Dean runzelte die Stirn. »Was soll das Ganze?«

»Findest du das nicht komisch? Victoria Station und Russell Square?«

»Es ist nichts Komisches daran, nach einem Ort benannt zu werden«, erwiderte Dean.

»Oh, na komm schon«, gab Simon zurück. »Es ist ziemlich komisch.«

»*Mein* Name ist Dean Street.«

Es folgte eine lange Pause.

»Natürlich«, murmelte Simon, »sind nicht alle Ortsnamen lächerlich. Und die Dean Street liegt in Soho. Also ist dein Name cool. Im Gegensatz zu Russell Square, was einfach blöd ist.«

Dean sah trotzdem gekränkt drein. Simon begann sich zu fragen, wie er es geschafft hatte, zweieinhalb Jahre mit Dean zusammenzuarbeiten, ohne jemals seinen Nachnamen zu erfahren. Er versuchte es noch einmal. »Hör mal, Dean, es tut mir Leid. Ich hab es nicht so gemeint.«

Dean reckte das Kinn in die Luft und drehte sich um, um ein imaginäres Staubkorn von der Kasse zu wischen. »Vergiss es«, sagte er knapp.

Simon seufzte. Es würde ein langer Tag werden.

Der Rest des Vormittags war ruhig. Einmal, als Dean weggegangen war, um Tee aufzubrühen, nahm Simon verstohlen ein kleines Schnipselchen Papier aus seiner Tasche und musterte es. Darauf stand die Adresse von Corky, dem Frisör, den Joe ihm am letzten Abend empfohlen hatte.

Simon hatte beschlossen, Corky einen Besuch abzustatten. Es wurde sowieso Zeit, sich das Haar schneiden zu lassen. Ganz sicher ging er nicht einfach nur zum Frisör, weil Joe es vorgeschlagen hatte. Natürlich nicht.

Simon hatte im Grunde nicht mehr über sein Haar nachgedacht, seit er vierzehn geworden war. (Damals hatte er natürlich eine Menge darüber nachgedacht. In jenen Tagen galt wasserstoffgebleichtes Haar unter den vierzehnjährigen Modeconnaisseuren als die Quintessenz der Eleganz. Während der Chemiestunden hatte er kleine Mengen Wasserstoffsuperoxid mitgehen lassen, um später sein Haar damit einzureiben, aber ohne Erfolg.) Sein Haar war braun und ziemlich langweilig. Wenn er es zu lang wachsen ließ, neigte es dazu, sich zu wellen, was ihm das Aussehen eines Profifußballers gab, aber das ließ sich durch regelmäßige Besuche beim Barbier leicht vermeiden. Nein: Haar war kein Thema mehr für Simon. Es war immer noch da, und dafür war er dankbar, aber weiter ging sein Interesse auch nicht.

Corkys Salon befand sich in Mayfair. In der Mittagspause nahm Simon die U-Bahn nach Green Park. Als er bei der Adresse ankam, die Joe ihm gegeben hatte, ging Simon vorsichtig die steile Steintreppe hinab und drückte die Tür auf. Noch im Eingang schlug ihm der scharfe Geruch nach Pomade entgegen, der ihn an den Frisör seiner Schule erinnerte. Jener Frisör pflegte mitfühlend zu lauschen, während arglose Schuljungen ihm genaue

Anweisungen gaben, wie ihr Haar aussehen solle, bevor er sie dann erbarmungslos zu scheren begann, und am Ende sahen sie alle aus wie Miniaturausgaben amerikanischer Seeleute.

Der Salon machte nicht den Eindruck, als hätte sich in den letzten Jahrzehnten viel geändert. An den Wänden hingen einige verblichene Fotografien von Männern in Hemden mit sehr großen Kragen. Ihr Haar leuchtete hell. Dasselbe taten ihre Zähne. Der Bodenbelag bestand aus einem verblichenen, abgetretenen Linoleum, das sich an den Rändern nach oben bog. An einer Seite des Raumes stand ein längliches, orangefarbenes Sofa. Davor befand sich ein kleiner Tisch mit alten farbigen Beilagen des *Sunday Express*.

Auf der anderen Seite des Raums befanden sich zwei Frisörstühle, die ganz aus angekitschtem Chrom und abgewetztem Leder bestanden. Davor hingen zwei große Spiegel. Vor jedem Spiegel befand sich ein altmodisches Waschbecken, dessen Porzellan durch jahrelange Benutzung unzählbare kleine Risse bekommen hatte. In einer Ecke des Raumes stand ein kleines Radio. Eine Männerstimme redete schnell und in einer unverständlichen Sprache auf ihre Zuhörer ein.

Simon stand auf der Türschwelle des Frisiersalons und nahm all diese Eindrücke in sich auf. Der Salon war nicht ganz das, was er erwartet hatte. Er hatte einen hell erleuchteten Raum mit lauter Musik erwartet, in dem Gehilfen mit Tassen mit schäumendem Cappuccino für die Kunden hin und her wuselten. Außerdem hatte er mit Friseurinnen in eng anliegenden schwarzen T-Shirts gerechnet, die mehr oder weniger pausenlos kreischten. Stattdessen standen in der Mitte des Raumes Seite an Seite zwei Männer in blauen Nylonüberwürfen, die Simon wortlos beobachteten. Beide Männer trugen beeindruckende Schnurrbärte, die dick, schwarz und gewaltig waren. Simon hatte das Gefühl, von zwei Walrossen beobachtet zu werden. Und keiner von ihnen sprach ein Wort.

Simon trat in den Raum. Das Linoleum quietschte bei jedem Schritt protestierend. »Ähm, hallo«, grüßte er. »Ich suche Corky.«

Die beiden Männer sahen einander schweigend an. Derjenige von ihnen, der eine Spur kleiner war als der andere, hob die Hand. »Das bin isch«, sagte er.

»Oh, gut«, erwiderte Simon. »Ein Freund hat Sie mir empfohlen, daher dachte ich, ich komme mal her und sehe mir an, was Sie mit meinem Haar machen können.«

»Okay«, meinte Corky. Er zeigte auf einen der ledernen Stühle.

Simon setzte sich und betrachtete sich im Spiegel. Corky holte einen Nylonumhang und breitete ihn schwungvoll über Simons Oberkörper aus, bevor er ihn am Hals verschloss. Dann beäugte er, den Kopf zur Seite geneigt, kritisch Simons Haar. Sein Schnurrbart zuckte. »Sie haben gute Haar, starke Haar«, erklärte er, während er ihm zweimal mit der Hand hindurchfuhr.

»Danke«, antwortete Simon höflich. Er wartete.

»Was Sie wollen?«, fragte Corky. »Wie Sie wollen haben geschnitten?«

»Hm, ich hatte gehofft, dass Sie vielleicht eine Idee hätten. Dass Sie mir vielleicht einen Schnitt vorschlagen könnten, der eine Spur anders ist«, meinte Simon.

»Hm?«, machte Corky.

»Ich hätte gern einen Schnitt, der etwas moderner ist«, erläuterte Simon.

»Hm?«, wiederholte Corky.

Simon mühte sich weiter. »Ich glaube, ich hätte gern etwas ... ähm ... etwas Flippigeres.«

Corky tauschte einen Blick mit seinem Kollegen. Der andere Mann zuckte die Schultern. Corky kratzte sich an seinem zerzausten, ergrauten Schopf. »Verrrstanden«, sagte er. »Ich weiß, was ich tun.« Er nahm eine Schere aus der Brusttasche seines Nylonmantels und begann, entschlossen in die Luft zu schnipseln. Simon rutschte unbehaglich auf dem Stuhl hin und her. Der andere Mann trat zur Seite und beobachtete das Geschehen mit einem undurchdringlichen Gesichtsausdruck.

Corky vollführte noch ein paar weitere Luftschnitte mit der Schere, bevor er sie wieder in die Tasche steckte. Dann nahm er einen Elektrorasierer vom Regal und schaltete ihn ein. Das Gerät summte Unheil verkündend.

»Sie wollen, dass isch hinten ausdünnen?«, fragte er Simon.

»Ähm, ja, gut«, antwortete Simon.

Corky stieß Simons Kopf nach vorn und begann, mit dem Rasierapparat über seinen Hinterkopf zu fahren. Simon starrte auf seine Knie hinab und fragte sich, ob das wirklich so eine gute Idee gewesen war. Corky begann leise vor sich hin zu pfeifen. Schon bald zog er Simons Kopf wieder hoch und begann mit dem Rasierapparat die Seiten zu bearbeiten. Simon betrachtete sich im Spiegel. »Die Seiten nicht zu kurz«, bat er.

Corky schüttelte den Kopf. »Keine Sorgen. Ich mache Sie eine gute Schnitt. Sie werden sehe.« Dann musterte er die eine Seite und ging um den Stuhl herum, um sich über die andere herzumachen. Simon riskierte einen schnellen Blick. Es schien in Ordnung zu sein. Schön kurz, eine vernünftige Länge. Er entspannte sich ein wenig.

Als Corky mit der zweiten Seite fertig war, ging er wieder um ihn herum, um die Seite zu inspizieren, die er zuerst geschnitten hatte. Im Spiegel sah Simon, wie er die Stirn runzelte. Simon versuchte, sich umzudrehen, damit auch er Corkys Werk betrachten konnte, aber als er das tat, drückte Corky ihm hastig mit sanftem, aber festem Griff den Kopf herunter, sodass er nur geradeaus sehen konnte. Ohne seinen Griff zu lockern, begann Corky, in einer Sprache, die Simon nicht verstand, auf seinen Kollegen einzureden.

Der andere Mann kam auf den Stuhl zu und inspizierte die beiden Seiten von Simons Kopf. Als er damit fertig war, grunzte er, machte einen Schritt auf Corky zu und versetzte ihm dann eine heftige Kopfnuss. Das Geräusch, das an Simons Ohren drang, ließ darauf schließen, dass Corkys Kopf vollkommen leer war. Corky wirbelte herum, und die beiden Männer begannen sich anzuschreien und gestikulierten dabei wütend in Simons Richtung. Simon drehte den Kopf eine Spur nach links und rechts. Er war sich nicht ganz sicher, worum es bei dem Streit ging. Sein Haar schien ganz in Ordnung zu sein. Nach ein paar weiteren übellaunigen Wortwechseln trat der andere Mann an seinen Stuhl.

»Isch entschuldige misch«, begann er. »Mein Bruder, er ist heute nicht gut drauf. Er hat Ihre Haar vermasselt.«

»Sind Sie sicher?«, fragte Simon. »Für mich sieht es ganz okay aus.«

»Ja, aber bloß weil Sie nicht wissen, was Sie sehen«, erklärte Corkys Bruder geduldig. »Aber er haben Ihre Haar *sehr* vermasselt.«

»Okay«, murmelte Simon unsicher. »Und was jetzt?«

»Jetzt er bringen in Ordnung.« Er drehte sich zu Corky

um und raunte ihm etwas zu. Corky kam vorsichtig wieder auf den Stuhl zu.

»Mir sehr Leid tun«, versicherte Corky. »Ich machen kleinen Fehler.«

»Große Scheiße«, korrigierte ihn sein Bruder.

»Kleine Fehler«, beharrte Corky, »und jetzt ich bringe wieder in Ordnung, okay?«

»Alles klar«, erwiderte Simon. »Wird es lange dauern?«

Corky schüttelte heftig den Kopf. »Oh nein«, sagte er. »Nur eine Moment.« Er griff nach dem Elektrorasierer und beugte sich vor, um Simons Kopf von der Seite zu inspizieren, und nach ein paar Sekunden attackierte er ihn von neuem.

»Was machen Sie da?«, erkundigte sich Simon. »Es war doch gut, so wie es war.«

Corky wedelte abschätzig mit der Hand. »Nein, sein nicht gut. Sie ganz ruhig, ich bringen in Ordnung, okay?«

»Ähm, gut, okay«, seufzte Simon zweifelnd.

Corky machte sich mit dem elektrischen Rasierapparat, der in seiner Hand summte und schnurrte, wieder ans Werk. Alle ein oder zwei Augenblicke betrachtete er Simons Haar, um dann den summenden Rasierapparat so sachte an Simons Kopf entlangzubewegen, dass es, davon war Simon überzeugt, überhaupt keine Wirkung haben konnte. Wenn er mit einer Stelle fertig war, nahm Corky sich eine andere Stelle von Simons Kopf vor, um dasselbe Manöver zu vollziehen.

Einige Zeit später trat Corky zurück und bewunderte sein Werk. »So«, meinte er. »Jetzt ist gleichmäßig. Ist gut.« Er ließ Simons Kopf los, und Simon war endlich wieder im Stande, seinen Kopf in beide Richtungen zu drehen.

»Oh, Scheiße«, entfuhr es Simon leise.

Während die einzelnen Schnipser und Schwünge von Corkys Rasierapparat für sich genommen bedeutungslos gewesen waren, waren sie alle zusammengenommen verheerend. Simon war nicht direkt kahl an den Seiten, aber doch fast. Er war skalpiert worden.

»So«, sagte Corky leutselig. »Das fertig. Was jetzt?«

Simon beäugte benommen, was von seinem Haar übrig geblieben war. Er zuckte die Schultern. »Ich schätze, Sie schneiden den Rest davon am besten auch ziemlich kurz«, erwiderte er. »Nur«, fügte er hastig hinzu, »nicht ganz so kurz wie bisher.«

Corky nickte und nahm wieder die Schere aus seiner Manteltasche. Dann machte er sich daran, den Rest von Simons Haar zu einem makellosen Bürstenschnitt abzuhacken, der ungefähr einen halben Zentimeter vom Schädel abstand. Als er fertig war, sah die Oberfläche von Simons Kopf glatter aus als ein Golfrasen.

Corky holte einen Spiegel und hielt ihn Simon hinter den Kopf. Simon betrachtete resigniert sein Haar. Er sah aus wie der Action Man, den er so geliebt hatte, als er sechs Jahre alt gewesen war.

Er hievte sich aus dem Stuhl. Es war Zeit, in den Laden zurückzukehren. Als er wieder zur U-Bahn-Station ging, bemühte er sich nach Kräften, sein Bild in den Schaufenstern nicht zur Kenntnis zu nehmen. Auf dem Berkeley Square wehte eine leichte Sommerbrise durch die Baumwipfel. Simon spürte, wie sie über seinen Skalp strich.

Als Simon ins Station Magic zurückkam, hielten sich Dean, Brian und Vick alle vorn im Laden auf. Dean führte gerade einem Mann und seinem kleinen Sohn ein Kartenkunststück vor, und die beiden spähten konzentriert über die Glastheke. Brian lugte aus seiner Zuflucht hinter dem Samtvorhang hervor. Vick war damit beschäftigt, einen leuchtend bunten Staubwedel über einige der ausgestellten Waren huschen zu lassen. Als Simon in die Tür trat, herrschte einen Augenblick völlige Stille. Und dann passierte etwas, das Simon noch nie zuvor erlebt hatte.

Victoria Station lachte. Und lachte. Und lachte.

12. KAPITEL

Die Dinge standen nicht gerade zum Besten.
Simons Versuche, sein Sexleben zu beleben, konnten nicht gerade als durchschlagender Erfolg bezeichnet werden. Die Episoden mit Rachel Gilbert und Corky hatten nicht mehr bewirkt als abgrundtiefe Verlegenheit.

Aber die vielleicht größte Wolke, die über Simons persönlichem Horizont schwebte, war die unmittelbar bevorstehende Aussicht auf Sophies Geburtstagsparty, bei der er ihren kleinen Freunden Zauberkunststücke vorführen sollte. Die Party war am nächsten Samstagnachmittag, und Simon krampfte sich jedes Mal, wenn er darüber nachdachte, der Magen zusammen. Infolgedessen hatte er sein Bestes getan, überhaupt nicht daran zu denken, und so hatte er immer noch keine Ahnung, was er vorführen sollte. Was seinen Zustand natürlich noch verschlimmerte.

Zumindest brauchte er die Krücken nicht mehr. Sein Hausarzt hatte ihm die Verbände am Fuß und am Handgelenk abgenommen – ein neuerlicher Besuch im Krankenhaus war jetzt mit so vielen potenziellen Peinlichkeiten belastet, dass Simon ihn nicht in Erwägung gezogen hatte. Der Arzt hatte sich widerstrebend bereit gefunden, auch die Krücken für ihn zum Krankenhaus zurückzuschicken.

Als Simon am nächsten Tag zum Laden ging, blieb er wie gewöhnlich stehen, um Bob eine Ausgabe der *Big Issue* abzukaufen. Bob war bester Laune.

»Wie geht es denn so, mein Freund?«, fragte er überschwänglich, während Simon in seiner Tasche nach Kleingeld kramte.

»O Gott, fragen Sie nicht! Im Augenblick einfach grässlich. Wenn ich mir doch nur für eine Weile das Leben eines anderen borgen könnte, um zu vergessen, in welchem Chaos sich meins befindet, dann würde ich mit beiden Händen die Chance ergreifen.« Simon reichte ihm das Geld.

Bob sah Simon kritisch an. »Sie haben jederzeit die Möglichkeit, die Dinge zu ändern, das wissen Sie doch. Ihr Schicksal wartet darauf, dass Sie selbst es formen. Wenn Sie es nicht tun, werden andere Kräfte das für Sie übernehmen. Aber zuerst und vor allem liegt es in Ihren eigenen Händen.«

»Ich weiß nicht, Bob«, erwiderte Simon verbittert. »Ich habe mehr und mehr das Gefühl, dass diese anderen Kräfte bereits auf dem Fahrersitz sitzen. Ich habe schon vor langer Zeit die Kontrolle über mein Schicksal verloren. Ich werde einfach von dem Chaos anderer Leute mitgerissen.«

»Unsinn. Sie können die Kontrolle jederzeit zurückerlangen.« Bob reichte ihm die Zeitschrift. »Sehen Sie mich an. Ich war ein absoluter Chaot, bevor ich Buddha fand und das Licht sah.«

Ach was, dachte Simon gehässig, und jetzt sind Sie ein gut organisierter Obdachloser, der an Straßenecken Zeitschriften verkauft?

»Mir war klar, dass ich mich von Grund auf ändern musste«, fuhr Bob schließlich fort, »also nahm ich einen neuen Namen an und machte mich auf einen neuen Weg.«

Simon runzelte die Stirn. »Sie haben Ihren Namen geändert, als sie Buddhist wurden?«, fragte er.

Bob nickte. »Das soll man doch. Sie wissen schon, Cassius Clay wurde zu Mohammed Ali. Sie kennen diese Geschichten.«

»Okay. Und Sie haben den Namen Bob angenommen?«

Bob nickte.

»Wie haben Sie denn vorher geheißen?«

»Phil«, antwortete Bob.

Es folgte eine Pause.

»Alles klar«, sagte Simon.

Ein elektronisches Trällern durchbrach das Schweigen. »Entschuldigung«, bat Bob und griff in seine Gesäßtasche. Er zog ein kleines Handy heraus. »Hallo?«, meldete er sich. »Ja. Ja. Alles klar. Klingt gut. Jawoll. Und sag ihm, es muss wirklich gut sein. Okay. In Ordnung. Ja. Okay. Prost. Bis dann.« Dann klappte er den kleinen Apparat geschickt zu und steckte das Telefon wieder in die Tasche.

»Sie haben ein Handy«, bemerkte Simon.

Bob zuckte mit den Schultern. »Wie soll ich denn sonst erreichbar sein?«, fragte er.

»Was ist an einem normalen Telefon auszusetzen?«

Bob sah Simon seltsam an. »Sie scheinen zu vergessen, dass ich *obdachlos* bin. Ich darf kein normales Telefon haben. Deshalb sind diese Dinger hier ein Gottesgeschenk für mich.« Er tippte auf seine Gesäßtasche. »Auf diese Weise bin ich vierundzwanzig Stunden am Tag, sieben Tage die Woche erreichbar. Genial.«

Simon schüttelte verwirrt den Kopf. »Ähm, klar«, murmelte er. »Ich geh dann jetzt mal besser.«

Bob hob die Hand zu einem heiteren Winken. »Wir sehen uns dann später«, rief er. »Und vergessen Sie es nicht. Übernehmen Sie das Kommando in Ihrem Leben. Enshallah.«

Es war ein ziemlich stiller Tag im Laden. Brian war den größten Teil des Vormittags nicht da, und Vick kam nur selten aus dem Lagerraum heraus.

Simon machte sich immer noch Sorgen wegen Sophies Geburtstagsfeier. Er beschloss, Dean um Rat zu fragen. Dean schlug drei oder vier Kunststücke vor, die in puncto Zauberei nicht viel zu bieten hatten, aber dafür umso mehr das Publikum mit einbezogen, wobei es vor allem um viel Geschrei ging und um Dialoge der Art wie: »Oh-nein-das-ist-es-nicht-oh-ja-das-ist-es.«

»Und Luftballons«, schlug Dean vor.

»Wirklich?«, meinte Simon, dem die Schultern ein Stück tiefer rutschten.

»Unbedingt«, bekräftigte Dean. »Kinder lieben Luftballons. Die Nummern kannst du doch alle, oder?«

»Ich hab sie mal gekonnt«, erwiderte Simon. Die Idee dahinter war, dass der Zauberer einen langen, geraden Ballon nahm und ihn mit ein paar geschickten Drehungen zu dem groben Abbild einer Giraffe oder eines Würstchenhundes bog. »Aber das ist lange her.«

»Dann solltest du wohl besser anfangen zu üben, hm?«

In diesem Augenblick kam Vick aus dem Lagerraum in den Laden. Sie lächelte Simon an, der sofort auf der Hut war.

»Hallo«, grüßte Vick fröhlich.

»Ähm, hallo«, antwortete Simon.

»Erinnerst du dich noch, was du mir wegen Russell geraten hast?«, wollte Vick wissen.

»Ja«, antwortete Simon vorsichtig.

»Also, ich dachte, es interessiert dich vielleicht, dass ich deinen Rat beherzigt habe. Ich habe allen, die ihn kennen, erzählt, dass ich mit einem anderen gehe. Mittlerweile dürfte er es wohl gehört haben.«

»Hm, schön für dich«, sagte Simon. »Warte ab. Er wird dich im Handumdrehen anrufen.« Simon fragte sich, ob das wirklich stimmte. Es lag durchaus im Rahmen des Möglichen, dass Russell vor Freude und Erleichterung jubelte, wenn er die Neuigkeit erfuhr.

»Ich hoffe es«, bekannte Vick. »Aber egal, rate mal, was ich den Leuten erzählt habe, mit wem ich jetzt gehe?«

»Keine Ahnung«, meinte Simon. »Mit wem gehst du denn?«

»Mit dir«, erklärte Vick.

»*Was?*«

»Mit dir«, wiederholte Vick.

»Sag mir, dass das ein Witz sein soll«, ächzte Simon entsetzt.

Vick schüttelte den Kopf. »Ich habe allen erzählt, du wärst dieser himmlische Typ, mit dem ich zusammenarbeite. Ich dachte, du würdest dich geschmeichelt fühlen«, setzte sie nach einer Pause hinzu.

»Oh, hm, offensichtlich fühl ich mich geschmeichelt«, antwortete Simon schnell. »Es ist nur, dass ... hm. Ich weiß nicht.« Tatsache war, dass er nichts mehr mit Vicks Liebesleben zu tun haben wollte, sei es nun auf fiktionaler Basis oder nicht. Er dachte an die Horden von Schulkindern, die jetzt seinen Namen flüsterten und mit Fingern auf ihn zeigten als den Mann, der dem armen Russell das Herz gebrochen hatte.

»Ich glaube«, begann er vorsichtig, »mir wäre es lieber, wenn du mich da in Zukunft aus dem Spiel lassen würdest. Nimm stattdessen jemand anderes.«

Vick zuckte die Schultern. »Kein Problem. Aber denk dran, es ist jetzt ein bisschen spät.«

»Ja, hm. Ich meine ja nur für die Zukunft.« Er sah im Geiste den pickligen Russell Square vor sich, wie er schreckliche Rachepläne schmiedete. Oh, komm schon, rief er sich zur Ordnung. Was kann dir ein Schuljunge schon groß tun?

»Wie auch immer«, meinte Vick, »ich werd dich auf dem Laufenden halten, soll ich?« Sie strahlte.

»Ähm, okay«, murmelte Simon.

Während Vick fröhlich pfeifend in den Lagerraum zurückkehrte, überlegte Simon, dass sie ihm mürrisch und launisch lieber war.

An diesem Abend rief Joe an.

»Hast du heute Abend schon was vor?«, wollte er wissen.

»Nicht wirklich«, antwortete Simon zurückhaltend.

»Gut. Dann komm. Zieh deine Tanzschuhe an.«

»Was?«

»Und deine Flosse.«

»Meine Flosse?«

»Du und ich, wir gehen Tanzen und Haifisch spielen«, sagte Joe.

»O Gott«, erwiderte Simon nur.

»Hör mal. Es gibt da eine Bar mit Namen ›Slick Tom's‹. Die haben jeden Abend Livemusik.«

Simon schnitt dem Telefon eine Grimasse. »Ich weiß nicht«, wich er aus. »Das klingt schrecklich.«

»Das *ist* schrecklich«, pflichtete Joe ihm gut gelaunt bei. »Da wimmelt es nur so von Arschlöchern in Anzügen, die nicht tanzen können, und knackigen betrunkenen Mädchen aus Spanien und Schweden, die hier Urlaub machen.«

Simon dachte an knackige, betrunkene Mädchen und dann an seinen katastrophalen Haarschnitt. »Schmink es dir ab«, entgegnete er.

Fünfundvierzig Minuten später stand Simon in der Schlange vor »Slick Tom's« und wartete auf Joe. Vor ihm stand eine Traube von Frauen, die Zigaretten rauchten und an ihren BH-Trägern zupften. Wann immer ein Mann vorbeikam, stießen sie einander in die Rippen, verdrehten die Augen und brachen in zotiges Gelächter aus. Dem folgte dann etwas, das wie ein komplexes Ritual digitaler Interkommunikation aussah, während man schweigend mit dem Finger aufeinander zeigte, manchmal mit einer Hand, manchmal mit zweien. Selbiges führte dann zu weiterem Gekicher und gelegentlich zu Gejohle. Simon begriff schnell, dass die Frauen die Männer auf einer Skala von eins bis zehn bewerteten. Ein Schaudern durchlief ihn. Er starrte auf seine Schuhe hinab und fragte sich, ob das Ganze wirklich so eine gute Idee gewesen war.

Ein paar Minuten später gesellte sich Joe in der Schlange zu ihm.

»Was ist mit deinem Haar passiert?«

»Das, Joe, war das Kunstwerk deines Kumpels Corky.«

»Scheiße. Sieht grässlich aus.«

»Ja, ich weiß. Vielen Dank.«

Joe klatschte in die Hände und rieb sie dann heftig. »Also«, wollte er wissen. »Bist du bereit?«

Simon schüttelte den Kopf. »Wahrscheinlich nicht«, antwortete er.

»Na komm schon«, drängte Joe. »Das wird ein Knaller.«

Simon war immer noch nicht überzeugt.

Schließlich passierten sie unter dem stechenden Blick zweier hünenhafter Türsteher in schwarzen Bomberjacken den Eingang und kauften zwei Eintrittskarten, um in die unterirdische Bar vorgelassen zu werden. Als Joe die großen Doppeltüren am Fuß der Treppe aufdrückte, wälzte sich ihnen eine Wand von Lärm entgegen und schien mit einer riesigen Faust auf sie einzudreschen. Simon riss entsetzt die Augen auf. In der Mitte eines großen, niedrigen Raumes befand sich eine von vier Seiten zugängliche Theke, an der in mindestens fünf Reihen heulende Rudel von Gästen nach ihren Drinks riefen. Der Rest des Raumes war in puncto menschlicher Überbevölkerung nur geringfügig besser. Alles, was Simon sehen konnte, war eine brodelnde Masse von Körpern. Alle schrien alle anderen an. Der Geräuschpegel war phänomenal. Durch das Lautsprechersystem bahnte sich ein Song, den Simon nicht erkannte, einen Weg durch das gewaltige menschliche Getöse. Hinter dem Thekenbereich konnte Simon einen weiteren größeren Raum entdecken, der ebenfalls voller Menschen war. Hinter diesem Bereich lag eine Bühne, in deren Mitte ein Schlagzeug stand. Daneben hatten sich vier Männer aufgebaut, die rauchten und ein wenig furchtsam die Menge beäugten.

Joe betrachtete das Chaos voller Befriedigung. Er beugte sich zur Seite und schrie Simon direkt ins Ohr. »Mein Gott«, grölte er, »ich bin eine ganze Weile nicht mehr hier gewesen. Das waren schon immer Erfolg versprechende Jagdgründe.«

Etwas in Simons innerem Ohr zerfetzte, als Joe ihn anschrie, und er zuckte vor Schmerz zusammen. Ihm wurde langsam schwindelig. Joe deutete auf das Menschengewirr. »Sollen wir?«, schrie er. Simon nickte, wappnete sich gegen das Bevorstehende und folgte seinem Freund ins Gedränge. Der Vormarsch auf die Theke dauerte nicht sehr lange, da sie zum Stehen gebracht wurden, als sie sich noch gut zehn Meter davon entfernt befanden. Über die Köpfe der Menschen vor ihnen hinweg konnte Simon die beiden Barkeeper sehen, die langsam die Leute bedienten und erfolgreich hunderte anderer Gäste ignorierten, die darauf brannten, sich etwas zu trinken zu besorgen. Während sie warteten, wurde Simon von allen Seiten bedrängt, gedrängelt und gestoßen. In der Luft hing eine Wolke von Zigarettenrauch, und seine Augen begannen schnell zu tränen. Nach ein paar Minuten kam hinter ihnen die Sturmreihe einer Rugbymannschaft in den Raum und machte sich langsam daran, sich nach vorne zu drängen, wobei sie Simon und Joe gegen die Rücken der Leute vor ihnen quetschten. Simon war noch von dem Trauma, das Joe seinem linken Ohr zugefügt hatte, leicht aus dem Gleichgewicht. Das dichte Gedränge bedeutete zumindest, dass er sich keine Sorgen machen musste umzufallen. Es war kein Platz zum Fallen.

Joe wandte sich zu Simon um. »Ist das nicht klasse?«, fragte er.

Simon sah Joe an. »Fantastisch«, schrie er. »Ich habe nicht mehr so viel Spaß gehabt, seit ich mit nackten Füßen auf eine Wespe getreten bin.«

»Glaub mir«, versicherte Joe, »es wird sich lohnen.« Während er sprach, schob sich ein Mädchen mit einem sieben oder acht Zentimeter breiten Lycraband um die

Brust an ihm vorbei; sie hielt sich sechs Flaschen Bier über den Kopf. Joe wandte sich von Simon ab und schrie der jungen Frau etwas zu. Ein breites Grinsen zog über ihr Gesicht. Sie sah Joe schelmisch an, nickte und zog dann weiter. Joe wandte sich wieder lachend an Simon.

»Was hast du zu ihr gesagt?«, fragte Simon.

»Den üblichen guten alten Schwachsinn«, meinte Joe schulterzuckend. »Mal sehen, ob ich sie später finden kann. Sie war ziemlich fit, hm?« Dann drehte er sich wieder um und verfolgte frohgemut den absoluten Fortschritt an der Theke. Die drei gewaltigen Kerle hinter ihnen kamen eine Spur näher. Simon brach der Schweiß aus.

Aus den Lautsprechern drang ein lautes Grollen der Trommel, gefolgt von einem ungesund klingenden Husten. »'n Abend alle miteinander«, erklang eine körperlose Stimme. »Unser Name ist Zurich, und wir sind heute Abend für eure Unterhaltung zuständig. Amüsiert ihr euch alle gut?«

Das Gebrüll im Raum ging unvermindert weiter, da niemand sich um die Person auf der Bühne scherte.

»Ich sagte: Amüsiert ihr euch gut?«

Diesmal kam ein gedämpftes Heulen aus der Menge vor der Bühne.

»Alles klar. Wir werden euch zunächst mit ein paar langsamen Stücken was schön Sanftes liefern, damit ihr Zeit habt, euch die Hucke voll zu saufen, bevor wir die Dinge später etwas beleben. Dieser Song ist von R. E. M.«

Mit diesen Worten begann die Band zu spielen, und zwar in Überlautstärke. Die bemerkenswerteste Folge davon war, dass die gesamte Menge, die an der Theke Schlange stand, unisono zu nicken begann. Nach ein oder zwei Minuten hatte sich das Nicken in einen ausgewachsenen Tanz verwandelt, während die Menge wie ein einziger Körper auf und ab wogte. Die Musik dröhnte durch die Lautsprecher. Simon versuchte, nicht hinzuhören. Als der Song schließlich zu Ende war, begannen alle um ihn herum zu applaudieren.

Der nächste Song war noch lauter als der erste und erfreute sich offensichtlich in Rugbyclubs besonderer Beliebtheit, da das massige Trio hinter Simon einander die Worte ins Ohr grölte. Außerdem schlugen die drei sich gegenseitig mannhaft und schallend auf die Schultern.

Dreißig Minuten später hatten Simon und Joe sich endlich zur Bar durchgeschlagen. Simon, der inzwischen vollkommen erschöpft war, lehnte sich erleichtert an die Theke und versuchte, den Blick des Barkeepers auf sich zu ziehen. Der Mann bediente mehrere Leute links von ihnen und danach rechts von ihnen, danach wandte er sich ab und begann, die Leute auf der anderen Seite der Theke zu bedienen. Zu guter Letzt kam er wieder zurückgeschlendert und sah Simon mit beiläufig hochgezogenen Augenbrauen an.

Plötzlich wackelte die Erde unter ihm, als eine riesenhafte Hand neben ihm auf der Theke landete. Es war einer der Rugbyspieler. Die Augen des Barkeepers huschten unverzüglich nach oben, zu einer Stelle direkt hinter Simons Kopf.

»Sechs Guinness«, brüllte jemand direkt in Simons rechtes Ohr.

Der Barmann nickte und machte sich an die Arbeit.

Moment mal, hätte Simon gern gesagt. Das ist eine gottverdammte Schlange. Einen Augenblick lang hatte ihn das viehische Geschrei des Rugbyspielers handlungsunfähig gemacht. Außerdem hatte etwas in seinem Ohr »Ping« gemacht, als ein anderer integraler Bestandteil seines Gehörsystems zerfiel. Während das geschah, spürte Simon plötzlich, dass er sein Gleichgewichtsgefühl wiedergefunden hatte: Beide Ohren waren in gleicher Weise beschädigt worden. Zu seinem Pech konnte Simon immer noch richtig hören, was bedeutete, dass er das knirschende, schiefe Gequäke eines Saxofonspielers hörte, der sich zu den anderen Musikern auf die Bühne gesellt hatte. Simon zuckte zusammen. Alle anderen schienen die Musik jedoch zu mögen, da sie sich wie gehabt hin und her wiegten. Simon sah sich um. Alle lächelten und schrien durcheinander. Er konnte nur vermuten, dass sie schon seit einer Weile da waren. Es gab hier unzweifelhaft jede Menge attraktiver Frauen. Auch die versprochenen Arschlöcher in Anzügen hatten sich eingefunden, Männer, die jedem weiblichen Wesen in Sichtweite lüsterne Blicke zuwarfen und heftig an ihren Zigaretten zogen, während ihre bösartigen Augen durch den Raum huschten.

Simon drehte sich wieder zur Theke um und sah zu, wie der Barkeeper sechs Halblitergläser nebeneinander auf der Theke aufreihte. Der Mann gähnte, legte träge den Schalter hinter der Bierpumpe um und sah zu, wie die schwarze Flüssigkeit in das erste Glas tröpfelte. Simon beobachtete das Ganze ängstlich und war entsetzt, wie langsam alles vonstatten ging. Als das erste Glas halb voll war, drehte der Barkeeper den Hahn ab und wartete darauf, dass die Flüssigkeit im Glas sank. Na klasse, dachte Simon verbittert. Das ist ein gottverdammter *irischer* Pub. Was bedeutete, dass das Guinness auf die richtige Art und Weise eingeschenkt werden musste, die schätzungsweise eine Ewigkeit in

Anspruch nahm. Er seufzte und sah Joe an, der sich abgewandt hatte und mit der Frau neben ihm schwatzte.

Sehr langsam erschienen volle Guinnessgläser auf der Theke. Joe tippte Simon auf die Schulter und zeigte auf die Frau, mit der er gesprochen hatte.

»Simon«, schrie Joe. »Das ist Corinne.«

Corinne lächelte und winkte. Sie trug ein enges T-Shirt unter einem Overall, das dem zufälligen Beobachter einen optimalen Blick auf ihren üppigen Busen gewährte, während sie gleichzeitig den Anschein von Schicklichkeit wahrte. Die junge Frau war sehr hübsch.

Simon lächelte zurück, unsicher, was er sonst hätte tun können. Sollte er sie ansprechen? Wenn ja, wie?

»Hallo«, brüllte er.

Corinne lächelte verständnislos zurück.

»Corinne kommt aus Kanada«, schrie Joe. Corinne nickte bestätigend.

»Wirklich? Aus Kanada?« Simon war verwirrt. »Das ist ja nett«, meinte er. Plötzlich spürte er, wie er mit Macht nach unten gedrückt wurde, weil ein gewaltiger Arm sich über seine Schulter reckte, um die Guinnessgläser in Empfang zu nehmen. Simon schaffte es, sich gerade noch rechtzeitig zur Seite wegzudrücken, um nicht wie ein Pfahl von einer Ramme in den Fußboden gestampft zu werden. Der Riese hinter ihm begann, die Drinks an seine Freunde zu verteilen, immer zwei Halbliter für jeden von ihnen.

Joe beugte sich zu Simon herüber. »Hör mal, können wir Corinne auch einen Drink besorgen? Was meinst du?«

Simon zuckte mit den Schultern. »Klar doch. Wir müssten jetzt eigentlich gleich bedient werden – oh,

Mist.« Der Barkeeper war jetzt wieder an die andere Seite der Theke entschwunden.

Einige Zeit später – obwohl Simon nicht sagen konnte, wie viel später, da er inzwischen jedes Zeitgefühl verloren hatte – wurden Simon, Joe und Corinne endlich bedient. Sie bahnten sich einen Weg in Richtung Bühne und sahen zu, wie die Band sich durch *Play that Funky Music* grölte. Simon nippte sehr langsam an seinem Drink. Die Aussicht, wieder zur Theke zurückzukehren, war zu schauderhaft, um sie auch nur in Erwägung zu ziehen. Joe sprach mit Corinne, während er die vorbeiwogende Menge durchsuchte, wahrscheinlich nach dem Mädchen mit dem Lycratop, mit dem er sich früher am Abend unterhalten hatte. Die Konversation wurde durch ein kunstloses und kreischendes Saxofonsolo, das sich über eine Ewigkeit zu erstrecken schien, nicht besser.

»Also«, schrie Simon Corinne zu. »Bist du allein hier?«

Corinne schüttelte den Kopf. »Ich bin mit zwei Freundinnen verabredet. Die beiden sind große Klasse. Auch Kanadierinnen. Debbie und Bryony.«

Joe machte hinter Corinnes Rücken ein nicht sehr subtiles Zeichen mit dem Daumen nach oben.

Simon seufzte und warf einen Blick auf den überfüllten Tanzboden. Die Leute sangen, tanzten und schwenkten ihre Drinks im Rhythmus der Musik. Von seinem Platz aus konnte Simon mindestens vier Paare zählen, die ungeniert knutschten und sich nicht im Mindesten um den Strom der Tänzer scherten. Eine Atmosphäre unverhüllter Lust schwebte über dem Raum. Hektarweise nacktes weibliches Fleisch wurde zur Schau gestellt und glänzte und zitterte zur Musik. Geschürzte Lippen, blitzende Augen, wogende Brüste.

Pralle Hosen. Neben Simon stand ein junges Paar, die Gesichter aneinander geklebt, die Hände einer auf dem Hintern des anderen. Die einzige Bewegung, die Simon von seinem Platz aus wahrnehmen konnte, war ein Hohlwerden ihrer Wangen und eine leicht kreisförmige Bewegung ihrer Köpfe. Simon wandte sich ab, nahm einen sparsamen Schluck Bier und fragte sich, wie lange er wohl noch warten musste, bevor er nach Hause gehen konnte.

Simon sah müßig zum Thekenbereich hinüber. In diesem Augenblick teilte sich die Menge kurz, und er bemerkte etwas, das ihn zusammenfahren ließ. An der Theke stand eins der Arschlöcher im Anzug und beugte sich lüstern über eine Blondine. Die junge Frau lehnte sich an ihn und sah ihm in die Augen. Dann wogte die Menge zurück und versperrte Simon die Sicht, sodass er nur noch still darüber nachdenken konnte, was er gerade beobachtet hatte.

Das Arschloch im Anzug war Michael, Simons Schwager.

Simon nahm gleichzeitig zwei widersprüchliche Gefühle in sich wahr, einerseits maßlose Wut über den allzu offensichtlichen Betrug an seiner Schwester und andererseits einen stillen Jubel darüber, dass sein Argwohn in Bezug auf Michaels eheliche Treue sich als gerechtfertigt erwiesen hatte. Er wusste, dass er etwas tun musste. Vielleicht würde er Michael nie wieder in flagranti ertappen. Simon drehte sich zu Joe und Corinne um. »Ich habe gerade jemanden entdeckt, den ich kenne«, schrie er. »Bin gleich wieder da.« Dann wandte er sich ab und zwängte sich in die Menge hinein.

Simon drängelte sich zur Theke durch. Seine Gefühle befanden sich in einem Zustand des freien Falls. Ein Teil von ihm hoffte inbrünstig, dass er sich geirrt hatte und dass dieses Arschloch im Anzug gar nicht Michael war. Arabella war schließlich glücklich in ihrer Unwissenheit, und so sehr Simon Michael verachtete, wollte er doch nicht der Drahtzieher ihrer gescheiterten Ehe sein. Andererseits verdiente Bella es, die Wahrheit zu kennen, oder etwa nicht?

Endlich erreichte er das Paar. Der Mann hatte Simon jetzt den Rücken zugewandt, und Simon musste einige betrunkene Zecher umrunden, bevor er in der Lage war, einen Blick auf das Gesicht des anderen zu werfen.

Der Mann beugte sich vor und sprach der jungen Frau etwas ins Ohr. Dabei kam er ihr so nah, dass er ohne Mühe ihre Ohrläppchen hätte anknabbern können. Als er kurz aufblickte und Simon sah, der ihn beobachtete, verlor sein Gesicht alle Farbe.

Es war tatsächlich Michael.

Mit einer schnellen Bewegung seines rechten Armes schob er die junge Frau beiseite, ohne sie eines weiteren Blickes zu würdigen, und kam auf Simon zu. Die Frau sah Michael ein paar Sekunden lang mit einer Mischung aus Ärger und Überraschung an, dann verschwand sie kopfschüttelnd im Gedränge.

»Simon, gütiger Himmel. Was für eine Überraschung. Kann ich dir einen Drink holen?«

Simon schüttelte den Kopf. Er wollte auf keinen Fall eine halbe Stunde neben Michael stehen und reden müssen, während sie darauf warteten, bedient zu werden. »Nein, danke«, lehnte er ab.

»Was machst du hier?«, fragte Michael.

»Ich bin mit einem Freund hier.« Simon zeigte in Richtung Bühne.

»Klar, verstehe. Wunderbar.« Michael tat sein Bestes,

238

so zu tun, als wäre diese Begegnung mit seinem Schwager das Angenehmste, was ihm bisher an diesem Abend widerfahren war. In Wirklichkeit sah er aus, als litte er Todesqualen.

»Was ist mit dir?«, wollte Simon wissen.

»Mit mir?« Michael drückte sich eine Hand auf die Brust. »Oh, ähm ... ich bin ... ähm ... mit Mandanten hier, ja.« Er hielt inne. »Nicht mein Ding, diese Kneipe hier, um ehrlich zu sein«, fuhr er fort. »Genau genommen finde ich sie grässlich.«

»In der Tat«, stimmte Simon zu. Er wartete.

»Ja«, sagte Michael und sah sich verzweifelt um.

»Wer war denn deine Freundin?«, hakte Simon nach.

»Freundin?« Auf Michaels Gesicht stand ein seltsamer Ausdruck.

»Die Frau, mit der du gerade geredet hast.« Simon zeigte auf die Menge, in der das Mädchen verschwunden war.

»Ach, *die*«, meinte Michael. »Das war keine Freundin. Keine Ahnung, wer sie ist. Sie wollte wissen, wie spät es ist.« Er lachte mit einer Spur zu viel Nachdruck.

»Nett von dir, es ihr so genau zu erklären«, bemerkte Simon. Michael warf ihm einen Blick zu, in dem der nackte Hass stand.

Es folgte eine Pause. Die Musik hämmerte weiter, und überall im Raum strömten Menschen an ihnen vorbei. »Also, wo sind denn deine Mandanten?«, erkundigte sich Simon beiläufig.

Michael runzelte die Stirn. »Meine Mandanten?«, wiederholte er. »Oh, meine *Mandanten*. Die sind ... ähm ... auf dem Klo.«

»Was, alle gleichzeitig?«

Michael nickte eifrig. »Sie neigen dazu, sich rudelweise zu bewegen. Unzertrennlich. Es ist wirklich ganz niedlich zu beobachten. Japanische Banker. So reizende, *reizende* Männer.«

»Was glaubst du, warum gefällt es denen hier?«

Michael zuckte nichts sagend die Schultern. »Vielleicht wegen der Livemusik.«

»Und die Atmosphäre hier scheint ja auch ziemlich lebendig zu sein«, warf Simon ein.

»Ähm ... ja«, stimmte Michael ihm vorsichtig zu.

»Hör mal«, bemerkte Simon, der genug gesehen hatte, »war wirklich *toll*, dich mal wiederzusehen. Du kannst ja allein weiter auf deine ... ah ... *Mandanten* warten. Ich möchte mich nicht aufdrängen, wenn du geschäftlich hier bist. Ich weiß ja, dass es eine ernsthafte Angelegenheit ist.«

Schlecht verhohlene Erleichterung hellte Michaels Miene auf. »In Ordnung«, entgegnete er. »War jedenfalls nett, dich zu sehen.«

Simon lächelte ausdruckslos. »Noch einen schönen Abend, hm? Und bleib sauber.« Mit diesen Worten drehte er sich um und kämpfte sich zu Corinne und Joe durch, wobei er versuchte, nicht darüber nachzudenken, was er soeben gesehen hatte.

In seiner Abwesenheit waren Fortschritte erzielt worden. Corinne war Joe inzwischen so nah gekommen, dass sie ihm fast auf den Zehen stand. Sie hatte die Arme um seinen Hals geschlungen, und Joe klammerte sich mit seiner bierfreien Hand um ihre Taille, obwohl es so aussah, als täte er das eher, um das Gleichgewicht nicht zu verlieren, als um besondere Zuneigung zur Schau zu stellen. Als Simon näher kam, sah Joe ihn erleichtert an.

»Alles klar, Kumpel«, meinte er und unterbrach Corinne, die ihm lebhaft ins linke Ohr redete. »War es wirklich ein Bekannter, den du gesehen hast?«

»Oh ja«, versicherte Simon. »Er war es tatsächlich.« Dann verfiel er in nachdenkliches Schweigen.

»Seht mal! Da sind Debbie und Bryony. Sie sind hier«, quietschte Corinne plötzlich und begann, hektisch jemandem an der Tür zuzuwinken. Aus der hin und her wabernden Menge tauchten zwei menschliche Kolosse von derart einzigartiger Hässlichkeit auf, dass Simon sofort der Gedanke kam, dass sie möglicherweise ein Problem bekommen würden. Simon sah Joe an. Dem war der Unterkiefer in unverhohlenem Entsetzen heruntergeklappt. Corinnes Freundinnen waren beide immens übergewichtig und katastrophal unattraktiv.

Debbie und Bryony winkten Corinne zu und kamen herbeigewatschelt. Corinne ging ihnen entgegen, um sie zu begrüßen, und nach dem Austausch demonstrativer Küsse zeigte sie aufgeregt auf Joe und Simon.

»Oh, so eine Kacke«, murmelte Joe. »Was haben wir bloß getan?«

»›Kacke‹ ist noch milde ausgedrückt«, gab Simon zurück, bevor er tief durchatmete, um ein breites Grinsen auf sein Gesicht zu zaubern, mit dem er das nahende Trio der Kanadierinnen begrüßte. Die Band begann mit wirklich hervorragendem Timing genau in diesem Augenblick Stevie Wonders *Isn't She Lovely?* zu spielen.

Corinne stellte sie einander vor und trat dann zielstrebig zwischen Joe und Simon, um sich an Joes Arm zu hängen. Joe beäugte die Menge um sie herum inzwischen noch verzweifelter als zuvor.

Simon lächelte die beiden Neuankömmlinge nichts sagend an, während diese sich angeregt mit Corinne unterhielten. Eine von ihnen fing seinen Blick auf und schenkte ihm ein Lächeln, das ihre schief stehenden Zähne offenbarte.

Simon war plötzlich dankbar für die aufdringliche Gegenwart der Band, deren Musik so laut war, dass man unmöglich viel reden konnte. Joe richtete seine Aufmerksamkeit auf die Mädchen. Er zeigte auf sie. »Ihr habt noch nichts zu trinken«, erklärte er plötzlich. »Das geht nicht.« Bryony kicherte kokett. Simon sah, wie Corinne ihr einen warnenden, ja geradezu mörderischen Blick zuwarf. Joe fuhr fort: »Was hättet ihr denn gern? Ich gehe die Drinks holen.«

Debbie und Bryony baten um Flaschenbier. Corinne ebenfalls. Joe wandte sich an Simon. »Und du?«

Simon sah Joe argwöhnisch an. Irgendetwas war hier nicht ganz koscher. Joe erwiderte seinen Blick mit größter Leutseligkeit. »Ich nehme ein Glas Bier, danke«, sagte er. »Hör mal, Joe, warum komme ich nicht mit dir und helfe dir, die Drinks tragen?«

Joe schüttelte den Kopf. »Kommt nicht infrage«, antwortete er. »Du bleibst hier und unterhältst die Damen.«

»Genau«, stimmte Debbie zu. »Wir brauchen dich hier, damit du dich um uns kümmerst und uns vor all den Männern hier beschützt.«

Simon lächelte schwach. »Bitte«, wandte er sich an Joe. »Es macht mir nichts aus, dir zu helfen.«

Falls Joe das verzweifelte Flehen in Simons Augen bemerkte, zog er es vor, es zu ignorieren. »Nein, mach dir deswegen keine Gedanken«, erwiderte er. »Ich bleibe nicht lange weg. Das wären also drei Flaschen Bier und ein Glas. Also dann. Ich bin gleich wieder da.« Mit diesen Worten drehte er sich um und tauchte in der Masse der Leiber unter.

Corinne sah ihm sehnsüchtig nach. Debbie stieß ihr in die Rippen. »Ich schätze, du hast einen Treffer gelandet, Mädchen«, grölte sie heiser. Bryony gackerte in schwesterlichem Einverständnis. Corinne wurde rot.

Die Band spielte jetzt *Mustang Sally*, und der Gitarrist startete den vergeblichen Versuch, die stark angesäuselten Massen auf dem Tanzboden dazu zu bewegen, den Refrain zu singen. Die meisten der Tänzer hatten mittlerweile so viel getrunken, dass die Worte »Ride, Sally, Ride« syntaktisch zu komplex waren, als dass sie sie hätten behalten können.

»Fantastische Band«, schrie Debbie.

»Fantastisch«, stimmte Simon ihr zu, während er gleichzeitig den Kopf in Richtung Theke drehte, um nach Joe Ausschau zu halten. Er war nirgends zu sehen.

»Schönes Lokal«, meinte Debbie, die sich ebenfalls umsah.

»Große Klasse«, gab Simon zurück.

Eine Weile sagte niemand etwas.

»Fantastische Band«, versuchte Debbie es von neuem.

Simon machte sich zunehmend Sorgen um Joe. Er schien vollkommen von der Bildfläche verschwunden zu sein. Simon sah zur Theke hinüber, aber im Gedränge der Menschen dort war es unmöglich festzustellen, was da vor sich ging. Corinne blickte ebenfalls in diese Richtung und zerrte dabei nervös an den Riemen ihrer Latzhose.

»Ich glaube, ich sehe mal nach, ob ich Joe nicht doch bei den Drinks helfen kann«, schrie er Debbie zu, dann drehte er sich schwungvoll zur Seite, um loszumarschieren.

Zu seinem Entsetzen griff Debbie nach seiner Hand. »Der kann bestimmt auf sich selbst aufpassen«, versicherte sie und zwinkerte ihm zu. Einen Augenblick lang wurde Simon von dem widerlichen Farbton ihres Lidschattens übel.

»Ich ... ähm ... okay«, murmelte er.

»Verrat mir eins, Brian«, bemerkte Debbie, ohne dabei Simons Hand loszulassen, »tanzt du gern?« Sie zeigte auf die Menge auf dem Tanzboden.

Simon schüttelte den Kopf. »Eigentlich nicht«, antwortete er.

Debbie lächelte ihn katzenhaft an. »Du bist schüchtern, nicht wahr?«, schnurrte sie, was keine geringe Leistung war, wenn man bedachte, in welcher Lautstärke sie es tat.

»Nein«, verteidigte Simon sich.

»Oh, Brian«, seufzte Debbie und ließ endlich Simons Hand los, um in ihre Handtasche zu spähen und ein Päckchen Zigaretten herauszuziehen. »Du bist so ein typischer Engländer. Einfach süß.«

Simon suchte mit den Augen die Menge ab, während Debbie ihre Zigarette rauchte. Plötzlich sah er die junge Frau mit dem Lycrastreifen über der Brust, nach der Joe früher am Abend gesucht hatte. Sie befand sich auf der anderen Seite des Raums, lachte, plapperte und setzte eine Flasche Bier an die Lippen. Der Mann, mit dem sie sprach, lümmelte sich an einem Tisch. Das Mädchen sagte ihm etwas ins Ohr, und er drehte sich um, um die Band anzusehen. Simon erstarrte. Es war Joe. *Bastard*, dachte Simon.

Neben ihm ächzte jemand laut. Corinne schaute ebenfalls zur anderen Seite des Raums hinüber. Auch sie hatte Joe entdeckt und starrte ihn an, das Gesicht eine schwarze Maske des Zorns. Simon sah zu Joe hinüber. Lycra Girl erzählte ihm etwas, woraufhin sie beide sich lachend zurücklehnten. Corinne beugte sich vor, um etwas zu Bryony zu sagen, dann griff sie nach ihrer Handtasche und verließ ohne ein weiteres Wort den Raum.

»Alles in Ordnung?«, fragte Simon und überlegte, ob er losziehen und Joe warnen sollte, dass er ertappt worden war.

»Keine Bange, Liam«, erwiderte Bryony. »Corinne hat gerade deinen Kumpel auf der anderen Seite des Raums entdeckt.« Bryony schien diese Tatsache nicht besonders zu verblüffen, genauso wenig wie sie sich für ihre Freundin darüber zu ärgern schien.

»Geht sie jetzt zu ihm, um mit ihm zu reden?«, wollte Simon nervös wissen.

Bryony schüttelte den Kopf. »Sie geht nach Hause. Sie hat die Nase voll.«

»Also«, meinte Debbie verführerisch, »jetzt sieht es so aus, als wären nur noch wir drei übrig.«

»Wunderbar«, antwortete Simon tapfer.

»Ich schätze, wir müssen uns unsere Drinks jetzt selbst holen«, bemerkte Debbie und warf Bryony einen bedeutungsvollen Blick zu.

»Ich gehe«, erklärte Bryony nach einer kurzen Pause und mit sichtlichem Widerstreben.

»Nein, hört mal, das ist doch absurd«, schaltete sich Simon, der seine Chance witterte, ein. »Lasst mich gehen. Ich bestehe darauf. Das Vorrecht des Mannes und so weiter.«

Fünf Finger legten sich mit eisernem Griff um seinen Arm. »Kommt nicht infrage«, entschied Debbie kategorisch. »Bryony geht.« Diese schien nicht gerade glücklich darüber zu sein, aber sie nickte schicksalsergeben. »Was willst du haben, Liam?«, fragte sie.

Simon gab auf. »Ein Glas Lager, bitte«, antwortete er kläglich.

Bryony wandte sich zum Gehen. »Na schön«, meinte sie. »Dann bis gleich. Und seid schön brav.« Sie zwinkerte. Debbie streckte ihr die Zunge raus.

Kurze Zeit herrschte Schweigen. Debbie und Simon drehten sich um, um der Band zuzusehen. Debbie hatte Simons Arm immer noch nicht losgelassen. Er riskierte einen schnellen Blick auf ihr Gesicht. Sie war wirklich Grauen erregend hässlich. Debbie spürte seine Bewegung und drehte sich zu ihm um.

»So«, sagte sie.

»So«, stimmte Simon ihr zu.

»Wohnst du hier in der Nähe?«, erkundigte sich Debbie.

»Wie bitte?«

»Deine Wohnung. Ist sie hier irgendwo in der Nähe?«

Simon geriet ein wenig ins Stottern. »Nicht direkt«, brachte er heraus.

Debbie verzog das Gesicht. »Meine auch nicht. Wie weit ist es bis zu dir?«

»Hör mal«, begann Simon nervös zu sprechen, »ich bin mir nicht ganz sicher, was ...«

»Oh, na komm schon, Brian«, fiel Debbie ihm ins Wort. »Tun wir doch nicht so, als wüssten wir nicht beide, was hier vorgeht.«

In Simons Panik mischte sich vorübergehend ein jäh aufblitzender Groll auf Joe, der feige desertiert war. Das würde er ihm nicht verzeihen, nahm er sich vor. Debbie zwinkerte ihm zu. Simon dachte verzweifelt über Fluchtpläne nach. Er sah sich um. Links von ihm hatte das knutschende Pärchen Fortschritte gemacht. Der Mann hatte sich nach Kräften bemüht, seiner Freundin das knappe Top auszuziehen, und seine Hände wanderten jetzt ungeniert über ihre Brust.

Endlich kam Bryony mit den Drinks zurück. »Bitte schön, ihr Süßen«, rief sie.

»Vielen Dank«, murmelte Simon, der sofort die Hälfte seines Biers hinunterstürzte.

Die Band beendete ihren Song, und sobald der Applaus sich gelegt hatte, rief der Gitarrist ins Mikrofon: »Vielen Dank. Wenn jemand einen Musikwunsch hat, soll er ihn vorbringen. Wahrscheinlich kennen wir das Stück nicht, aber man kann nie wissen, Wunder gibt es immer wieder.«

Plötzlich klatschte Debbie aufgeregt in die Hände. »Etwas Kanadisches!«, quiekte sie. »Lasst uns um einen kanadischen Song bitten!«

Simon sah sie verständnislos an.

Bryony stieß ihr in die Rippen. »Mach schon.«

Debbie klatschte noch einmal in die Hände. »Ich bin gleich wieder da. Lass ihn nicht aus den Augen«, wandte sie sich an Bryony, bevor sie sich auf den Weg in Richtung Bühne machte.

In gereiztem Schweigen sahen der Gefangene und seine Wärterin Debbie nach. Sie erreichte die Bühne, und Simon beobachtete, wie der Gitarrist sich zu ihr herunterbeugte, um mit ihr zu sprechen. Er nickte ein paar Mal und richtete sich dann wieder auf. »Alles klar«, rief er. »Wir haben einen Musikwunsch für einen gewissen Mr. Brian Adams.« Lauter Jubel erhob sich. Simons Seele schrumpelte noch ein bisschen weiter in sich zusammen. Er hatte seinen musikalischen Tiefstpunkt erreicht.

Der Gitarrist fuhr fort. »Man hat uns gebeten, diesen Song – wie war noch mal dein Name? – *Debbies* neuem Freund zu widmen, der sich irgendwo da hinten im Raum versteckt. Dieser Song ist also für Brian. Einen kräftigen Applaus für Brian.« Simon stand wie erstarrt an der Wand. Das hier war nur ein grauenhafter Traum, redete er sich gut zu. Schließ die Augen, und es wird sich alles in Luft auflösen.

Der Gitarrist hatte offensichtlich eine gewisse Mühe zu glauben, dass jemand so Hässliches wie Debbie tatsächlich einen Freund hatte, oder vielleicht war er auch nur neugierig. »Ich möchte diesen Burschen sehen«, sagte er ins Mikrofon. »Wo ist Brian? Na komm schon, Brian, zeig dich.«

Simons Gehirn hatte mittlerweile mehr oder weniger resigniert. Das konnte nicht passieren, es *konnte* einfach nicht. Er war kein schlechter Mensch. Wie also hatte er das verdient? Warum diese gnadenlose Demütigung? Er stand wie angewurzelt da, zu absoluter Lähmung verurteilt, während sein Gehirn sich in einem Zustand katatonischen Schocks befand.

Plötzlich spürte er, wie sein Arm in die Luft gerissen wurde, weil Bryony, deren Griff noch kräftiger war als Debbies, ihn hochstieß. Von der Bühne kam ein Grunzen der Befriedigung. »A-ha!«, rief der Gitarrist und zeigte auf Simon, für den Fall, dass irgendjemand ihn übersehen hatte. »Da ist er. Der Glückliche«, bemerkte er unter nachdenklichem Kopfschütteln. »Also schön. Brian, das ist für dich und ... ähm ... Debbie.« Mit diesen Worten attackierte er seine Gitarre, und aus den Lautsprechern explodierten die ersten Takte von *The Summer of Sixty-nine*.

Bryony ließ Simons Arm los. Simon lehnte benommen an der Wand. Er sah Debbie im Schweinsgalopp auf ihn zuspurten und machte sich auf einiges gefasst.

»Na komm schon!«, schrie sie und schnappte sich seine Hand. »Ist das nicht cool?«

»Ähm, wo willst du hin?«, stammelte Simon.

»Tanzen natürlich. Komm endlich. Das ist *unser* Lied!«

Es ist erstaunlich, dachte Simon ein paar Sekunden später, als er vor Debbie stand, vorsichtig mit den Armen ruderte und sein Gewicht gelegentlich von einem Fuß auf den anderen verlagerte. Es ist wirklich komisch. Gerade wenn man sich davon überzeugt hat, dass die Dinge nicht mehr schlimmer werden können, werden sie schlimmer. Wenn es eins gab, das schlimmer war, als sich Brian Adams' Song anzuhören, dann war es die Notwendigkeit, zu Brian Adams' Song *tanzen* zu müssen. Aber das, sagte er sich, ist bestimmt das Allerschlimmste. Tiefer kann ich nicht mehr sinken. Er sah Debbie an. Okay, dachte er, technisch gesehen *kann* ich noch tiefer sinken. Aber ich werde es nicht tun. Er begann, sich verstohlen umzusehen. Eine Frau, die wie ein Derwisch herumwirbelte, rammte ihm schmerzhaft einen Ellbogen in den Rücken.

Schließlich war der Song zu Ende, und Simon kehrte zu Bryony zurück, die am Rand des Tanzbodens stand. Bryony sah ihn belustigt an. »Amüsierst du dich gut?«, fragte sie.

»Oh ja«, ächzte Simon ein wenig atemlos.

»Warte es nur ab«, meinte Bryony Unheil verkündend, als Debbie sich näherte.

»Soll ich die Drinks holen?«, fragte Simon hoffnungsvoll. »Nach so viel körperlicher Betätigung bin ich halb verdurstet.«

Debbie sah ihn abschätzend an. »Weißt du was?«, erwiderte sie. »Ich gehe mit dir. Und leiste dir Gesellschaft, während du in der Schlange stehst.« Dann drehte sie sich zu Bryony um. »Du bist doch einverstanden, Bry?«

Bryony nickte resigniert.

Plötzlich hatte Simon eine Idee. »Ich sag dir was, Bryony. Da drüben an der Bar steht ein Kumpel von mir.« Er drehte sich um und zeigte auf Michael. Bryony stellte sich auf die Zehenspitzen, um besser sehen zu können.

»Dieser hoch gewachsene Typ da? Ich seh ihn. Zum Anbeißen.«

»Hm, er ist genau die Art Mann, die auf dich abfährt«, fügte Simon hinzu.

»Wirklich?«, fragte Bryony zweifelnd.

»*Wirklich?*«, wiederholte Debbie vielleicht eine Spur eifersüchtig.

»Wirklich«, bekräftigte Simon. »Du bist genau sein Typ. Ich kenne den Mann sehr gut. Er gehört fast zur Familie.«

»Warum holst du ihn dann nicht zu uns rüber?«, wunderte sich Bryony.

Simon dachte nach. Er hatte keine Lust, noch einmal mit Michael zu reden; er wollte ihn lediglich leiden sehen. »Ach, weißt du, er ist sehr schüchtern«, behauptete er. »Besser, du gehst zu ihm und stellst dich ihm vor. Aber lass dich nicht so leicht abschrecken. Wenn du darauf wartest, dass er den ersten Schritt macht, sitzt du Weihnachten noch da. Ich würde vorschlagen, du ergreifst die Gelegenheit einfach beim Schopf und nimmst ihn dir vor.«

Bryony zuckte die Schultern. »Verstanden. Bis später dann.« Sie drehte sich um und zwängte sich in die Menge.

»Also schön«, seufzte Simon, der ihr mit einiger Befriedigung nachsah. Dann drehte er sich zu Debbie um. »Was ist jetzt mit den Drinks?«

Debbie griff abermals nach Simons Arm und lenkte ihn in Richtung Theke. Dort stellten sie sich hinten in die Schlange und warteten darauf, bedient zu werden. Debbie stieß ihm in die Rippen.

»Gerissener Bastard«, meinte sie. »Bryony abzuhängen, damit wir allein sein können. Nicht gerade subtil.«

»Oh«, murmelte Simon, plötzlich besorgt. »Du hast das falsch verstanden. Das war nicht so ...«

»Wohnst du allein?«, fragte sie.

»Ja«, antwortete Simon automatisch, bevor ihm klar wurde, dass das möglicherweise ein schwer wiegender taktischer Fehler gewesen war. »Das heißt«, begann er, bevor er die Nutzlosigkeit eines verspäteten Leugnens einsah, »ähm ... ja, ja, ich wohne allein.«

»Hervorragend. Hör mal, ich kann es dir genauso gut gleich jetzt sagen. Die Sache ist die, ich kann nicht.«

Simon runzelte die Stirn. »Du kannst nicht?«, wiederholte er.

Debbie verdrehte die Augen. »Du weißt schon«, meinte sie. »Ich habe Tante Rosa zu Besuch.«

»Tante Rosa?«, echote Simon verständnislos.

Debbie nickte. »Es ist die Lumpenwoche.«

»Lumpenwoche?«

»Yeah«, sagte Debbie. »Du weißt schon, Draculas Teebeutel.« Sie zwinkerte abermals.

Plötzlich verstand Simon, worüber Debbie redete, und war einen Augenblick lang zu entsetzt, um zu sprechen. Debbie schien nichts zu bemerken. »Ist das okay für dich?«, wollte sie wissen.

Simon nickte dumpf.

»Ach, wo wir gerade dabei sind«, fuhr sie fort, offensichtlich vollkommen immun gegen den gequälten Ausdruck auf Simons Gesicht, »da fällt mir etwas ein. Hast du Kondome da?«

Diesmal schaffte Simon es, seinen Mund in Gang zu setzen. »Nein«, antwortete er entschlossen und sehr erleichtert. »Tut mir Leid.«

»Oh, macht nichts«, erwiderte Debbie. »Ich habe im Damenklo einen Automaten gesehen, das dürfte also kein Problem sein. Ach ja, wie wär es, wenn ich gleich rübergehe und uns ein paar besorge, bevor wir es vergessen? Es wäre doch schrecklich, wenn wir zu Hause ankämen und dann erst merkten, dass wir zu lange gewartet haben.«

»Klar«, sagte Simon, »gute Idee.«

Debbie drückte noch einmal seinen Arm, und Simon fragte sich, wie er am nächsten Morgen wohl aussehen würde. Voller blauer Flecken, vermutete er. »Kommst du solange alleine klar?«, erkundigte sich Debbie.

»Natürlich«, versicherte Simon.

»In Ordnung. Bin gleich wieder da.« Einen schrecklichen Augenblick lang dachte Simon, sie würde versuchen, ihn auf die Wange zu küssen, aber stattdessen drehte sie bei und begann, sich durch die Menge zu pflügen. Simon sah ihr wie hypnotisiert nach.

Er wartete ein paar Sekunden, dann fädelte er sich durch die andern Gäste, bis er den äußeren Rand der Menge erreicht hatte. Dort holte er tief Luft, brach aus seiner Deckung heraus und stürmte in Richtung Ausgang.

Simon drückte die Tür auf und rannte die Treppe hinauf zur Straße. Als er an den Rausschmeißern vorbeikam, schlug ihm ein erfrischender Schwall kühler Luft ins Gesicht, und sofort ging es ihm besser. So schnell er konnte, ohne dabei wirklich zu rennen, entfernte er sich vom »Slick Tom's«.

13. KAPITEL

Am nächsten Tag beschloss Simon, in der Mittagspause einen Spaziergang zu unternehmen. Ihm zit-
terten noch immer ein wenig die Glieder, nachdem er am
vergangenen Abend nur knapp den amourösen Fängen
Debbies entronnen war. Die abgasgeschwängerte Luft an
der Victoria Station war immer noch besser als die mod-
rige Atmosphäre des Ladens. Als er die Vordertür
schloss, fiel ihm ein schnittiger, silberfarbener Porsche
auf, der direkt gegenüber parkte.

Simon dachte an Sophies Geburtstagsfeier. Er rang
noch mit sich, ob er sich am Samstag krankmelden sollte,
um dem Martyrium zu entgehen. Wäre es irgendjemand
anderes als Sophie gewesen, hätte er keinen Moment ge-
zögert. In Gedanken versunken, bemerkte Simon nicht,
dass der silberfarbene Porsche direkt neben ihm am Stra-
ßenrand entlangkroch, bis der Fahrer auf die Hupe
drückte und ihn damit aus seinem Tagtraum riss. Simon
blieb stehen und drehte sich nach dem Wagen um. Im
gleichen Augenblick wurde die getönte Fensterscheibe
lautlos heruntergelassen und gab den Blick frei auf einen
gut gekleideten Mann Ende zwanzig mit einem massigen
Kinn und kurz geschnittenem Haar. Er trug eine Rund-
umsonnenbrille, obwohl kein Sonnenstrahl durch die
Wolken drang. Der Mann sah ihn an, ohne zu lächeln. Er
lehnte sich aus dem Fenster.

»Simon Teller?«, fragte er.

»Ja«, antwortete Simon stirnrunzelnd. Der Fahrer des Porsche sprang aus dem Wagen, packte Simon an der Jacke und drückte ihn gegen die nächste Mauer. Sein Gesicht war ungefähr zehn Zentimeter von Simons entfernt, als er zu sprechen begann.

»Also schön, du Fußabtreter.«

Simon hustete. Er hatte einige Mühe beim Atmen.

Der Mann fuhr fort. »Du und ich, wir haben etwas zu besprechen.«

»Ach ja?«, ächzte Simon halb erstickt.

»Yeah.« Der Mann nickte, hievte Simon weiter die Mauer hinauf und starrte ihn dann durchdringend an. Die Bosheit war ihm ins Gesicht geschrieben.

Simon rang nach Luft. Schließlich gelang es ihm hervorzustoßen: »Wer *sind* Sie?«

Der Mann lockerte seinen Griff, bis Simon wieder mehr oder weniger normal atmen konnte. »Ich«, erwiderte er drohend, »bin Russell Square. Klingelt es da bei dir?«

Simons Augen wurden rund. Das war Vicks Freund! Russell Square sollte doch ein pickliger Jugendlicher sein, kein muskelbepackter Rowdy mit Sportwagen und schniekem Anzug. Vicks Entscheidung, Simon als romantischen Strohmann zu benutzen, nahm plötzlich einen ernsteren Aspekt an. »Ah«, machte Simon schließlich. »Sie kennen Vick.«

»Es muss ›V‹ heißen«, erklärte Russell Square, »und ja, ich kenne sie, das heißt, ich *kannte* sie, bis sie beschloss, sich mit dir einzulassen.«

»Hm, ja, es ist komisch, dass Sie das sagen, denn genau genommen ist es nicht wahr«, stammelte Simon.

»Yeah, klar, dass du das behaupten würdest, was?«, knurrte sein Angreifer.

»Nein, hören Sie. Ehrlich. Ich bin nicht mal in ihre Nähe gekommen. Ich würde auf keinen Fall in ihre Nähe kommen«, fügte Simon wahrheitsgemäß hinzu.

Russell schien nicht überzeugt zu sein. »Da habe ich aber anderes gehört«, brummte er. »Ich habe gehört, dass ihr bei jeder Gelegenheit, die sich bietet, rummacht.«

Simon war ehrlich entsetzt. »Stimmt nicht«, keuchte er. »Sie hat das nur erfunden.«

Russell grinste höhnisch. »Feigling. Hast nicht mal den Mumm, für dich einzutreten. Um Himmels willen, sie hat was Besseres verdient als dich.«

Simon war vollauf seiner Meinung. »Hören Sie. Sie hat das nur erfunden, ehrlich.« Er hielt inne. »Ich habe es ihr geraten.«

»Was?«

»Ich habe ihr geraten, diese Geschichten zu erfinden. Allerdings nicht im Zusammenhang mit mir, wie Sie sich denken können.«

Russell Square starrte Simon weiter an. »Warum hast du es dann getan?«

»Sie hat sich so aufgeregt, weil Sie sie nicht angerufen haben. Ich habe ihr erklärt, das sei eine Möglichkeit, Ihre Aufmerksamkeit zu erringen – sie solle Sie eifersüchtig machen, Sie verstehen schon, einen neuen Freund erfinden.«

»Scheiße«, meinte Russell nach ein oder zwei Sekunden.

»Hm, tja, warum *haben* Sie sie nicht angerufen?«, antwortete Simon, der zu dem Schluss gekommen war, dass Angriff vielleicht die beste Verteidigung wäre.

»Weil mein *beschissenes* Handy *beschissenerweise* nicht funktioniert hat«, erklärte Russell und verstärkte den Druck seiner Arme.

»Konnten Sie kein normales Telefon benutzen?«, rief Simon.

Russell Square sah Simon seltsam an. »Mach dich nicht lächerlich«, entgegnete er.

Simon hielt es für klüger, die Sache nicht weiter zu verfolgen. Er versuchte nachzudenken.

»Hören Sie, es ist ganz einfach«, begann er aufs Neue. »Ich habe Vick geraten, so zu tun, als träfe sie sich mit jemand anderem, und dafür zu sorgen, dass Ihnen das zu Ohren kommt.«

»Und dieser jemand warst *rein zufällig* du«, bemerkte Russell.

»Ich wusste nicht, dass sie mich für diesen Part auswählen würde.«

»Du musst zugeben, es sieht verdächtig aus«, beharrte Russell.

»Vielleicht«, räumte Simon vorsichtig ein. »Aber ich wollte nie etwas anderes, als dass Sie beide wieder zusammenkommen.«

»Was? Und du glaubst, dass ließe sich am besten erreichen, indem sie so tut, als ginge sie mit einem anderen aus?«

»Im Prinzip ja«, stimmte Simon ihm zu.

»Schön. Also, meiner Meinung nach bedeutet das, dass du ein Arschloch erster Güte bist«, entgegnete Russell und drückte Simon noch ein wenig weiter die Mauer hoch.

»Ich wollte doch nur helfen«, jammerte Simon.

Russells Gesicht zog sich zusammen, als er versuchte nachzudenken. Währenddessen baumelte Simon hilflos in der Luft. Endlich schüttelte Russell den Kopf. Er ließ Simon auf den Boden hinab und nahm die Hände von seiner Jacke. »Nee«, murmelte er, als Simon sich abklopfte.

»Wie bitte?«, fragte Simon, erleichtert, wieder auf den Füßen zu stehen.

»Nee«, wiederholte Russell. »Es ist Müll.«

»Was ist Müll?«

»Deine Story. Müll. Scheiße. Du saugst dir das aus den Fingern.« Russells Gesicht lief langsam rot an.

Simon hob die Hände zu einer Geste der Unterwürfigkeit. »Nein, hören Sie, ehrlich ...«

Aber Russell hatte seine Entscheidung getroffen. Er packte Simon und schleuderte ihn abermals gegen die Mauer. »Du kleiner Fußabtreter«, flüsterte er. »Du kleiner mieser Fußabtreter.« Der Aufprall gegen die Wand hatte Simon den Atem geraubt, und er krümmte sich zusammen, außer Stande zu sprechen. »Ich werde dir eine Lektion erteilen, die du so schnell nicht vergessen wirst«, drohte Russell, während er darauf wartete, dass Simon wieder zu Atem kam. »Ich werde dich dermaßen verprügeln, dass du ...«

»Hey, Mann.«

Simon spürte, wie Russells Griff sich lockerte, während er sich nach dem Störenfried umdrehte. »Siehst du nicht, dass ich beschäftigt bin? Hau ab.«

»Fehlanzeige. Mit Gewalt erreichen Sie gar nichts. Das bringt nur schlechtes Karma, sonst nichts.«

Es war Bob.

»Hör mal, Kumpel«, wandte sich Russell an Bob, »ich werd dir das kein zweites Mal erklären.«

Bob hielt einen Finger in die Höhe. »Denn er, der nicht zuhört, wenn die Zeit zum Zuhören gekommen ist, wird keine Verwendung mehr haben für seine Ohren, außer um die Schreie der Unerfüllten zu hören«, deklamierte er feierlich.

Russell runzelte die Stirn. »Was?«

»Ich habe Ihnen im Wesentlichen zugestimmt«, erklärte Bob.

»Oh, schön«, meinte Russell und versuchte, sich an Bobs Worte zu erinnern. »Gut.«

Bob nickte. »Sehen Sie? Friedliche Übereinstimmung ist die einzige Möglichkeit, um als Mensch unter Menschen zu leben.«

»Findest du?«, fragte Russell und sah Simon an, der inzwischen zusammengekrümmt auf dem Gehsteig lag.

Simon blickte angstvoll nach oben – gerade rechtzeitig, um zu sehen, wie Russell seinen rechten Ärmel hochkrempelte. Er schluckte. Verdammte Vick, dachte er.

Bob legte eine Hand auf Russells Arm und schüttelte den Kopf. »Hören Sie, Mann. Der Prophet sagt: ›Er, der seine Hand im Zorn erhebt, soll in seinem nächsten Leben jeden Schlag, den er austeilt, tausendfach erleiden müssen.‹ Es ist wahr. Der wahre Weg ist der Weg des Friedens.«

»Was? Wie in dem Paul-McCartney-Song?«, murmelte Russell.

»Ähm, yeah«, antwortete Bob.

»Wer zum Teufel bist du eigentlich?«, wollte Russell wissen.

Bob richtete sich auf. »Ich bin die Stimme Ihres Gewissens, Mann. Ich bin die einsame Stimme in der Wildnis, die die Wahrheit verkündigt und andere zum Licht führt. Ich bin der einsame Reisende auf der Straße zur Erleuchtung.«

Simon seufzte. Ihm stand die Straße zur Erleuchtung bis obenhin.

»Du bist ein Irrer«, entgegnete Russell und lag damit vielleicht gar nicht so falsch.

Bob schüttelte traurig den Kopf. »Wahnsinn manifestiert sich am deutlichsten in jenen, die ihn in sich selbst nicht erkennen.«

Oh-oh, Vorsicht, dachte Simon.

Russell ließ es durchgehen. »Dann meinst du also, ich soll diesen armen Wicht hier ziehen lassen, ja?«

Bob nickte. »Was genau soll er eigentlich getan haben?«

»Er hat mit meiner Freundin geschlafen«, antwortete Russell.

Bob brach in Gelächter aus.

»Ich finde das nicht besonders komisch«, erwiderte Russell, und seine Augen blitzten gefährlich.

Bob zitterte immer noch vor Lachen und machte nicht einmal den Versuch, seine Erheiterung zu unterdrücken. »Nein, im Allgemeinen ist so was nicht komisch, da bin ich Ihrer Meinung. Aber *der da*?« Bob zeigte auf Simon. »Der doch nicht, Kumpel. Glauben Sie mir. Ich kenne ihn. Er würde so etwas nicht tun.«

Simon sah Bob dankbar an.

Russell beäugte Simon misstrauisch. »Warum nicht? Was stimmt nicht mit ihm?«

»Nichts stimmt nicht mit ihm«, erwiderte Bob, der offensichtlich nichts mitbekam von der unverhohlenen Bedrohung, die von Russell wie ein schlechtes Rasierwasser ausging. »Ich sage nur, dass es *höchst unwahrscheinlich* ist, dass dieser Typ mit Ihrem Vögelchen geschlafen hat.«

»Okay«, brummte Russell, der immer noch nicht überzeugt klang.

»Und die Straße zur Erleuchtung ist nicht gesäumt mit den gebrochenen Knochen alter Zwistigkeiten, sondern mit den Blumen der Versöhnung.« Russells Augen bewölkten sich. Bob spürte, dass er ihn verlor. »Also, wie auch immer«, fuhr er hastig fort, »ich meine, das Beste wäre es, wenn Sie mit Ihrem Vögelchen reden und erst mal nachhaken, ob dieser Bursche wirklich der ist, mit dem sie geschlafen hat. Und wenn er es tatsächlich war – hm, an dieser Stelle müssen Sie dann in Ihr Gewissen schauen und über Ihr spirituelles Karma reflektieren.«

»Also, was Sie sagen wollen, ist, erst Fragen stellen, dann die Fäuste sprechen lassen?«, meinte Russell.

»Bingo«, stimmte Bob zu.

»Das ist normalerweise nicht die Art, wie ich die Dinge angehe«, gab Russell zu.

»Leben bedeutet Veränderung, Veränderung bedeutet Leben«, bemerkte Bob philosophisch. »Machen Sie mal etwas ein wenig anders. Probieren Sie es aus. Sie können nie wissen. Vielleicht gefällt es Ihnen ja.«

Russell starrte Simon an und kam zu einer Entscheidung. »Wenn ich rauskriege, dass du mich angelogen hast, du plärrender kleiner Zwerg, kriegst du von mir gleich die doppelte Portion.« Er kehrte zu seinem Porsche zurück. »Wenn es etwas gibt, das mich *ankotzt,* dann sind das kleine Scheißer, die nicht einstecken können, was sie sich eingehandelt haben. Keinen Funken Ehre im Leib, pfui Teufel.« Er öffnete die Wagentür und stieg ein. »Ich rede mit V«, rief er durch das offene Fenster. »Und vielleicht sprechen wir uns dann noch mal.« Er ließ den Motor an und schoss mit einem Quietschen von Gummi davon. Hinter ihm blieb nur eine Staubwolke zurück.

Simon und Bob sahen ihm wortlos nach.

»Danke, Bob«, murmelte Simon nach ein oder zwei Sekunden.

Bob blickte noch immer sehnsüchtig in die Richtung, in der der Porsche verschwunden war. »Der Prophet hat ein Sprichwort«, bemerkte er. »Zeig mir einen Mann mit einem protzigen Wagen, und ich zeige dir einen Mann mit einer tief greifenden Angst, was die Größe seiner Genitalien betrifft.«

»Sehr modern, dieser Prophet, was?«, bemerkte Simon.

Bob zuckte die Schultern. »Ich habe leicht paraphrasiert.«

»Ich habe nicht mit seiner verdammten Freundin geschlafen, falls Sie das interessiert«, versicherte Simon.

»Egal.« Bob zwinkerte. »Verurteile nicht deines Bruders Hüter.«

Simon runzelte die Stirn und versuchte, den Sinn dieser Bemerkung zu entschlüsseln. »Wie auch immer«, meinte er dann. »Danke, dass Sie mir aus dieser Klemme geholfen haben. Ich weiß das wirklich zu schätzen. Wenn ich irgendwas tun kann, um Ihnen zu helfen, lassen Sie es mich wissen.«

»Na ja«, erwiderte Bob. »Sie könnten mir nicht vielleicht zwanzig Mäuse spendieren, oder?«

Simon kehrte in den Laden zurück, um Vick zur Rede zu stellen. Sie lehnte lässig an der Kasse und inspizierte den gesplitterten schwarzen Nagellack auf ihren gut abgekauten Fingernägeln. Simon fragte sich, warum ein Porsche fahrender junger Mann sich überhaupt für ein so wenig anziehendes Exemplar der weiblichen Spezies interessierte. Kein Geschmack, fand er.

Vick war offensichtlich schlecht gelaunt. Sie begrüßte Simon mit finsterer Miene. Als sie die Zähne bleckte, glitzerte das Maschenwerk kieferorthopädischen Metalls, das normalerweise durch ihre mürrische Miene verborgen wurde, bedrohlich durch den Laden. Simon prallte unwillkürlich einen Schritt zurück.

»Rate mal, wem ich gerade begegnet bin«, sagte er.

Vick gähnte. »Das interessiert mich einen Rattenfurz.«

Simon fuhr unverzagt fort. »Deinem Freund. Russell.«

Sofort leuchteten Vicks Augen auf, und sie hätte fast – fast – für ein paar Sekunden ihre lässige Haltung vergessen. »Wirklich?«, fragte sie.

Simon nickte. »Jawoll. Er hat nach mir gesucht.« Er hielt inne. »Er war nicht allzu erfreut über die Geschichten, die er gehört hatte.«

»War er wirklich wütend?«, wollte sie wissen.

»›Wirklich wütend‹ ist eine Möglichkeit, es auszudrücken. ›Wahnsinnig, gewalttätig wütend‹ ist eine andere.«

Vick klatschte in die Hände. »Das ist ja *fantastisch*.«

»Es freut mich natürlich«, meinte Simon, »dass du dich freust, aber für mich war es nicht fantastisch. Das mit der ›wahnsinnigen Gewalttätigkeit‹ habe ich durchaus ernst gemeint.«

Vick nickte. »Yeah. Der Mann hat ein Mordstemperament, was?«

»Das hat er in der Tat«, pflichtete Simon ihr kläglich bei.

»Dann meinst du also, ihm liegt doch etwas an mir?«

»Nach dem, was ich gerade erlebt habe, ganz eindeutig.«

Vick strahlte. »Das ist eine verdammt *großartige* Neuigkeit.«

»Yeah, hm, wie auch immer, wenn du ihn siehst, würde es dir sehr viel ausmachen, ihm zu gestehen, dass du dir diese Geschichte über dich und mich aus den Fingern gesogen hast? Weil er nämlich sonst noch mal auf mich losgehen wird.«

Aber Vick schien die Aussicht auf eine prickelnde Wiedervereinigung mit Russell zu sehr zu erregen, als dass sie sich groß mit Simons Problemen hätte abgeben wollen. »Dann glaubst du also definitiv, dass er zu mir zurückkommen wird?«, fragte sie träumerisch.

»Anscheinend hatte er dich nie verlassen«, gab Simon zurück. »Er behauptet, sein Handy hätte nicht funktioniert.«

»Oh.« Vick nickte weise. »Das erklärt alles.«

»Dann wirst du es ihm erzählen, ja?«, hakte Simon nervös nach. »Das mit uns. Oder vielmehr, dass es überhaupt kein ›uns‹ gegeben hat.«

»Hm?« Vick war in Gedanken anderswo; wo genau wollte Simon nicht wirklich wissen. »Oh, klar. Yeah, ich erzähl es ihm.«

»Sicher? Denn wenn du es nicht tust, werde ich ein Problem haben.«

»Mein Gott, Simon, könntest du dich nicht einmal in deinem Leben entspannen?«, maulte Vick gereizt. »Ich bin mal kurz auf einen Glimmstängel unten.«

Simon sah Vick nach, wie sie auf die Treppe zum Lagerraum zuschlenderte. Gern geschehen, sagte er zu sich selbst. Nicht der Rede wert, wirklich nicht.

14. KAPITEL

Der Verurteilte hatte keinen großen Appetit.
Der Tag der Abrechnung war gekommen. Düster
schob er seine letzte Mahlzeit auf seinem Teller hin und
her, zu sehr erfüllt von der Angst vor dem bevorstehenden Martyrium, um sich für sein Essen zu interessieren.

Der Verurteilte stand auf. Mit einem Seufzen ging er in
die Ecke des Raumes und packte seine Utensilien ein.
Fest darauf konzentriert, nicht an das zu denken, was ihn
am Ende seiner letzten Reise erwartete, wandte er sich
mit einem letzten bedauernden Blick durch den Raum
zum Gehen.

Eine halbe Stunde später stand Simon vor Arabellas
Haus. An der Haustür schwebte ein gelber Luftballon in
der milden Sommerbrise. Aus dem Haus konnte Simon
bereits das Kreischen übererregter Kinder hören. Sein
Magen krampfte sich vor Furcht zusammen. Widerstrebend drückte er auf die Klingel.

Nach ein paar Sekunden wurde die Tür von einer Frau
geöffnet, die Simon nicht kannte. Sie war Ende dreißig
und schien eher für einen schicken Abend in einem Nachtclub gekleidet zu sein als für eine Kindergeburtstagsfeier
am Nachmittag. Sie musterte Simon mit Interesse.

»Hallo«, grüßte sie nach ein oder zwei Sekunden.

»Hallo«, erwiderte Simon. »Ich bin Simon.« Er hielt

seine Tasche mit Zauber-Utensilien in die Höhe. »Meines Zeichens Onkel und Zauberer des Tages.«

Die Augenbrauen der Frau fuhren in die Höhe. »*Ah*«, hauchte sie. »*Sie* sind Simon. Wie schön, Sie endlich einmal kennen zu lernen. Ich habe schon so viel von Ihnen gehört.«

»Ach ja«, gab Simon so neutral wie möglich zurück.

Die Frau bedeutete Simon einzutreten. »Ich heiße Monique«, erklärte sie, während sie ihm durch den Korridor folgte. Monique hatte sich freizügig mit einem durchdringenden und überwältigenden Parfüm eingesprüht, und das offensichtlich etwa fünf Sekunden, bevor sie an die Tür gekommen war.

»Schön, Sie kennen zu lernen«, sagte Simon höflich.

»Schön, *Sie* kennen zu lernen«, schnurrte Monique. »Ich bin in meiner offiziellen Eigenschaft als Piers' Mutter hier«, fuhr sie fort. »Arabella hat mich gebeten, ihr ein bisschen zu helfen. Die kleinen Monster sind aber auch eine ganz schöne Rasselbande.«

»Ähm, ja, sicher«, murmelte Simon, dem schon jetzt übel vor Nervosität war, wenn er daran dachte, vor Kindern auftreten zu müssen, und den niemand an die harte Prüfung erinnern musste, die ihm bevorstand.

»Bella erzählte mir, dass Sie ein richtiger Experte in puncto Zauberei seien«, meinte Monique. Sie warf den Kopf in den Nacken und lachte ohne offenkundigen Grund ein durch und durch unechtes Lachen.

»Oh, eigentlich nicht«, entgegnete Simon. »Ich trete nicht oft auf.«

»Das kann ich kaum glauben«, zwitscherte Monique und klimperte bedeutungsvoll mit ihren Wimpern.

»Also, ähm ... wo sind sie denn alle?«, fragte Simon hastig.

»Sie sind im Garten und spielen Statue.« Monique zeigte mit einem purpurnen Fingernagel aus dem Fenster.

»Hm, dann gehe ich wohl besser mal hin und sage Guten Tag«, erwiderte Simon wohl erzogen und ergriff die Flucht.

Als er die Tür zum Garten öffnete, schwoll die Lautstärke des Geschreis dramatisch an. Simon ging unerschrocken weiter. Es gab jetzt kein Zurück mehr, schon gar nicht, da Monique wie ein Raubtier hinter ihm lauerte. Er ging um das Haus herum und bog um die Ecke in den Garten. Auf dem Rasen vor ihm standen ungefähr fünfzehn kleine Kinder, allesamt weiß gekleidet. Vor ihnen standen Bella und Michael. Als Bella Simon bemerkte, winkte sie ihm fröhlich zu. Die kleinen Gestalten vor ihr rührten sich nicht. Beunruhigenderweise schrien sie jedoch in schriller Erregung weiter, während sie ihre Posen beibehielten und darauf warteten, dass das Spiel fortgesetzt würde.

Simon ging auf Bella und Michael zu. Es war das erste Mal seit ihrer Begegnung im »Slick Tom's«, dass er Michael sah. Als Simon auf ihn zukam, strahlte Michael ihn über die Schulter seiner Frau hinweg nervös an.

»Michael. Wie geht es denn so?«

»Oh, absolut *wunderbar*«, schwärmte Michael. Bella drehte sich um und musterte ihren Mann fragend, bevor sie auf Simon zuging und ihm einen liebevollen Kuss auf die Wange drückte.

»Hallo, du«, sagte sie. »Was ist mit deinem Haar passiert?«

»Ein verrückter Frisör mit unzureichenden Englischkenntnissen«, erklärte Simon.

Bella zuckte zusammen. »Danke, dass du gekommen bist«, flüsterte sie.

»Wie machen die Kinder sich denn bisher?«, erkundigte sich Simon.

»Das Benehmen ist im Augenblick mäßig bis erbärmlich«, meldete Bella. »Aber ich glaube, wir dürfen erwarten, dass das Niveau dramatisch absinkt, sobald sie erst meinen Erdbeerpudding probiert haben. Er schmeckt grässlich. Unter aller Kritik. Wir müssen mit einer Meuterei rechnen.«

Simon schluckte. »Großartig«, seufzte er. »Ich kann es kaum erwarten.« Er betrachtete die reglosen Kinder vor sich. Sophie, die in einem weißen Tutu glänzte, bemerkte ihn und winkte aufgeregt.

»Oh, Sophie, du hast dich bewegt«, stellte Michael gereizt fest. »Das bedeutet, dass du nach hinten gehen musst.« Als er sah, dass Sophies Gesicht sich vor Enttäuschung zusammenzog, klatschte Michael in die Hände und entschied sich für eine andere Taktik. »Okay«, rief er. »Das war große Klasse. Wollen wir das Spiel an dieser Stelle abbrechen und etwas anderes spielen?«

Die weißen Gestalten begannen sich alle gleichzeitig zu bewegen. Wie von einer magnetischen Kraft angetrieben, formierten sie sich innerhalb von zehn Sekunden zu einer ziemlich glaubwürdigen Rugbyhorde, einer homogenen Masse kleiner Leiber, Köpfe und Gliedmaßen.

»Was soll die Kostümierung?«, fragte Simon.

»Oh, das war Sophies Idee«, erklärte Bella. »Sie wollte eine Feenparty und hat darauf bestanden, dass alle als Fee verkleidet kommen. Ich habe sie davon zu überzeugen versucht, dass die Jungen vielleicht stattdessen als Elfen kommen sollten oder als Kobolde oder so, aber sie hat sich nicht erweichen lassen. Es mussten Feen sein, oder sie würden gar nicht eingeladen. Ich war mir nicht ganz sicher, was die Mütter davon halten würden, also habe ich eine eigenmächtige Entscheidung getroffen und gelogen.«

»Was hast du gesagt?«

»Ich habe den Jungen oder vielmehr ihren Müttern erzählt, dass es eine Engelparty werden soll und sie deshalb als Engel verkleidet kommen müssten.«

»Brillant«, meinte Simon.

»Ich bin mir da nicht so sicher. Stephanie, die zwei Häuser weiter wohnt, hat mittags angerufen, um mitzuteilen, dass ihr Sohn Jonathan sich gerade eine heftige Spielart einer nicht identifizierten, aber sehr ansteckenden Krankheit eingefangen hat. Ich glaube, sie fand die ganze Sache ein bisschen morbide. Oder zutiefst gotteslästerlich.«

»Und Sophie weiß nicht Bescheid?«

Bella schüttelte den Kopf. »Soweit es sie betrifft, sind alle ihre Gäste Feen.«

Simon betrachtete die Bande von Kindern. Die Jungen schienen die Accessoires einiger Mädchen, die eher an Feen denken ließen, ohne jeden Argwohn hinzunehmen. Schließlich trugen Engel im Allgemeinen keine flitterbedeckten, rosafarbenen Plastikzauberstäbe in der Hand. Glücklicherweise hatten sowohl Feen als auch Engel Flügel, wenn auch unterschiedlicher Größe. Ein Junge trug ein Haarnetz aus weißem Leinen über dem Kopf und sah auf schaurige Weise wie die Miniaturausgabe eines Mitglieds des Ku-Klux-Klans aus.

»Wo ist Daniel?«, fragte Simon und sah sich um.

»Wir mussten ihn in den Schuppen sperren«, erklärte Arabella. »All die Kinder haben ihn so aufgeregt, dass er am Ende jemanden angepinkelt hat.«

»Hoppla«, entfuhr es Simon.

»In der Tat«, stimmte seine Schwester zu. »Na ja,

glücklicherweise hatten wir noch eine Paillettenstrumpf-hose in Reserve, sodass nicht allzu viele Tränen geflossen sind.«

»Wer ist die fremde Frau im Haus?«, erkundigte sich Simon.

»Monique? Ja, ich wollte dir noch von ihr erzählen.«

»Klingt bedrohlich.«

»Für dich vielleicht. Sie ist die Mutter von Piers, dem kleinen Cherubim da drüben, der gerade Tinkerbell in den Po kneift.« Bella zeigte auf einen Jungen mit einem wirren, blonden Haarschopf, der ihm übers Gesicht fiel, während er seinem Opfer gerade in den nylonüberzoge-nen Hintern zwickte. »Lass dich nicht von dem hübschen Gesicht täuschen«, riet sie ihm. »Er mag wie ein Engel aussehen, aber er ist ein boshafter kleiner Teufel.«

»Okay, ich merk es mir«, meinte Simon. Die Fee, deren Kehrseite malträtiert worden war, begann zu weinen, während Piers gelassen und mit einem selbstgefälligen Lächeln auf dem Gesicht aus dem Getümmel glitt. »Also, warum ist Monique so aufgedonnert, und warum riecht sie wie die ganze Kosmetikabteilung bei Harvey Ni-chols?«, wollte er wissen.

Bella seufzte. »Sie ist frisch geschieden.«

Es folgte eine Pause.

»Und?«, hakte Simon nach.

»Nun ja, was musst du denn sonst noch wissen? Als ich ihr erzählte, dass du herkommen würdest, um ein paar Zauberkunststücke vorzuführen, hat sie sich mir mehr oder weniger als Gehilfin aufgedrängt, und jetzt ist sie seit Stunden hier, wartet auf deine Ankunft und über-prüft etwa alle dreißig Sekunden ihr Make-up.«

»Die ganze Mühe für *mich*?«, erkundigte sich Simon entsetzt.

»Ich hoffe, es macht dir nichts aus«, erwiderte Bella. »Ich dachte, dir würde die Ablenkung vielleicht Spaß machen.«

»Barmherziger«, flüsterte Simon. »Ich mag ja verzweifelt sein, aber nicht *so* verzweifelt.«

Bella zuckte die Schultern. »Wie du meinst«, sagte sie. »Betrachte dich jedenfalls als gewarnt. Sie wird dich mit Haut und Haaren verschlingen, wenn du sie lässt.«

Simon schnitt eine Grimasse. Dann sah er auf seine Armbanduhr. »Wann bin ich dran?«

»Hm«, machte Bella. »Ich glaube, wir haben unsere Auswahl an Spielen inzwischen erschöpft, also geben wir den kleinen Monstern am besten jetzt ihren Tee. Du kannst dich derweil im Wohnzimmer fertig machen.«

Sophie löste sich aus dem Gedränge und rannte auf ihre Mutter zu. »Mummy, Mummy, was kommt als Nächstes? Ich habe Hunger. Hallo, Simon. Kann ich jetzt etwas Kuchen kriegen?«, plapperte sie, und ihr kleines Gesicht war vor Erregung gerötet.

»Hallo, Sophie«, erwiderte Simon. »Alles Gute zum Geburtstag.«

»Was ist mit deinen Haaren passiert?«, wollte Sophie wissen.

»Erzähl mir doch noch einmal, wie alt du jetzt bist?«, bat Simon, ohne auf ihre Frage einzugehen.

»Ich bin jetzt sechs«, antwortete Sophie.

»Wow«, rief Simon. »Sehr erwachsen.«

Sophie nickte. »Ich glaube«, meinte sie vernünftig, »dass ich von allen hier am erwachsensten bin.«

Bella zog sarkastisch eine Augenbraue in die Höhe. »Da könntest du Recht haben, Kindchen«, bemerkte sie leise und strich ihrer Tochter übers Haar. Dann blickte sie auf und sah, dass ihr Ehemann in Gefahr stand, von einer

Horde Engel und Feen in ein Azaleenbeet gedrängt zu werden. »Alle Mann herhören«, rief sie und klatschte dabei in die Hände. »Zeit für den Tee.«

Mit einem Jubelschrei ließ die Schar sofort von Michael ab und bewegte sich stattdessen wie ein einziges Wesen den Garten hinunter und ins Haus, geschickt angeführt von Bella. Simon blieb mit Michael allein im Garten zurück. Er sah ihn kühl an; er hatte noch nicht entschieden, was er in Bezug auf seine Entdeckung im »Slick Tom's« unternehmen wollte.

»Hm«, sagte Simon.

»Hm«, stimmte Michael ihm nervös zu.

»Schön dich zu sehen, *schon wieder*«, meinte Simon.

»Grässliches Lokal, das ›Slick Tom's‹, nicht? Ich frage mich manchmal, ob meine Mandanten auch nur einen Funken Geschmack haben. Man stelle sich nur vor, in ein solches Lokal zu gehen, um sich zu *amüsieren*.«

»Du hast so ausgesehen, als fühltest du dich da ganz wohl«, entgegnete Simon.

Michael machte eine weit ausholende Handbewegung. »Hör mal, man muss schließlich so aussehen, als fühlte man sich wohl, wie anstrengend das auch sein mag. Es ist schlechter Stil, sich seine Langeweile anmerken zu lassen. Mandanten nehmen so etwas schrecklich persönlich. Das sind alles sehr empfindsame Seelen, musst du wissen.«

»Hast du meine Freundin Bryony kennen gelernt?«, fragte Simon.

Michael runzelte die Stirn. »Bryony? Ich erinnere mich nicht ...«

»Sie war Kanadierin«, unterbrach Simon ihn. »Und ... ähm ... fett.«

Zu Simons Befriedigung verfiel Michaels Gesicht geradezu, als es ihm wieder einfiel. Plötzlich schien sein Argwohn geweckt zu sein. »Du wusstest, dass ... dass ...?«, stotterte er.

»Und ob«, antwortete Simon. »Ich habe dich da hocken sehen, und du sahst so elend und *gelangweilt* aus, deshalb habe ich sie zu dir rübergeschickt. Ich dachte, du könntest ein wenig Gesellschaft brauchen. Seid ihr miteinander klargekommen?«

Michaels Gesicht hatte eine interessante Farbe angenommen. Sein Mund öffnete und schloss sich ein paar Mal.

»Du Bastard«, zischte er schließlich.

»Gern geschehen«, antwortete Simon und marschierte in Richtung Haus davon.

In der Küche herrschte Chaos. Fünfzehn Münder standen offen, aber es wanderte kein Essen hinein. Stattdessen kam ohrenbetäubender Lärm heraus. Simon stahl sich ins Wohnzimmer und begann, hinter Arabellas Sofa seine Zauber-Utensilien aufzubauen. Als er sich bückte, wehte ein vertrauter Geruch an seiner Nase vorbei, Sekunden bevor Moniques Gesicht über dem Sofa erschien.

»*Hi*«, säuselte sie und blickte auf Simon hinab.

»Oh, hi«, murmelte Simon.

»Was machen Sie da unten?« Monique leckte sich ihre reichlich mit Lippenstift bedeckten Lippen.

»Ich bereite mich nur auf die große Vorstellung vor«, erwiderte Simon, der sich wieder auf seine Tricks konzentrierte. Er nahm ein ausgesägtes hölzernes Kaninchen zur Hand und schob es in einen grauen Zylinder.

»Hmhm«, gurrte Monique. »Ich kann es gar nicht erwarten.«

Simon schaute sie an. Sie sah nicht direkt schlecht aus, dachte er. Sie hätte nur die Hälfte ihres Make-ups abwaschen und aufhören müssen, sich wie ein verliebter Teenager zu benehmen. »Ich würde mir an Ihrer Stelle nicht allzu viel davon versprechen«, erklärte er. »Das Programm richtet sich eigentlich an die Kinder. Die Erwachsenen werden nicht besonders erstaunt sein.«

Monique legte den Kopf in den Nacken und stieß abermals ihr höchst seltsames Lachen aus. Dann zeigte sie auf ein paar lange Gummistreifen, die neben Simons Knie auf dem Boden lagen. »Ist das das, wofür ich es halte?«, quiekte sie erregt. »Sie böser Junge!«

Simon lächelte schwach. »Das sind Modellierballons.«

»Oh.« Monique hockte sich hin, während sie Simon mit glitzernden Augen musterte. »Dann müssen all diese kleinen Dinger also einzeln aufgeblasen werden?«, erkundigte sie sich und zeigte auf die Luftballons.

»Ähm, das ist richtig«, murmelte Simon.

»Ich weiß, wie sie sich anfühlen«, flüsterte Monique und fuhr sich dabei mit einer Hand sinnlich durchs Haar.

In diesem Augenblick kamen die Kinder in den Raum gestürzt. Zu seiner Überraschung stieß Simon einen Seufzer der Erleichterung aus. Die Konfrontation mit diesen Kindern würde ein Leichtes sein, verglichen mit dem Bemühen, Monique abzuwehren. Auf Bellas Anweisung nahmen die Kinder in Reih und Glied vor dem Sofa Platz. Als alle saßen, stellte Bella sich vor sie hin und sagte: »Also, als ganz besonderen Spaß haben wir heute Sophies Onkel Simon hier, der uns ein paar wundervolle Zauberkunststücke zeigen wird.«

Dann drehte sie sich um und machte Simon mit nach oben gerecktem Daumen ein Zeichen. Simon betrachtete die Kinder, die im Schneidersitz vor ihm saßen und in vollkommenem Schweigen zu ihm aufblickten. Im Hintergrund applaudierte Monique höflich. Simon wusste einen Augenblick lang nicht weiter.

Schließlich stieß einer der kleinen Jungen weiter hinten seinen Nachbarn in die Rippen und sagte: »Blöder Name.« Der andere kleine Junge nickte zustimmend.

»Was ist an meinem Namen nicht in Ordnung?«, fragte Simon verletzt. Er erkannte den Jungen, der gesprochen hatte. Es war Piers, Moniques Sohn.

»Na ja«, meinte Piers, »es ist kein toller Name für einen Zauberer, oder? Bei *meiner* Geburtstagsfeier hatten wir einen Zauberer da, und der hieß Cosmo der Clown.«

»Und ich hatte einen, der hieß der Große Bolivari«, meldete sich ein Junge neben ihm zu Wort.

»Nun, mein Name ist Simon, also müssen wir uns wohl damit zufrieden geben«, erwiderte Simon so beherzt er konnte. Er sah, wie Bella kopfschüttelnd den Raum verließ. Monique blieb jedoch, wo sie war. Simon schluckte und versuchte anzufangen.

»Und jetzt, Jungen und Mädchen, mein erstes Zauberkunststück. Ich werde euch die Geschichte von Kasimir dem Kaninchen erzählen.«

»Oh«, schniefte Piers, »die kenne ich schon.«

Zu seiner Ehrenrettung muss gesagt werden, dass Simon dem Drang widerstand, durch den Raum zu gehen und Piers eine Kopfnuss zu versetzen. Stattdessen kämpfte er sich wacker weiter durch das Zauberkunststück. Es dauerte nicht lange, und die Kinder feuerten ihn glücklich schreiend an. Ihre Erregung wuchs, während die (einigermaßen unglaubwürdige) Geschichte sich langsam entwickelte.

Kasimir das Kaninchen schaffte es endlich zurück nach

274

Hause und kuschelte sich in sein Bett, um sich ordentlich auszuschlafen – wobei Simon während dieser Zeilen überall hinsah, nur nicht in Moniques Richtung. Dann stürzte er sich in den nächsten Trick.

»Jungen und Mädchen, was ihr jetzt zu sehen bekommt, wird euch in Erstaunen versetzen«, kündigte Simon an. »Passt genau auf.« Er ballte seine linke Hand zur Faust und machte sich daran, mit dem rechten Zeigefinger ein orangefarbenes Taschentuch hineinzustopfen. Fünfzehn Augenpaare verfolgten jede seiner Bewegungen ohne einen Wimpernschlag. Sobald von dem Taschentuch nichts mehr zu sehen war, hielt Simon die Hand mit dem Taschentuch hoch über seinen Kopf.

»Und jetzt, Jungen und Mädchen, macht euch auf etwas gefasst«, kündigte Simon an. Finger um Finger öffnete er seine Faust – aus der das Taschentuch verschwunden war. Simon benutzte einen unechten, fleischfarbenen Plastikdaumen. Der Daumen war hohl und hatte genau die richtige Größe, um ein kleines Taschentuch darin zu verstecken. Die Reaktion der Kinder war gedämpft, gelinde gesagt. Einige drehten die Köpfe, um fragend ihre Nachbarn anzusehen. Andere runzelten die Stirn.

Nur Piers machte ein gelangweiltes Gesicht. »Ich kann sehen, wie Sie es gemacht haben«, rief er.

»Es ist *Zauberei*«, bluffte Simon ihn an. Er schloss seine leere Hand wieder zur Faust, dann griff er mit Daumen und Zeigefinger seiner rechten Hand hinein und zog das Taschentuch heraus.

»Sie haben so einen unechten Daumen«, verkündete Piers laut.

Simon zeigte das Taschentuch dem Publikum vor. »Unsinn«, widersprach er und beeilte sich, das orangefarbene Taschentuch und den Plastikdaumen in seiner Tasche zu verstauen.

»Haben Sie *doch*. Sie haben einen falschen Daumen«, beharrte Piers. »Ihr Trick ist Müll.«

»Ich habe keinen falschen Daumen«, versetzte Simon. Er hielt die Hände dem Publikum zur Begutachtung hin.

»Jetzt ist er natürlich in Ihrer Tasche«, behauptete Piers.

»Nein, ist er nicht.«

»Dann zeigen Sie sie uns«, forderte Piers.

Es folgte eine Pause. »Warum sollte ich?«, fragte Simon verdrossen.

»Wusste ich es doch!«, sagte Piers mit grimmiger Befriedigung.

»Aber egal«, fuhr Simon mit einer Spur Verzweiflung in der Stimme fort, »jetzt werde ich etwas vorführen, das euch bestimmt allen gefällt.« Er griff hinter das Sofa, bevor Piers eine weitere Meinungsäußerung von sich geben konnte, und nahm die noch nicht aufgeblasenen Luftballons zur Hand. Er schwenkte sie vor den Kindern durch die Luft, die ihn wortlos anstarrten. »Also schön«, meinte er. »Hier sind ein paar Luftballons.« Monique schnaubte hörbar und hielt sich eine Hand vor den Mund. Simon fiel plötzlich wieder ein, dass der großmäulige Junge namens Piers ihr Sohn war. Er schauderte unwillkürlich und versuchte, sich zu konzentrieren. Er sah Sophie an, die im Schneidersitz in der vordersten Reihe saß, unmittelbar vor ihm. »Also, Sophie, du bist das Geburtstagskind, du kommst als Erste an die Reihe. Was soll ich für dich machen? Ich kann einen Würstchenhund machen, einen Pudel oder eine Giraffe.«

Sophie überlegte kurz. »Kannst du eine Katze machen?«, fragte sie.

Oh, vielen Dank, dachte Simon bitter. »Tut mir Leid, Sophie«, antwortete er. »Katzen kann ich nicht.«

Sophies Gesicht zog sich herzzerreißend zusammen. »Nicht mal eine ganz kleine Katze?«, flüsterte sie.

Simon spürte, dass die anderen Kinder ein wenig unruhig wurden. »Warum sehen wir nicht einfach mal, was ich zu Stande bringe?«, schlug er vor und blies den Ballon dann schnell auf. Voll aufgeblasen, war der Ballon lang und dünn und stand in einem ziemlich obszönen Bogen von Simon ab. Mittlerweile lachte Monique so sehr, dass sie sich hinsetzen musste. Barmherzigerweise war keinem der Kinder etwas aufgefallen. Sie starrten wie gebannt auf den Luftballon, während Simon sich daranmachte, das Gummi zu ziehen und zu verbiegen, bis er dem Ballon eine höchst seltsame, dreidimensionale Form gegeben hatte, die im Grunde keine Ähnlichkeit mit irgendetwas hatte.

»Da!«, rief er triumphierend und reichte den Ballon Sophie.

»Was ist das?«, fragte die Kleine, die ihre Skulptur neugierig beäugte.

»Es ist ein ... ähm ... ganz besonderer Zauberstab für Feen«, improvisierte Simon.

Sophie runzelte die Stirn. »Bist du dir sicher?«

»Absolut. Also, wer will noch einen besonderen Zauberstab?« Das würde viel einfacher sein als Giraffen, stellte Simon fest. Er würde seine Ballonskulpturen improvisieren können, ohne sich an irgendwelche gegebenen Muster halten zu müssen, sodass er einfach drauflosbasteln konnte. Es war wie *Free Jazz* für Kinder. Er war der Ornette Coleman des Ballonmodellierens. Simon steigerte sich in einen Zustand der Erregung hinein.

Dreizehn Hände schnellten in die Höhe, eine jede begleitet von einem flehentlichen Kreischen. Simon hob die Hände. »Schon gut. Ihr kommt alle an die Reihe. Also, wer zuerst?« Noch mehr Hände, noch mehr Gekreisch.

»Ich will keinen Zauberstab«, meldete sich Piers zu Wort. »Was soll ein Engel auch mit einem Zauberstab?«

Sophie drehte sich zu ihm um. »Du bist kein Engel«, erklärte sie ihm. »Du bist eine Fee.«

»Nein«, widersprach Piers – unter den gegebenen Umständen durchaus vernünftig, musste Simon einräumen – »ich bin ein Engel. Das stimmt doch, Mum?«

Monique wollte ihm gerade Recht geben, als sie auf Sophies Gesicht die unverkennbaren Warnzeichen eines bevorstehenden Wutanfalls entdeckte. »Ich glaube«, meinte sie, »dass jeder hier eine Fee ist, weil ihr alle Zaubergeschöpfe seid, und dass auch jeder ein Engel ist, weil ihr alle so brav seid.«

Dieses zweifelhafte Meisterwerk mütterlicher Raffinesse schien sowohl Piers als auch Sophie zufrieden zu stellen. Die beiden nickten und konzentrierten sich wieder auf Simon, der Monique einen dankbaren Blick zuwarf. Sie zwinkerte ihm zu. Das brachte Simon ein wenig aus dem Gleichgewicht, und in seiner Nervosität drehte er den Ballon, den er gerade in Händen hielt, ein wenig zu fest, sodass er mit einem lauten Knall platzte.

Das kleine Mädchen, das geduldig auf den wundersam verwandelten Ballon gewartet hatte, brach auf der Stelle in untröstliche Tränen aus. Dreißig Sekunden später heulten sämtliche Kinder im Raum – außer Sophie, die mit ihrem neuen Luftballon ihren Freunden vor der Nase herumwedelte und das Problem dadurch noch vergrößerte, und Piers, der die Ereignisse mit verächtlicher Miene verfolgte.

Arabella kam in den Raum gestürzt. »Was ist hier los?«, verlangte sie zu erfahren.

»Ich habe versehentlich einen Luftballon platzen lassen«, erklärte Simon. »Ich glaube, sie stehen alle etwas unter Schock.«

»Hm, könntest du nicht mit dem nächsten anfangen?«, schlug Bella vor.

Simon zuckte die Schultern. »Klar.«

»Weißt du was?«, meinte Bella mit Blick auf die heulende Bande vor ihr. »Wir schaffen sie alle wieder zum Spielen nach draußen. Du kannst derweil ein ...« Sie brach ab. »Was ist *das*?«, fragte sie und zeigte auf Sophies Ballon. »Das hat keine Ähnlichkeit mit irgendeinem Tier, das *ich* je gesehen habe.«

»Es ist ein ganz besonderer Zauberstab«, verteidigte Simon sich.

»Und ich habe gesagt, Engel hätten keine Zauberstäbe«, erhob Piers abermals die Stimme.

»Natürlich haben sie das«, gab Bella entschieden zurück. »Was glaubst du denn, wie sie sonst fliegen könnten?«

Piers antwortete nicht und bewahrte mürrisches Schweigen. Simon war beeindruckt. Offensichtlich war die Methode direkten Leugnens und aggressiver Gegenfragen das Mittel der Wahl, um mit unangenehmen Kindern fertig zu werden. Simon merkte sich das für spätere Gelegenheiten.

»Also los«, rief Bella. »Kommt mit, ihr alle. Lassen wir Simon allein, damit er eure besonderen Zauberstäbe bauen kann. Wir gehen derweil nach draußen und spielen.« Bella sah in Simons Richtung, verdrehte kurz die Augen und scheuchte die Kinder wieder hinaus in den Garten. »Ich lasse dich dann allein«, erklärte sie. »Viel Glück. Ich hoffe, du hast genug Puste.«

Simon blieb allein im Wohnzimmer zurück, mit Monique, die sich aus ihrem Stuhl erhob und auf ihn zukam.

»Eine interessante Show«, schnurrte sie.

»Ziemlich furchtbar, nicht wahr?«, fragte Simon.

»Ich fand es *große Klasse*«, erwiderte Monique. »Es gefällt mir unheimlich, dass Sie das für Ihre Nichte tun. Was für ein netter Mann Sie sein müssen!«

»Nicht wirklich«, sagte Simon. »Aber vielen Dank«, fügte er einen Augenblick später hinzu, weil er nicht unhöflich erscheinen wollte. »Na, dann mache ich mich wohl besser über die Luftballons her.«

»Soll ich Ihnen helfen?«, bot Monique an.

»Werden Sie nicht draußen benötigt?«, gab Simon hoffnungsvoll zurück.

Monique wedelte mit der Hand. »Die kommen schon zurecht. Ich helfe lieber Ihnen. Es ist eine Weile her, seit ich das letzte Mal in der Nähe eines attraktiven Mannes so viel Gummi in der Hand hatte.«

Simon schluckte.

Eine halbe Stunde später war der Wohnzimmerfußboden übersät mit verschiedenen abstrakten Ballonskulpturen. Es gab kein einheitliches Thema, davon abgesehen vielleicht, dass der Hersteller den Wunsch hatte, nichts zu produzieren, was auch nur im Entferntesten sexuelle Assoziationen wecken konnte. Monique hatte eine erstaunliche Fähigkeit an den Tag gelegt, Dinge von lüsterner Zweideutigkeit zu schaffen. Außerdem hatte sie mit Erfolg demonstriert, wie ungemein pornografisch der Akt des Aufblasens eines Luftballons aussehen konnte. Als er fertig war, war Simon vollkommen erschöpft.

Er besah sich mit einiger Befriedigung die Trümmer im Wohnzimmer. »Ich bin dann so weit fertig hier«, erklärte er. Er hatte seine anderen Zauber-Utensilien bereits in seine Tasche gepackt und hoffte auf eine schnelle Flucht, bevor sich jemand wegen seines Luftballons beklagen konnte – und bevor es Monique langweilig wurde, darauf zu warten, dass er sich ihr näherte, und sich stattdessen ihm näherte.

Er ging hinaus in den Garten. Piers stand mitten auf dem Rasen und hielt sich die Augen zu. Hinter ihm stand Bella. »Wir spielen Verstecken«, raunte sie ihrem Bruder zu, als er näher kam. »Piers ist dran.«

Piers mogelte. Er linste durch die Finger.

»Ich dachte, ich zieh dann mal ab«, bemerkte er.

»Gut, Piers, die Zeit ist rum! Sieh mal zu, wen du alles finden kannst.« Piers schoss mit der entschlossenen Gewissheit dessen, der genau weiß, wohin er geht, ums Haus herum. »Bist du sicher, dass du nicht bleiben willst?«, fragte Bella.

»Ja, danke.«

»Die können einen ganz schön fertig machen, was?«

Simon nickte.

»Also, noch mal vielen Dank für deine Hilfe«, sagte Bella. »Hast du die Luftballons fertig?«

»Alle fertig.«

»Und du bist immer noch gesund und munter?«

»So ziemlich. Monique hat es geschafft, sich zurückzuhalten.«

»Hmhm. Wunderbar.« Dann schwieg sie kurz. »Mir gefällt dieses Spiel«, bekannte Bella. »Das Gute am Versteckspiel ist, dass alle sich so still wie möglich verhalten.« Nach dem ständigen Lärm war die Stille geradezu unheimlich.

»Ich bin dann weg«, meinte Simon. »Sag Sophie für mich Auf Wiedersehen.«

Bella nickte. »Wird erledigt. Und noch mal vielen Dank, Simon.« Bruder und Schwester küssten sich gegenseitig auf die Wange.

Plötzlich kam Simon ein Gedanke. »Etwas wüsste ich doch gern«, gestand er. »Erinnerst du dich an den Tag, als du mich gebeten hast, diese Party mitzumachen?« Bella nickte. »Du hattest Sophie doch nichts davon erzählt, oder?«

»Natürlich nicht. Das wäre schrecklich unfair dir gegenüber gewesen. Glaubst du wirklich, ich würde dich in eine so unmögliche Lage bringen? Ich bin deine *Schwester*, Simon. So etwas würde ich nie tun.« Sie grinste ihn an. Simon, der es nicht schaffte, wütend zu sein, streckte ihr die Zunge heraus und ließ sie mitten auf dem Rasen stehen.

Gerade als Simon die Haustür öffnete, kam Michael aus der Toilette im Erdgeschoss. Er wirkte ziemlich verlegen. »Ähm, Simon, noch ein Wort, bevor du gehst«, flüsterte er.

Simon drehte sich um und stellte seine Tasche ab. »Ja?«

»Hör mal, diese Bemerkung vorhin tut mir Leid. War nicht so gemeint, ehrlich. Mir war nur ein bisschen der Kamm geschwollen, du verstehst schon. Ich glaube, es sind all diese Kinder. Sie können einem nach einer Weile schon etwas auf die Nerven gehen.« Michael mühte sich nach Kräften, sich ein Lächeln abzuringen.

Simon konnte seine Neugier nicht beherrschen. »Was ist eigentlich mit Bryony passiert?«

»Es war *grauenhaft*«, antwortete Michael. »Da stand ich

und kümmerte mich um meine eigenen Angelegenheiten – mit meinen Mandanten natürlich –, und bevor ich wusste, wie mir geschah, machte sich diese ... diese *Kreatur* über mich her.« Das Grauen des Augenblicks spiegelte sich auf Michaels Gesicht wider. Er tat Simon beinahe Leid.

»Was haben deine Mandanten gemacht?«, fragte er.

»Nun ja, es war natürlich ein bisschen peinlich«, erwiderte Michael. »Ich hatte alle Mühe, sie davon zu überzeugen, dass ich diese Frau noch nie gesehen hatte.«

»Wirklich peinlich für dich.«

»Mein Gott, ja. Sie war so hässlich.«

»Ich meinte eigentlich, da du doch verheiratet bist«, betonte Simon.

»Oh, natürlich«, rief Michael. »Ja, ja, selbstverständlich. Absolut. Da ich doch verheiratet bin.« Es folgte eine Pause. »Na ja«, fuhr er fort, »ich wollte mich noch mal bedanken, dass du heute deine Zauberkunststücke vorgeführt hast.«

»Gern geschehen.«

»Und ich bin davon überzeugt, dass Bella sich für diese ganze Episode letzte Woche in dieser Bar nicht allzu sehr interessieren würde.«

»Ach? Meinst du?«

Michael schüttelte entschieden den Kopf. Dann beugte er sich verschwörerisch zu Simon hinüber. »Um ehrlich zu sein, sie würde das Ganze vielleicht in den falschen Hals bekommen.« Er hielt inne. »Du weißt schon, dass ich mich überhaupt in so einer Kneipe aufgehalten habe. Aber wie gesagt, wenn es das ist, was der Mandant will, dann ist es das, was der Mandant bekommt.«

Simon sah Michael an. »Keine Sorge«, entgegnete er.

»Ich werde nichts verraten.« Auf Michaels Gesicht zeichneten sich die Anfänge eines erleichterten Lächelns ab. »Für den Augenblick.« Damit drehte Simon sich um und ging zur Tür hinaus.

15. KAPITEL

Simon verbrachte den Rest der Woche mit dem Versuch zu entscheiden, was er wegen Michael unternehmen sollte.

Seine Euphorie, dass er ihn im »Slick Tom's« erwischt hatte, hatte sich schon lange in Luft aufgelöst. Jetzt wünschte Simon, er hätte ihn nie gesehen. Er wusste nicht, was er tun sollte. Sollte er Arabella erzählen, was er gesehen hatte? Was genau würde er damit bewirken? Bella würde am Boden zerstört sein, und vielleicht würde er damit sogar ihre Ehe in Gefahr bringen. Irgendwie glaubte Simon nicht, die Verantwortung dafür übernehmen zu können, dass Sophie in eine Statistik über Familien mit nur einem Elternteil aufgenommen wurde.

Außerdem war da noch die Frage des Beweises. Was Simon gesehen hatte, würde allenfalls für einen Indizienprozess reichen. Ein Gespräch mit einem jungen Mädchen in einer Bar bedeutete nicht unbedingt, dass Michael seine Frau betrog. Vielleicht hatte es ja wirklich eine Schar japanischer Geschäftsleute mit einer Liebe für schauderhafte Rockmusik auf dem Klo gegeben. Simon war nicht auf den Gedanken gekommen, hinzugehen und nachzusehen.

Das Ganze war sehr schwierig. Das Problem lastete schwer auf Simons Gewissen, während er darüber nachdachte, was er tun sollte. Sollte Bella nicht erfahren, was da im Busch war? Simon war sich nicht sicher, ob er das Recht oder die Pflicht hatte, seine Schwester vor dem Wissen um das schmutzige Geheimnis ihres Mannes zu bewahren. Arabella war mehr als fähig, auf sich selbst aufzupassen. Simon litt unter einer schrecklichen Unentschlossenheit. Er war außer Stande, seine eigenen Probleme zu lösen, und sicher nicht geeignet, im Leben anderer Menschen den lieben Gott zu spielen.

Am späten Montagvormittag, als Simon und Dean einen ruhigen Augenblick im Laden genossen und über ein neues Kunststück diskutierten, das den Zauberer so aussehen ließ, als hätte er sich ein Bein abgehackt, schob Brian den Kopf durch den Samtvorhang und schwang mit finsterer Miene das Telefon.

»Für dich«, erklärte er und drückte Simon den Hörer in die Hand.

»Hallo?«, meldete sich Simon.

»Simon? Ich bin es, Joe.«

»Joe«, wiederholte Simon. »Genau der Mann, den ich jetzt brauche. Lange nichts von dir gehört.«

»Wie geht es dir?«

»Gut. Ich bin mit drei kanadischen Elchen im Stich gelassen worden und musste mich ganz allein durchschlagen, aber sonst geht es mir gut, auch wenn ich das nicht dir zu verdanken habe.«

»Yeah, das tut mir echt Leid«, versicherte Joe. »Ich hab bloß zufällig dieses Mädchen entdeckt, du weißt schon, und wir sind ins Gespräch gekommen, und plötzlich saß ich bei ihr fest und hatte keine Chance mehr, diese Drinks zu besorgen.«

»Ich mache mir keine Gedanken wegen der blöden

Drinks, du Torfkopf. Ich bin nur mit knapper Not einer todesähnlichen Erfahrung mit der lüsternen Debbie entronnen, die ganz versessen darauf war, mich zu verführen.«

Es herrschte Schweigen, während Joe sich an Debbie erinnerte. »Mein Gott«, murmelte er nach einer Weile. »Tut mir Leid.«

»Das sollte es auch. Ich kann mich glücklich schätzen, noch am Leben zu sein.« Simon hielt inne. »Ich kann es nicht fassen, dass du fast eine Woche gewartet hast, um zu fragen, ob es mir gut geht. Nach allem, was du wusstest, hätte ich unter einer von ihnen begraben sein und verhungern können. Oder ersticken.«

»Tut mir Leid«, wiederholte Joe.

Für kurze Zeit herrschte Schweigen. »Na ja, wie auch immer«, brummte Simon. »Hattest du eine erfolgreiche Nacht mit dem Lycra Girl?«

»Oh ja«, antwortete Joe. »Sie hieß Melanie.«

»Na, das ist ja fantastisch. Freut mich für dich.«

»Hör mal«, meinte Joe, »ich will das wieder gutmachen. Hast du heute Abend irgendwas vor?«

»Nichts Besonderes. Warum?«

»Lass uns zusammen essen gehen. Ich lade dich ein.«

»Keine Tanzerei?«

»Keine Tanzerei. Versprochen.«

Simon dachte nach. Er war immer noch wütend auf Joe, weil der ihn im »Slick Tom's« so schnöde im Stich gelassen hatte, aber andererseits schien es wenig Sinn zu haben zu schmollen. »Na schön«, antwortete er. »Wo und wann?«

»Gegen acht? Ich dachte, wir könnten mal das ›Mango‹ ausprobieren.«

Simon stieß einen Pfiff aus. »Klasse.«

»Dann sehen wir uns dort«, erwiderte Joe und legte auf.

Das »Mango« war schlicht und einfach der einzige Ort, wo man in London in jenem Sommer essen konnte. Das Restaurant hatte vor einigen Monaten in Chelsea aufgemacht, mit einem Paukenschlag an Publicity. Die Weinkarte war in aller Munde, ebenso wie die ausgefallene Inneneinrichtung und die Uniformen des Personals, die von Haute-Couture-Designern entworfen worden waren. Über das Essen redete niemand. Schließlich ging man nicht mehr ins Restaurant, um zu *essen*.

Kurz vor acht Uhr kam Simon im Restaurant an, wo er an der Tür von zwei riesigen Männern in Schwarz begrüßt wurde, die ein paar Sekunden lang kritisch sein Haar beäugten. Nach einem kurzen Blickwechsel mit seinem Kollegen zog der größere der beiden Männer die gewaltige Tür aus rostfreiem Stahl auf, um Simon einzulassen. Im Restaurant selbst schlenderte eine glamouröse Schar von Menschen ziellos und plappernd umher. Alle Anwesenden waren von Kopf bis Fuß schwarz gekleidet, und alle schienen sie unvorstellbar schön zu sein. Wow, dachte Simon, dann stimmt es also, was man sich von diesem Lokal erzählt. Nach ein oder zwei Sekunden entdeckte Simon ein verlegen dreinblickendes Pärchen, das sich mit angstvollem Blick in eine Ecke kauerte. Die schönen Menschen in Schwarz ignorierten die beiden vollkommen. Plötzlich begriff Simon, dass die glamouröse Menge Angestellte waren und das zögerliche Pärchen in der Ecke Gäste. Er näherte sich einem Schreibtisch mit einem eigenartigen postindustriellen Design. Drei junge Frauen standen hinter dem Schreibtisch. Sie trugen

Schwarz. Das Trio sah Simon an, als hätte er gerade ge-furzt.

»Kann ich Ihnen helfen?«, fragte die junge Frau auf der linken Seite mit einem arroganten Lächeln.

»Ich bin hier mit jemandem verabredet«, erklärte Si-mon. »Wir haben einen Tisch für acht gebucht.«

»Für acht Personen?«, erkundigte sich das Mädchen überrascht. Simon sah wahrscheinlich nicht wichtig ge-nug aus, um in der Lage zu sein, einen Tisch für acht Personen zu buchen.

»Ähm, nein«, antwortete Simon. »Für zwei Personen. Ich und mein Freund. Für acht Uhr.«

»Oh. Sie haben einen Tisch *für* zwei gebucht, *um* acht«, präzisierte das Mädchen und schüttelte den Kopf über Simons Unfähigkeit, auch nur die simpelsten Sachver-halte korrekt auszudrücken.

»Genau«, murmelte Simon.

»Name?«, begehrte das Mädchen in der Mitte mit ei-nem noch herablassenderen Lächeln, als ihre Kollegin es zu Stande gebracht hatte, zu wissen.

»Ähm, Joe?«, meinte Simon vorsichtig.

Elegant geschnittene Ponys wischten nach vorn, wäh-rend drei Köpfe sich herabbeugten, um einen großen Bo-gen Papier auf ihrem Tisch zu mustern. »Kein Joe«, er-klärte die junge Frau auf der rechten Seite, deren arrogantes Lächeln mühelos das ihrer beiden Kollegin-nen in den Schatten stellte. Dabei verzog sie die Lippen zu einem Ausdruck der Verachtung, um den selbst Billy Idol sie beneidet hätte.

»Okay«, meinte Simon. »Wie wär es mit Browning?«

Und wieder senkten sich die Köpfe. »Oh«, murmelte die junge Frau auf der linken Seite. »Wir haben einen Browning für zwei um acht.« Die Enttäuschung war hörbar. »Er ist noch nicht hier. Möchten Sie in der Bar einen Drink nehmen, während Sie warten?«

»Warum nicht?«, erwiderte Simon. Die drei Frauen sahen ihn an, als juckte es sie in allen Fingern, ihm mehrere Gründe dafür zu nennen.

»Guiseppe wird Sie hinführen«, erklärte die junge Frau in der Mitte und zeigte auf ein männliches Model mit dunklem Teint. Der Herr trug ebenfalls Schwarz und hielt sich dezent neben dem Schreibtisch im Hintergrund. Guiseppe trat vor, und sein kräftig mit Öl behandeltes Haar schimmerte und glänzte. Simon versuchte, nicht an seinen eigenen Haarschnitt zu denken. Guiseppe bedeutete Simon feierlich, ihm zu folgen.

Simon betrat in Guiseppes Kielwasser einen Raum von der Größe eines Flugzeughangars. Die Decke schwebte hoch über den Köpfen der Anwesenden. Es gab eine beträchtliche Anzahl gewaltiger Oberlichter, durch die das Licht des frühen Abends den Raum überflutete. Simon konnte endlose Tischreihen erkennen, die sich in weite Ferne erstreckten. Das Echo von mehreren Tausend Menschen, die aßen und redeten, prallte wie Kugeln von den schick verwüsteten Wänden ab. Simon stieg vorsichtig auf einen Barhocker aus Chrom und Leder.

»Hallo, Sir, willkommen in der ›Mango‹-Bar«, sagte der Barkeeper und ließ seine makellosen Zähne vor Simon aufblitzen. »Mein Name ist Pedro. Hätten Sie gern etwas zu trinken?«

»Ähm, ja, einen Gin-Tonic, bitte«, gab Simon zurück, der den Verdacht hegte, dass es besser war, hier kein Bier zu bestellen, wenn er nicht noch mehr Hohn auf sein Haupt laden wollte.

»Mit Vergnügen, Sir«, schnurrte Pedro und drehte schwungvoll ab.

Auf der verzinkten Oberfläche der Theke stand eine handgemalte italienische Keramikschale voller Erdnüsse. Simon steckte die Hand in die Schale und begann zufrieden zu kauen. Nach ein paar Sekunden überreichte Pedro Simon seinen Gin-Tonic, wobei er diskret auf einem handgemalten italienischen Keramiktablett und mit der Oberfläche nach unten eine Rechnung zurückließ. Simon nahm einen Schluck von seinem Drink. Er erinnerte sich daran, dass er nicht viel für Gin-Tonic übrig hatte.

Simon sah sich in der Bar um. Die meisten Gäste waren Paare, die so nah beieinander standen oder saßen, dass ihre Köpfe sich fast berührten. Zuerst dachte Simon, dass sie einfach nur schmusten, bis ihm aufging, dass das die einzige Möglichkeit war, um sich gegen den ungewöhnlichen Lärm im Raum durchzusetzen. An den niedrigen Tischen im äußeren Bereich der Bar saßen Grüppchen von Männern in Nadelstreifen, die sich auf unbequem aussehenden Stühlen zurücklehnten und rauchten. Sie lösten das Problem der Lautstärke auf ihre Weise: Sie schrien einander an. Außerdem sahen sie alle ungemein selbstzufrieden aus.

Alles in allem, dachte Simon, waren die Gäste attraktiv, aber nicht annähernd so gut aussehend wie sämtliche Mitglieder des Personals.

Simon sah auf seine Armbanduhr. Es war fast acht. Er nahm noch einen Schluck von seinem Gin-Tonic und drehte dann die Rechnung um, die Pedro ihm dagelassen hatte. Die Summe unten auf dem Papierbogen war so hoch, dass Simon fast von seinem Barhocker fiel. Er winkte den Barkeeper zu sich heran.

»Noch einen Drink, Sir?«, gurrte Pedro.

»Eigentlich wollte ich Sie deswegen etwas fragen«, begann Simon und hielt die Rechnung hoch.

Eine von Pedros Augenbrauen wölbte sich himmelwärts. »Sir?«

»Na ja, ich habe einen Gin-Tonic bestellt.«

»Ganz recht, Sir.«

»Wie kann ein solcher Drink so viel kosten?« Simon pikte mit dem Finger auf das Papier.

»Nun, Sir«, erwiderte Pedro, dem es offenkundig zutiefst zuwider war, über derart selbstverständliche Dinge sprechen zu müssen, »diese Summe dort ist der Preis für den Gin-Tonic.« Er zeigte auf die Rechnung.

»Barmherziger. Aber weiter.«

»Diese Summe dort ist für die *Cacahouettes*.«

»Für die was?«

»Die Erdnüsse, Sir.« Die Übersetzung troff vor Verachtung.

»Sie stellen mir die Erdnüsse in Rechnung? Die haben einfach da rumgestanden. Mir war nicht klar, dass ich sie würde bezahlen müssen.«

»Nun, Sir, wenn Sie sich eine einzelne Rose aus dem Schaufenster eines Blumenladens herauspflücken, gehen Sie doch wohl auch davon aus, dass Sie sie werden bezahlen müssen, nicht wahr?«

Simon zwinkerte ungläubig. Er sah sich außer Stande, gegen diese Krämerphilosophie anzukommen. »Vergessen Sie es«, brummelte er, bevor er die Rechnung abermals zur Hand nahm. »Und wofür, bitte schön, steht diese Summe ganz unten? Ist das die Bezahlung für den Sauerstoff, den ich einatme?«

»Das ist für die Bedienung, Sir.«

»Das ist doch lächerlich«, schimpfte Simon. »Sie haben mir lediglich einen Drink eingeschenkt, das war alles.«

Auf Pedros Gesicht erschien ein Lächeln von ganz besonders exquisiter Arroganz. »Sir«, entgegnete er, »wenn

Sie es sich nicht leisten können, für die Bedienung zu bezahlen, dann ist diese Summe theoretisch freiwillig.«

»Ich habe nicht gesagt, dass ich es mir nicht leisten kann«, erwiderte Simon. »Ich sehe nur nicht ein, warum ich es tun sollte.«

Pedro zeigte auf die anderen Gäste in der Bar. »Nun, Sir, all diese Damen und Herren scheinen kein Problem damit zu haben.«

Simon kam sich plötzlich schrecklich geizig vor. Er hatte sich von einer Woge engstirniger Knauserigkeit hinreißen lassen, was er jetzt bedauerte. Vor allem aber wollte er, dass Pedro wegging und aufhörte, ihn so verwurfsvoll anzusehen. Er nahm seine Brieftasche heraus und legte einen Zwanzigpfundschein auf die Theke. Pedro vollführte eine zutiefst sarkastische Verbeugung und nahm das Geld. Ein paar Sekunden später kam er mit dem Wechselgeld zurück, das er auf einer weiteren handbemalten italienischen Keramikschale vor Simon hinlegte. Er blieb vor ihm stehen und wartete, ob Simon das gesamte Geld in der Schale an sich nehmen würde. Das ist doch verrückt, dachte Simon. Erwartet man von mir, dass ich ihm *noch mal* Trinkgeld gebe? Er sah zuerst das Geld an, dann den Barkeeper, der ihn erwartungsvoll musterte.

Plötzlich legte sich eine Hand auf seine Schulter.

»Hallo, Fremder.« Es war Joe. »Komm mit nach hinten. Unser Tisch wartet schon.«

Simon ließ sich vom Barhocker gleiten und schob das gesamte Geld aus der Schale in seine Hand. Während er dies tat, kam von Pedro ein hörbares Zischen, als er tief einatmete. Seinen Drink fest umklammert, folgte Simon Joe an ihren Tisch irgendwo in der Mitte des Flugzeughangars. Die Kellnerin, die sie dorthin brachte, ein Wesen von makellosem Wuchs und mit pneumatischen Brüsten, reichte ihnen mit Folie überzogene Plastikspeisekarten und klimperte nichts sagend mit den Wimpern, bevor sie sie allein ließ, damit sie ihr Essen auswählen konnten.

»Also. Wie geht es dir?«, erkundigte sich Joe, sobald sie saßen.

»Ganz gut, schätze ich«, antwortete Simon. »Ich habe dir fast verziehen, dass du mich letzte Woche hast hängen lassen.«

»Diese Mädchen waren aber auch schrecklich«, stöhnte Joe.

»Ich weiß«, gab Simon anzüglich zurück.

»Warum bist du nicht einfach gegangen?«, fragte Joe.

»Ich konnte nicht. Debbie hat mitbekommen, dass du dich aus dem Staub gemacht hattest, und danach hat sie meinen Arm festgehalten wie in einem Schraubstock. Ich habe beinahe damit gerechnet, dass sie mich mit Handschellen abführen würde.«

»Ooh, pervers.«

»Gott im Himmel.« Simon hielt sich den Kopf. »Ich will nicht mal mehr daran denken.«

»Na egal«, meinte Joe. »Was möchtest du denn heute Abend essen?«

»Verflixt«, murmelte Simon, der sich die Speisekarte besah. »Die Preise sind ein bisschen stark.«

Joe wedelte wegwerfend mit der Hand. »Mach dir deswegen keine Gedanken«, erwiderte er. »Das geht auf mich.« Er nahm seine eigene Speisekarte zur Hand und wurde plötzlich sehr still.

Die Speisekarte war ziemlich merkwürdig. Im Gegensatz zu der protzigen Einrichtung hatte sich das »Mango« auf sehr gewöhnliche Speisen spezialisiert. Alles auf der Speisekarte war betont profan und langweilig und hätte eher zu einer Autobahngaststätte in Hertfordshire gepasst als in das feudalste Restaurant Londons. Ah, dachte Simon, postmoderne Ironie. Er entschied sich für einen Krabbencocktail, gefolgt von Würstchen in Blätterteig. Im Preis inbegriffen waren keinerlei Extras. Die ländlichen französischen Brötchen kosteten das Stück ein Pfund neunzig, Butter noch einmal fünfzig Pence, und für Gemüse jedweder Art wurden Schwindel erregende zusätzliche Summen berechnet. Simon überflog die Speisekarte, um festzustellen, ob sie auch Messer und Gabel für eine Zusatzgebühr entleihen mussten.

Nach einer Zeit, die ihm wie eine Ewigkeit erschien, kam ein Kellner herbeigeschlendert und fragte, ob sie bestellen wollten.

»Was ist die *soupe du jour*?«, erkundigte sich Joe.

Der Kellner sah ihn an. »Das ist die Tagessuppe, Sir«, erklärte er langsam.

Joe machte ein Gesicht, als zöge er es in Erwägung, dem Kellner einen Kinnhaken zu verpassen. »Und was«, fragte er nach, »ist die Tagessuppe?«

»Ochsenschwanz.«

»Okay. Ich nehme die Suppe und dann das Steak und die Nierenpastete mit Instant-Kartoffelpüree.«

Der Kellner nahm ihre Bestellungen schweigend entgegen und ging dann kopfschüttelnd davon.

Joe sah sich voller Befriedigung um. »Das ist toll hier«, bemerkte er. »Ich will schon seit der Eröffnung mal hierher kommen.«

»Warum?«

»Einfach weil es das coolste Restaurant in der Stadt ist«, erwiderte Joe. »Sieh mal. Ist das da drüben nicht Lavinia Dauphinois?«

Simon drehte sich auf seinem Stuhl herum und sah eine platinblonde Frau, die ihm vage bekannt vorkam und die sich eine Gabel voller breiiger Erbsen in den Mund schob.

»Wer ist das?«, wollte Simon wissen.

»Lavinia Dauphinois? Du kennst sie nicht?«

Simon schüttelte den Kopf.

»Sie ist die Moderatorin einer Kochsendung, *Sex and Food and Rock 'n' Roll*.«

»Mein Gott. Klingt ja grässlich.«

»Solltest du dir mal ansehen. Da könntest du vielleicht noch das eine oder andere lernen. Es geht um die Frage, was man für einen besonders verführerischen Abend daheim kochen soll. Aber die Sendung geht auch darüber hinaus. Du bekommst sogar Vorschläge für die passende Musik zum Essen.«

»Was, Pasta mit Putanescasoße und Paganini, meinst du so etwas?«

»Na ja«, erwiderte Joe, »eigentlich geht es eher um Käse auf Toast und Celine Dion, aber ja, das ist die Idee, die dahinter steht.«

»Wenn sie eine Kochsendung moderiert, was macht sie dann um alles in der Welt hier?«, wollte Simon wissen. »Das Essen sieht unbeschreiblich aus.«

»Nur weil sie eine Kochsendung moderiert, heißt das nicht zwangsläufig, dass sie etwas vom Kochen versteht«, erklärte Joe.

»Nein?«

»Lieber Gott, nein.«

Simon drehte sich noch einmal um und sah, wie Lavinia Dauphinois' collagenverstärkte Lippen sich schürzten, während sie den Kopf in den Nacken warf und vor Lachen kreischte, laut genug, um sicherzustellen, dass jeder, der sie bisher noch nicht bemerkt hatte, dies jetzt auf jeden Fall nachholen würde. Gerade in diesem Moment kam ihr Kellner zurück und knallte ihnen lieblos die Vorspeise auf den Tisch. Simons Krabbencocktail wurde in einem kleinen Martiniglas serviert. Er schien aus ungefähr fünf winzigen Krabben zu bestehen, die sich in einem Wald aus klein geschnittenem Eisbergsalat versteckten.

»Hm«, murmelte Simon. »Das sieht ja interessant aus.«

»Hmhm«, sagte Joe, der Lavinia Dauphinois anstarrte und sich klugerweise nicht im Mindesten für seine Suppe interessierte.

»Sprich weiter«, bat Simon und kaute an einer geschmacksneutralen Krabbe mit Gummikonsistenz. »Ich bin immer noch nicht überzeugt. Erklär mir, warum dieses Restaurant dir gefällt. Erzähl mir mehr darüber.«

»Es ist einfach *das* Restaurant, wenn man ausgehen will«, meinte Joe. »Hier ist das Prinzip ›Popularität durch Osmose‹ am Werk. Wenn du hier bist und alle, die jemand sind, sind auch hier, dann bist du zwangsläufig auch jemand.«

Simon runzelte die Stirn. »Warst du denn vorher nicht jemand?«

»Ich war *nie* jemand.«

»Nein?«

Joe schüttelte den Kopf. »Oh, nein. Lavinia Dauphinois ist *jemand*.«

»Wie kann sie jemand sein, wenn ich noch nie von ihr gehört habe?«, wunderte sich Simon.

»Nun, ich nehme an, niemand kann für jeden jemand sein«, antwortete Joe philosophisch. »Oder, um es anders auszudrücken, jeder ist für irgendjemanden niemand.«

Simon runzelte die Stirn und versuchte, da mitzukommen. »Ähm, tut mir Leid«, hakte er nach. »Was wolltest du noch gleich werden?«

»Oh«, seufzte Joe, »ich versuche nur, ein Jemand zu werden.«

»Verstehe«, murmelte Simon, der nichts verstand.

»Natürlich«, fuhr Joe fort, »bin ich nicht wirklich jemand, aber es ist schön, mal eine Weile so zu tun als ob. Und genau das kannst du in diesem Restaurant.«

»Also, wenn du nicht jemand bist, wer bist du dann?«

Joe sah Simon traurig an. »Niemand.«

Simon stocherte auf der Suche nach einer sechsten Krabbe in seinem Martiniglas. Es war keine da. »Ich gehe mal aufs Klo«, erklärte er. Er stand auf und ging zurück in Richtung Eingang.

Im Gegensatz zu dem hektischen, lärmenden Restaurant waren die Toiletten ein Idyll der Ruhe. Aus versteckten Lautsprechern tönte klassische Musik. Über den gesamten Raum verteilt, spross ein Wald von eingetopften Farnen. Der Fußboden, die Wände und die Decke waren ganz mit schwarzem Marmor bedeckt, und die Beleuchtung kam von diskreten Scheinwerfern. An der einen Seite des Raumes befanden sich mehrere glänzende Waschbecken aus rostfreiem Stahl. Über den Waschbecken wölbten sich Wolfram-Hähne, und daneben lag ein Stapel flauschiger weißer Handtücher. Ein riesiger Spiegel zog sich über die gesamte Wand, sodass die Gäste sich in voller Schönheit bewundern konnten, während sie sich die Hände wuschen. Am anderen Ende der Waschbecken stand ein Mann in Schwarz.

»Guten Abend, Sir«, grüßte er, als Simon hereinkam. »Mein Name ist Julio. Willkommen in den Toiletten des ›Mango‹.«

»Ähm, danke«, antwortete Simon.

»Was möchten Sie tun?«, erkundigte sich der Mann.

»Wie bitte?«

Julio deutete auf eine Reihe von Pissoirs aus glitzerndem schwarzen Marmor und dann auf eine Reihe von Türen. »Im Stehen oder im Sitzen, Sir?«

»Ich denke, ich gehe einfach hier rüber, vielen Dank«, murmelte Simon und näherte sich dem entferntesten der Pissoirs.

»Wie Sie wünschen, Sir«, entgegnete der Mann. »Viel Spaß.«

Simon stand vor dem Pissoir und öffnete seinen Reißverschluss. Das, ging ihm durch den Kopf, war doch ein bisschen zu viel des Kundendienstes. Es war sonst niemand auf der Toilette, abgesehen von dem Angestellten, und Simon spürte den Blick des Mannes zwischen seinen Schulterblättern. Nachdem er ein paar Sekunden lang seine eigenen Schuhe betrachtet hatte, dämmerte Simon, dass irgendetwas nicht stimmte. Nichts passierte. Seine Blase, die sich noch vor ein paar Sekunden deutlich prall angefühlt hatte, schien sich auf magische Weise geleert zu haben. Simon starrte ungläubig hinab und kämpfte mannhaft mit seiner Harnröhre. Nach einer halben Ewigkeit, in der nichts geschah, kam von der anderen Seite des Raumes ein viel sagendes Hüsteln. Wie gelähmt vor Panik stellte Simon sich auf die Zehenspitzen und schaffte es mit äußerster Anstrengung, sich ein paar Tröpfchen abzuringen.

Er versuchte, das Beste daraus zu machen, indem er zierliche gelbe Rinnsale produzierte, die anmutig über den schwarzen Marmor nach unten strömten. Auf halbem Weg ins Ziel wurde ihr Fortkommen von Simons nächstem Manöver behindert, wohl kontrollierten Spritzern, die den Abwärtsfluss unterbrachen. Das Geräusch mochte zwar nicht ohrenbetäubend sein, war aber ausreichend. Ein paar Sekunden später wandte er sich zum Gehen, erleichtert, dass dieses Martyrium hinter ihm lag.

»Sir?«, rief der Angestellte, als Simon zur Tür trat.

Simon blieb stehen und drehte sich um. »Ja?«

Der Mann zeigte auf die Reihe der Waschbecken. »Möchten Sie sich nicht die Hände waschen, bevor Sie an Ihren Tisch zurückgehen?«

»Oh. Klar«, sagte Simon und lief dunkelrot an. Er ging auf das nächstbeste Waschbecken zu. Als er dort angekommen war, glitt der Angestellte des »Mango« die Reihe der Waschbecken entlang und drehte für ihn den Wasserhahn auf. Simon begann, sich die Hände zu waschen, während der Mann neben ihm stand und ihn scharf beobachtete.

»Seife, Sir?«, fragte er nach ein paar Sekunden.

»Was? Oh, nein danke«, antwortete Simon, bevor ihm der missbilligende Blick in den Augen des Angestellten auffiel. »Also schön«, kapitulierte er schließlich gehorsam. Der Mann förderte einen schmuckvollen Seifenspender hinter seinem Rücken zu Tage und pumpte eine kleine Schlange flüssiger Seife in Simons wartende Hände.

Schweigend fuhr Simon fort, sich die Hände zu waschen. Der Angestellte verfolgte seine Waschungen aus nächster Nähe. Als Simon endlich das Gefühl hatte, auf der sicheren Seite zu sein, um die Hände aus dem Wasserstrom zu nehmen, hielt ihm der Angestellte unverzüglich und mit einer schwungvollen Verbeugung ein kleines Handtuch hin.

»Bitte sehr, Sir«, meinte er und machte einen Schritt

rückwärts, um Simon gerade genug Platz zu lassen, sich die Hände abzutrocknen.

»Danke«, murmelte Simon.

Der Mann antwortete, indem er diskret eine handbemalte italienische Keramikschale in Simons Richtung schob. Während er sich die Hände abtrocknete, spähte Simon neugierig in die Schale. Darin entdeckte er ein Häufchen Pfundmünzen und ein oder zwei Fünfpfundscheine. Er sah den Angestellten an, der ihm jetzt ein herzliches Strahlen schenkte. Simon blinzelte. Dieser aufdringliche, lästige Service hatte seinen Preis. Simon sollte dem Mann offensichtlich ein Trinkgeld geben, weil er ihm bei einer ganz gewöhnlichen Prozedur geholfen hatte, die er seit seinem zweiten Geburtstag ohne Beistand Dritter beherrschte.

Während Simon sich weiter die Hände abtrocknete, überlegte er, was zu tun sei. Er wollte dem Mann kein Trinkgeld geben. Er hoffte, dass jemand anderes hereinkommen und Julio ablenken würde, aber die Tür blieb unbarmherzig geschlossen. Der Angestellte schob sich eine Spur näher an ihn heran – was unter den gegebenen Umständen nicht leicht war – und musterte ihn mit runden, glänzenden Augen.

»Damit sind Sie jetzt doch fertig, oder, Sir?«, wollte er wissen und deutete mit dem Kopf auf das Handtuch. Seine Hand lag neben der kleinen Keramikschale. Simons Finger waren jetzt ganz und gar trocken, aber er fuhr trotzdem fort, das Handtuch zu reiben, um etwas Zeit zu schinden.

In groben Zügen ließen sich Simons Ansichten wie folgt zusammenfassen: Pinkeln war eine biologische Notwendigkeit. Der Versuch, Gäste so weit einzuschüchtern, dass sie für dieses Privileg bezahlten, war ein schlechter, geschmackloser Witz. Simon wusste, dass der Angestellte selbst kaum dafür verantwortlich zu machen war, auch wenn seine herablassende Art die Dinge nicht direkt besser gemacht hatte. Er hatte die Regeln nicht aufgestellt. Und diese Trinkgelder waren wahrscheinlich sein einziger Verdienst. Ein vages sozialistisches Unrechtsbewusstsein regte sich in Simon. Das Trinkgeld würde in einer Hinsicht lediglich die zynische Einstellung der Restaurant-Betreiber, die die Großzügigkeit der Gäste ausnutzten, unterstützen. Sollte er Solidarität mit diesem unterdrückten Arbeiter beweisen, indem er ihm ein Trinkgeld gab, oder sollte er seiner fundamentaleren Missbilligung des Regimes Ausdruck verleihen, das ihnen beiden diese systematische Würdelosigkeit aufzwang, indem er die üblichen Gepflogenheiten ignorierte?

Der unterdrückte Arbeiter hüstelte bedeutungsvoll. Simon klammerte sich an das Handtuch, paralysiert von Unentschlossenheit. Wenn man einmal für den Augenblick die allgemeineren sozioökonomischen Fragen außer Acht ließ, war ein anderes Problem die Tatsache, dass der Mann ja im Grunde nichts *getan* hatte, außer ihm etwas Seife in die Hände zu spritzen.

»Gibt es sonst noch etwas, Sir?«, fragte der Angestellte, in dessen Stimme sich langsam ein bedrohlicher Unterton stahl.

Simon warf einen verzweifelten Blick auf die handgemalte italienische Keramikschale. Widerstrebend gab er dem Angestellten sein Handtuch zurück. Er traf eine Entscheidung. Ein Kompromiss war vonnnöten. Er schob die Hand in die Tasche und tastete nach einem Fünfzig-Pence-Stück – er würde den halben Preis bezahlen. Seine Finger fanden eine große Münze und zogen sie heraus. Zu Simons Entsetzen war die Münze, die er zu fassen bekommen hatte, ein Zehn-Pence-Stück. Der Angestellte unterdrückte ein kleines Ächzen der Entrüstung. Hastig schob Simon die Münze zurück in seine Tasche und machte sich auf die Suche nach einer anderen. Er und der Angestellte sahen sich fest in die Augen, während Simon die Ecken und Winkel seiner Tasche durchforstete. Es waren keine anderen Münzen mehr da; das Einzige, was er noch hatte, war, wie Simon mit einem flauen Gefühl im Magen feststellte, ein zerknitterter Fünfpfundschein. Die linke Augenbraue des Angestellten begann zu zucken. Simon schloss eine Sekunde lang die Augen und zog den Geldschein heraus. Mit einem Stich der Qual legte er sie in die Schale und drehte sich um, um hastig die Toilette zu verlassen, gerade als ein weiterer argloser Gast hereinkam.

Als Simon die Tür aufdrückte, hörte er den Angestellten sagen: »Guten Abend, Sir. Mein Name ist Julio. Willkommen in den Toiletten des ›Mango‹.« Simon seufzte. Vielleicht verdiente Julio jeden Penny, den er bekam.

Simon schlängelte sich durch die Menschenmenge zurück zu seinem Tisch. Als er die Ecke umrundete, sah er Joe zu seiner Überraschung lachen. Und dann, zwei Schritte später, blieb die Welt für ein paar Sekunden stehen.

Neben Joe stand, mit einem blauen Seidentaschentuch in der Hand, Alex Petrie.

Simons erster Instinkt war Flucht. In Erinnerung an ihren letzten vernichtenden Blick, als sie vor ein paar Wochen aus dem Laden gestürmt war, schien eine neuerliche Konfrontation mit dem Toilettenangestellten die attraktivere Aussicht zu sein. Während er noch versuchte zu entscheiden, was er tun sollte, entdeckte Joe ihn und winkte ihn zu sich heran. Simon holte tief Luft und ging langsam auf den Tisch zu.

Auch Alex Petrie lachte, als sie das Taschentuch in ihre geballte rechte Faust zu stopfen begann. Bei Simons Näherkommen blickte sie auf. Sofort war das Lächeln verschwunden.

»Simon«, sagte Joe. »Du musst diesen Trick sehen. Einfach erstaunlich.« Er wandte sich an Alex Petrie. »Bitte, machen Sie es für meinen Freund noch einmal.«

»Oh«, murmelte Alex Petrie. »Sie sind es.«

»Hallo«, grüßte Simon, als er sich auf seinen Stuhl setzte. »Schön, Sie zu sehen.«

Alex Petrie sah ihn fest an. »Was ist mit Ihrem Haar passiert?«

»Kennt ihr beide euch?«, wollte Joe wissen.

Alex Petrie drehte sich zu Joe um. »Nicht wirklich. Ich bin Amerikanerin, müssen Sie wissen. Nicht gut genug für hochnäsige Engländer wie ihn.« Dann widmete sie sich wieder dem Taschentuch.

»Sie ist in den Laden gekommen«, erklärte Simon Joe. »Hat jede Menge Sachen gekauft.« An Alex gewandt, fuhr er höflich fort: »Wie geht es Ihnen denn so?«

»Bestens, herzlichen Dank«, antwortete Alex mit einem nachgemachten englischen Akzent. »Was macht die hochnäsige Freundin?«

»Hören Sie«, meinte Simon. »Ich habe doch schon versucht zu erklären ...«

»*Freundin?*«, unterbrach Joe ihn und lachte dabei herzlicher, als unbedingt nötig gewesen wäre. »Simon *hat* keine Freundin.« Joe schaffte es, diese Worte in einem Tonfall vorzubringen, als wäre schon der bloße Gedanke abgrundtief lächerlich. »Nein, Simon hat seit einer gottverdammten *Ewigkeit* keine Freundin mehr gehabt«, fügte er hinzu.

»Oh.« Alex sah Simon abschätzig an. »Was ist denn mit ihm los?«

»Es ist gar nichts mit ihm *los* «, versicherte Joe. »Nun ja, jedenfalls nichts, was sich nicht beheben ließe.«

»Wie zum Beispiel?«, wollte Alex wissen.

»Nun ja, er ist schüchtern«, räumte Joe ein, ohne Simon anzusehen, »und, unter uns gesagt, ich glaube, er ist ein bisschen verzweifelt.«

»Wenn ihr mich bitte entschuldigen würdet«, mischte sich Simon ein.

Joe und Alex drehten sich zu ihm um.

»Ich bin nicht verzweifelt. Ich habe keine Freundin, und, na schön, ich gebe zu, dass ich schüchtern bin. Aber ich würde Sie *immer noch* liebend gern in London herumführen, während Sie hier sind. Es tut mir Leid, dass ich mich derart idiotisch angestellt habe, als Sie im Laden waren. Übereifer, nehme ich an. Es kommt nicht jeden Tag vor, dass eine schöne Frau mit mir ausgehen will. Wenn Sie wollen, nennen Sie es meine britische Reserviertheit oder sonst etwas. Also, wenn das Angebot noch gilt, dann, ja bitte, ich würde Sie sehr gern durch London führen.«

Alex Petrie sah Simon mit schräg gelegtem Kopf an. »Das ist ja süß«, erwiderte sie. »Ich könnte beinahe glauben, dass Sie es ehrlich meinen.«

»Das tue ich«, erklärte Simon.

Joe beugte sich über den Tisch. »Ich kenne ihn«, sagte er zu Alex Petrie. »Er meint es wirklich ernst.«

Alex sah von einem der beiden Männer zum anderen.

Am Ende ruhte ihr Blick auf Simon. »Okay«, stimmte sie zu. »Ich glaube es.«

»Siehst du?«, fragte Joe mit einem Grinsen. »Ich wusste doch, dass dieser Haarschnitt funktionieren würde.«

16. KAPITEL

Das Taxi scherte gefährlich aus, als ein Motorrad unverschämt nah vorbeischoss.

»Wichser!«, schimpfte der Taxifahrer und machte eine Geste, die an den entschwindenden Rücken des Motorradfahrers restlos verschwendet war.

»Entzückend«, seufzte Alex Petrie.

»Londoner Taxifahrer brauchen drei Jahre, um zu lernen, so zu reden«, erklärte Simon.

»In New York kann man sich schon glücklich schätzen, wenn man einen Fahrer findet, der auf Englisch fluchen kann«, meinte Alex.

Simon lehnte sich auf seinem Sitz zurück. »Also«, sagte er. »Raus mit der Sprache. Von den Taxifahrern mal abgesehen – was halten Sie von unserer großartigen Stadt?«

»Ich finde sie absolut in Ordnung«, antwortete Alex spröde. »Alt und vielleicht ein wenig schmutzig. Aber ich habe mich heute gut amüsiert. Das Essen war köstlich und die Gesellschaft exzellent.«

Simon lächelte. Es war wirklich ein schöner Tag gewesen. Detaillierte Planung, überlegte er, hatte wirklich etwas für sich.

Simon hatte sich ziemlich ausgiebig und qualvoll mit der Frage beschäftigt, wie er seinen Tag mit Alex angehen sollte, jetzt, da ihm diese lang ersehnte zweite Chance zugefallen war. Ein Teil von ihm wollte es mit einer ganz anderen, leichtfertigen Methode versuchen, alles improvisieren und sehen, wohin sie das führte. Am Ende siegte jedoch sein zwanghaftes Verlangen nach Ordnung und die Angst vor einer möglichen Katastrophe über die weniger klar strukturierte Methode. Als der nächste Sonntag kam, war jede Minute streng verplant. Sie hatten verabredet, dass sie sich mittags vor der National Gallery treffen wollten.

Elf Uhr dreißig: Simon kommt für eine schnelle Erkundung des Geländes vorzeitig in der National Gallery an. Er sieht sich die Postkarten im Laden der Galerie an und wählt willkürlich eine aus, ein Gemälde von Degas, das als sein Lieblingsgemälde des Tages fungieren soll.

Elf Uhr fünfundfünfzig: Nach einer allerletzten Selbstinspektion auf der Toilette im Erdgeschoss präsentiert Simon sich auf der Treppe zur Galerie.

Zwölf Uhr fünf: Die Beobachtung der Scharen, die sich über den Trafalgar Square wälzen, fängt an, Simon zu langweilen. Er denkt darüber nach, dass Nelson's Column ein ziemlich fantasieloser Name für eine Säule ist, auf der eine Statue von Nelson steht.

Zwölf Uhr sieben: Simon versucht sich all die Schlachten ins Gedächtnis zu rufen, in denen Nelson gekämpft hat, um sich keine übermäßigen Sorgen zu machen, weil Alex bisher nicht erschienen ist.

Zwölf Uhr vierzehn: Das letzte Quäntchen Hoffnung löst sich in Luft auf, als Simon zum hundertsten Mal in neunzehn Minuten auf seine Armbanduhr sieht. Er denkt ziemlich kläglich, dass er es wirklich hätte besser wissen sollen.

Zwölf Uhr fünfzehn: Alex Petrie kommt die Treppe hinaufgehuscht und küsst ihn auf die Wange. Sie entschuldigt sich für ihre Verspätung und behauptet, man habe sie Glauben gemacht, die Engländer betrachteten Pünktlichkeit als etwas leicht Vulgäres. Simon ist zu erleichtert, um sich daran zu stören.

Zwölf Uhr sechzehn: Alex und Simon gehen in das Museum. In den eleganten Räumen summen plappernde Touristenschwärme, die mit Kunstführern und Kameras beladen sind und blind an Picassos, Rembrandts und Hogarths vorbeiströmen. Ihr schrilles Geschnatter erfüllt die Galerie. Simon führt Alex in den stillen, abgedunkelten Raum, in dem hinter einer Glasscheibe Leonardo da Vincis fragile Zeichnung von der Jungfrau mit dem Kind hängt. Alex starrt das Bild ein paar Sekunden lang wie gebannt an. Sie sagt nichts, und ihr Gesicht leuchtet vor Erregung. Simon versucht, nicht an Joe zu denken und an seine ganz spezielle Begeisterung für das Museum.

Endlich dreht Alex sich zu ihm um und macht ihm ein Zeichen, dass sie gehen sollen. Sie betreten den hell erleuchteten Raum draußen. Alex sieht Simon an.

»Wow«, haucht sie. »Was für eine Zeichnung. Die schlägt sogar noch Bugs Bunny.«

Simon grinst.

Dreizehn Uhr zwei: Simon führt Alex in den Museumsladen und zeigt Überraschung und Entzücken darüber, eine Postkarte seines Lieblingsgemäldes, eines Degas', zu sehen, und er besteht darauf, besagte Postkarte zu kaufen, um sie ihr zu schenken. Sie ist beeindruckt.

Dreizehn Uhr zwanzig: Sie gehen in ein nahes Café zu einem kleinen Mittagessen – nichts zu Protziges, die richtige Preiskategorie, ohne jeden Druck. Es kommt zu einem lebhaften Gespräch.

Vierzehn Uhr fünfundzwanzig: Alex erlaubt Simon huldvoll, die Rechnung zu bezahlen, und dankt ihm sittsam. Simons Stimmung hebt sich.

Vierzehn Uhr fünfunddreißig: Simon führt Alex am Bahnhof Charing Cross vorbei und in Richtung Fluss. Sie überqueren die Hungerford Bridge. Die Sonne scheint und taucht Londons Sehenswürdigkeiten in ein strahlendes Licht. Auf der Mitte der Brücke bleiben sie stehen und blicken nach Osten. Die Sonne spielt auf der rasch dahinströmenden Oberfläche der Themse und schießt reflektierte Lichtstrahlen in ihre weit aufgerissenen Augen. Selbst die starren, undurchdringlich wirkenden Gebäude der City erscheinen im trüben Licht des Nachmittags weicher. Ein frischer Wind bringt Bewegung in das Wasser unter ihnen und kühlt ihre Gesichter. Simon hat London noch nie so schön gesehen.

Sie schlängeln sich durch den Betondschungel des South Bank Centre und fallen über die Buchantiquariate unter der Waterloo Bridge her. Sie stöbern zufrieden in den Regalen, empfehlen sich gegenseitig lohnende Lektüre und wedeln mit alten Ausgaben lang vergessener Romane. Simon kauft Alex eine eselsohrige Ausgabe von *Middlemarch* und erklärt es zu seinem Lieblingsroman. Alex bittet ihn lachend, ihr eine Widmung auf die erste Seite zu schreiben. Als er das tut, denkt Simon, dass er sich eines Tages wirklich mal die Zeit nehmen sollte, das Buch zu lesen.

Vierzehn Uhr fünfzig: Sie schlendern in Richtung Osten und passieren ein Straßentanzfestival und das massige Gebäude der Tate Modern. Sie gehen am Globe Theatre und am Golden Hinde vorbei. Neben ihnen glitzert der Fluss.

Fünfzehn Uhr fünfzehn: Sie erreichen die Tower Bridge und gehen weiter die Shad Thames hinab. Nach einem kurzen Streifzug durch das Design Museum setzen sie sich in das benachbarte Café, um sich eine Tasse Latte-macchiato-frappucino mit aufgeschäumter Schafsmilch und einem winzigen Stückchen Limonenscheibe zu gönnen. Simon ist über die Entdeckung erstaunt, dass das Gebräu nicht einmal entfernt an Kaffee erinnert, aber er kann nicht anders – er ist einfach zufrieden mit sich selbst, zufrieden damit, wie gut alles bisher läuft.

Sechzehn Uhr: Simon macht sein einziges Zugeständnis an den Tourismus und hält ein Taxi an, damit sie in die Marylebone Road fahren und sich dort in die Schlange für Madame Tussauds Wachsfigurenkabinett einreihen können.

Sechzehn Uhr fünfzehn: Die Schlange bewegt sich fünfzehn Zentimeter vorwärts.

Sechzehn Uhr dreiunddreißig: Simon macht einen Scherz über die grellgelben Karohosen des amerikanischen Herrn.

Sechzehn Uhr vierunddreißig: Simon entschuldigt sich überschwänglich bei Alex, dass er solch bigotte Ansichten äußern konnte, und nimmt sich vor, in Zukunft daran zu denken, mit wem er redet.

Sechzehn Uhr zweiundvierzig: Die Schlange bewegt sich noch einmal fünfzehn Zentimeter vorwärts. Simon staunt, dass ihm das Warten nicht das Geringste ausmacht, denn Alex Petrie ist eine amüsante Gesellschaft. Sie ist witzig, selbstsicher und zuversichtlich. Simon überlegt, dass das vielleicht nicht weiter überraschend ist, da sie sich ihren Lebensunterhalt damit verdient, an Fremde heranzutreten und sie bei ihrer kostspieligen Mahlzeit zu stören, um ihre Kreditkarten in zwei Hälften zu schneiden. Während sie in der Schlange warten, unterhalten sich Alex und Simon. Zaghaft zuerst, beginnen sie mit unverfänglichen Themen: der Zauberei und London. Allmählich entspannen sie sich, und die Barrieren fallen. Sie sprechen von früheren Lieben, zukünftigen Hoffnungen, ihren Ansichten. Sie erzählen sich Witze, plaudern über Lieblingsfilme. Zu Simons Entzücken erweist sich Alex Petrie als Jazzfan. Sie geht regelmäßig in die Lokale in New York, die Simon in seinem Kopf so lebendig vor sich sieht: Das »Village Vanguard«, »Sweet Basil's«, »Smalls«. Sie hat die meisten der großen Theaterstücke gesehen. Simon lauscht verzückt.

Sechzehn Uhr vierundfünfzig: Endlich im Museum, besteht Alex darauf, sich zusammen mit Saddam Hussein und Ayatollah Khomeini fotografieren zu lassen. Simon versucht, möglichst nicht darüber nachzudenken, warum sie das tut.

Achtzehn Uhr vierundfünfzig: Das nächste Taxi wird angehalten, und diesmal geht es in die Monmouth Street, nach Covent Garden. Das, weiß Simon, ist der große Knüller. Er hat in seinem Lieblingsrestaurant einen Tisch für zwei Personen reserviert. Das ist in strategischer Hinsicht ein gewisses Risiko, da es eine relativ offene Absichtserklärung darstellt. Alex nimmt die Einladung an. Simon versucht, seine Erleichterung zu verbergen.

Zweiundzwanzig Uhr zwanzig: Kaffee. Die Konversation ist im Laufe von drei Gängen weder abgebrochen noch auch nur ins Stocken geraten. »Das war ein wundervoller Tag«, sagt Alex, während sie in ihrem Espresso rührt.

Simon lächelt. »Das war er wirklich.«

»Ich danke Ihnen. Ich freue mich, dass ich Gelegenheit hatte, Ihnen eine zweite Chance zu geben.«

»Die Freude ist ganz meinerseits. Und ich danke *Ihnen*.«

Sie grinsen einander an. Simon wirft einen Blick auf seine Armbanduhr. »Trotzdem«, meint er, »alle schönen Dinge müssen irgendwann wohl enden.«

Alex Petrie nippt ungerührt an ihrem Kaffee. »Müssen sie das?«, fragt sie.

Simon klopfte an die Fensterscheibe vor ihm. »Sie können uns hier rauslassen«, erklärte er dem Fahrer.

In dem festen Bemühen, nicht so selbstgefällig auszusehen, wie er sich fühlte, bezahlte Simon den Taxifahrer, dann drehte er sich zu Alex um und lächelte. Es gab keinen Zweifel daran, was als Nächstes passieren würde. Wenn Alex irgendetwas war, dann freimütig. Beim Kaffee hatte sie Simon genau erklärt, was sie mit ihm machen wollte und was sie ihrerseits von ihm erwartete. Simon hatte daraufhin gedankenvoll genickt und versucht, sich nach außen hin halbwegs gelassen zu geben. Diesmal, sagte er sich, während er seine Schlüssel aus der Tasche zog, konnte nichts schief gehen.

Als er die Haustür öffnete, wehte Ringo Starrs Stimme durch die Wohnung.

Simon trat lautlos ein und lauschte. Alex folgte ihm und zog den Mantel aus. Simon legte einen Finger auf die Lippen. Ringos früher Liverpooler Akzent schien aus dem Wohnzimmer zu kommen. Nachdem er Alex bedeutet hatte zu bleiben, wo sie war, schob Simon sich sehr langsam in die Wohnung hinein.

Im Wohnzimmer brannten sämtliche Lichter. Vorsichtig schob er den Kopf durch die Tür. Dann blinzelte er vor Erleichterung.

Sophie blickte vom Fernseher auf. »Hallo, Simon«, rief sie. Sie griff nach der Fernbedienung und drückte auf einen Knopf. Ringo hielt mitten in einem gereizten Vokal inne.

»Sophie, ich hätte um ein Haar einen Herzinfarkt bekommen. Was machst du hier?«

Sophie stand auf und gab Simon einen Umschlag, der auf dem Fernseher gestanden hatte. »Daddy hat gesagt, ich soll dir das hier geben«, erklärte sie.

Alex betrat den Raum. »Wer ist das?«, fragte sie scharf.

»Alex, das ist Sophie. Sophie, sag Alex Guten Tag.« Simon begann geistesabwesend den Umschlag zu öffnen.

»Hallo, Alex«, grüßte Sophie.

Alex drehte sich zu Simon um. »Ist das *dein* Kind?«, wollte sie wissen.

»Hm? Oh nein, nicht direkt«, antwortete Simon, während er las, was Michael geschrieben hatte.

Simon –

tut mir Leid, dass ich dir Sophie aufhalse, aber ich habe heute Abend eine dringende geschäftliche Verabredung, und Bella ist nirgends zu finden. Sie hat lediglich eine Nachricht hinterlassen, dass sie »ausgehen« würde, ohne sich die Mühe zu machen herauszufinden, ob ich Zeit für Sophie habe oder nicht. Jedenfalls, alle Babysitter scheinen heute Abend beschäftigt zu sein, also dachte ich, ich lasse sie bei dir. Wir haben einen Ersatzschlüssel für deine Wohnung, deshalb konnten wir einfach rein. Ich hoffe, das geht in Ordnung. Sie hat gegessen. Morgen früh wird jemand kommen, um sie abzuholen.

Michael

P. S.: Danke.

»Entschuldige mal«, bat Alex und stieß Simon in die Rippen, »aber was heißt ›nicht direkt‹?«

»Sie ist meine Nichte«, erklärte Simon unglücklich und in dem Bewusstsein, dass ihm wieder einmal eine Gelegenheit entschlüpfte. Die Atmosphäre war inzwischen entschieden unromantisch, um nicht zu sagen: frigide. Um nicht zu sagen: arktisch.

»Bist du Simons Freundin?«, wollte Sophie wissen.

»Nein«, erwiderte Alex spitz, und eiskalte Windstöße wirbelten durch den Raum.

Simons Schultern sanken herab. Er drehte sich zu Alex um. »Hör mal, bleib doch noch ein Weilchen. Sophie wird sowieso gleich ins Bett gehen.«

Alex und Sophie sahen ihn beide gleichermaßen vorwurfsvoll an.

»Muss ich?«, fragte Sophie.

»Ja, du musst.« Simon sah auf seine Armbanduhr. »Es ist schon spät. Du gehörst seit Stunden ins Bett.«

Sophie ließ sich mürrisch wieder aufs Sofa fallen.

Alex hängte sich ihre Tasche über die Schulter. »Tut mir Leid«, meinte sie. »Ich gehe dann jetzt. Ich bin nicht gut im Umgang mit Kindern. Außer beruflich.« Sie lächelte ohne große Erheiterung. »Bei Kinderpartys bin ich ein Knüller.«

»Hm, dann vielleicht ein andermal«, entgegnete Simon hoffnungsvoll.

»Yeah«, murmelte Alex. »Ein andermal.«

Als Simon die Wohnungstür öffnete, drehte Alex sich zu ihm um. »Ich habe den Tag heute wirklich genossen. Vielen Dank. Du bist ein großartiger Gastgeber.«

Simon lächelte schwach. »Gern geschehen. Tut mir Leid, das mit Sophie.«

Alex drückte kurz ihre Wange auf seine. »Vergiss es.

Du bist ein lieber Kerl. Geh und kümmere dich um das Kind. Und ruf mich an. Lass uns das irgendwann mal wiederholen.«

»Komm gut nach Hause«, antwortete Simon, dann sah er ihr noch nach, wie sie die Straße hinunterging, bevor er die Haustür schloss. Als sie seinen Blicken entschwunden war, kehrte Simon in die Wohnung zurück. »Also schön, junge Dame, Zeit fürs Bett«, verkündete er.

»Aber der Film ist fast zu Ende«, jammerte Sophie und zeigte auf den Fernseher.

»Sophie, es ist ein *Video*«, erinnerte Simon sie. »Du kannst es morgen zu Ende sehen.«

»*Simon.*«

»Keine Widerrede, bitte. Ab ins Bett.«

Sophie marschierte in Richtung Schlafzimmer davon, und Simon raffte schnell noch seinen Pyjama und ein paar Decken zusammen. Während er die Decken auf dem Sofa ausbreitete und sich provisorisch ein paar Kissen am Kopfende zusammenlegte, dachte Simon über diese Wendung der Ereignisse nach. Das war, überlegte er, ein Zeichen. An dieser Stelle sollte er die Sache einfach aufgeben. Es war ihm offensichtlich bestimmt, nie, nie wieder Sex zu haben.

Simon war nicht besonders schläfrig und begann, ziellos durch die Kanäle zu zappen, um sich abzulenken. Es funktionierte nicht. Schließlich griff er nach dem Telefon, um Joe anzurufen. Er musste mit irgendjemandem reden, bevor er sich in einen Sumpf gerechter Entrüstung fallen ließ.

Joe war nicht da. Seine auf Band aufgenommene Stimme hallte blechern durch die Leitung und forderte Simon auf, eine Nachricht zu hinterlassen. Nach dem Piepton begann Simon zu reden:

»Joe, hey, ich bin es. Du wirst es nicht glauben: Wir haben heute wirklich einen schönen Tag gehabt, Alex und ich. Wir waren in der National Gallery, sind an der Themse spazieren gegangen, wir haben zusammen gegessen, das ganze Programm. Es lief alles sehr gut. Und dann kamen wir nach Hause, spitz wie Nachbars Lumpi, nur um meine Nichte auf dem Sofa vorzufinden, wie sie sich ein Video ansieht. Was, gelinde gesagt, doch ein gewisser Killer ist. Alex ist wie der Blitz von hier verschwunden. Mein Schwager, dieser Wichser, hat Sophie hier gelassen, während er ausgegangen ist, ohne sich die Mühe zu machen, mich vorher zu fragen. Na ja. Ich dachte, ich würde dich anrufen, da ich ja weiß, dass du eine gute Geschichte immer zu schätzen weißt. Ich brauche etwas Trost, also ruf mich an, wenn du nach Hause kommst, falls es nicht zu spät wird. Wir sprechen dann nachher weiter.«

Simon legte den Hörer auf und seufzte tief.

»Was ist ein Wichser?«, erkundigte sich Sophie.

Simon schoss wie von der Tarantel gestochen vom Sofa hoch. »Wie lange ... Ähm, hallo, alles in Ordnung mit dir? Wie lange ...?«, stotterte er.

»Ich brauche etwas Wasser«, erklärte Sophie.

Simon beruhigte sich. »Oh. Klar. Ich hole dir welches.«

»Was ist ein Wichser?«, wiederholte Sophie.

Simon sah seine Nichte verzweifelt an. »Hast du alles gehört?«, wollte er wissen.

Sophie nickte. »Also, was ist denn nun ein Wichser?«, beharrte sie.

»Zuerst einmal, es ist ein Wort, das du *niemals* benutzen solltest«, sagte Simon vorsichtig. »Es ist kein sehr schönes Wort. Du darfst es also niemals in Mummys Gegenwart benutzen.«

»Aber was *bedeutet* es?«

»Also gut. Hm.« Simon dachte nach. »Im Wesentlichen bedeutet es ... ähm ... Das ist jemand mit einer großen Nase«, flunkerte er, wohl wissend, dass dies möglicherweise ein klein wenig unfair war.

Sophie dachte versonnen über diese Information nach. »Mit einer großen Nase?«, überlegte sie. »Dann ist Postbote Pat also ein Wichser?«

»Ähm, ja, Sophie, das ist er, aber du musst mir fest versprechen, dass du dieses Wort niemals benutzt. Es ist sehr unartig, und du würdest eine Menge Schwierigkeiten bekommen, wenn Mummy dich hören würde.«

Sophie schien der in Aussicht gestellte mütterliche Zorn nicht weiter zu erschrecken. »Kann ich jetzt ein Glas Wasser bekommen?«, bat sie.

»Nur wenn du mir versprichst, dass du dieses Wort nie benutzen wirst.«

Sophie seufzte. »Na schön. Ich versprech es.« Sie hielt inne. »Wenn es so ein schlimmes Wort ist, warum darfst du es dann benutzen?«

»Weil ich erwachsen bin«, antwortete Simon, bevor er eilig in die Küche ging. Er dachte an verschiedene Gelegenheiten, bei denen man ihn, als er noch ein Kind gewesen war, mit dieser Erklärung abgespeist hatte, und er erinnerte sich an seinen hilflosen Zorn über die offenkundige Ungerechtigkeit des Ganzen.

Aber Sophie war offensichtlich an die faulen, hinterhältigen Taktiken Erwachsener gewöhnt. »Ich verstehe«, meinte sie ohne Groll und nahm ihr Glas Wasser von ihrem Onkel entgegen. »Vielen Dank für das Wasser. Gute Nacht.«

»Nacht. Schlaf gut.«

Sophie ging zurück ins Schlafzimmer und schloss die

Tür hinter sich. Simon ließ sich wieder auf das Sofa fallen und dachte an Alex Petrie, die inzwischen zweifellos wieder in ihrem Hotelzimmer sein musste. Nach ein paar Sekunden ging er an den Plattenteller und nahm ein Album mit Klavierstücken von Bill Evans heraus. Auf der Rückseite war ein Foto von Evans am Klavier abgedruckt, auf dem Evans den Kopf leicht schräg geneigt hatte und die Tastatur vor sich musterte. Eine Zigarette hing ihm aus dem Mundwinkel. Er sah nachdenklich und einsam aus. Die ersten melancholischen Takte von *Danny Boy* erfüllten den Raum. Simon entspannte sich ein wenig. Wie immer glättete Evans mit seiner sanften Berührung einige Falten in Simons Leben. Jazzmusik konnte aufbrausend oder sanft sein, komisch oder traurig, aber vor allem konnte sie wunderschön sein. Evans' Spiel war von einer schlichten Reinheit, die ein Prickeln über Simons Rückgrat streichen ließ wie einen elektrischen Strom. Sein Spiel war frei von allen Feuerwerkseffekten. Er ließ das Klavier und die Musik für sich sprechen. Angesichts solch nackter, ungeschmückter Schönheit konnte man kaum etwas anderes tun, als sich einfach mitreißen lassen.

Simon legte sich aufs Sofa und ließ seinen Geist leer werden. Gerade als er dabei war einzuschlafen, klingelte das Telefon.

»Simon?«

»Bella. Was ist los?«

»Ist Sophie bei dir?«

»Natürlich.«

»Alles in Ordnung?«

»Ja, es geht ihr gut. Sie schläft.«

»Gott sei Dank, dass du da bist. Ich könnte Michael ermorden. Ich weiß nicht, was er sich dabei gedacht hat, sie einfach nur mit einem Brief für dich bei dir zu lassen. Wann bist du nach Hause gekommen?«

»Vor einer Weile.«

»Es tut mir Leid. So Leid. Und Michael wird es auch Leid tun, wenn er nach Hause kommt, wo immer er auch hin verschwunden sein mag. Ich hoffe, Sophie hat dir nicht den Abend verdorben.«

Simon dachte noch einmal an Alex, allein in ihrem Hotelbett. »Mach dir keine Sorgen deswegen«, erwiderte er. »Wo warst du?«

»Ich bin ausgegangen.«

»Ausgegangen?«

»Ausgegangen.«

»In Ordnung«, sagte Simon.

»Hör mal«, bat Bella, »ich würde dir ja anbieten, zu dir zu kommen und sie jetzt zu holen, aber die Wahrheit ist, ich habe ein bisschen was getrunken.«

»Das geht schon in Ordnung. Es ist wahrscheinlich sowieso besser, wenn sie jetzt weiterschläft.«

»Du bist ein Engel.«

»Das weiß ich nicht, aber vielleicht werde ich ja in meinem nächsten Leben den Lohn dafür bekommen«, meinte Simon. »Spezielle Turboflügel, extra feinen Katzendarm für meine Harfe, so etwas in der Art.«

»Wie sollen wir das nun machen?«, fragte Bella, deren Gedanken wieder bei ihrer Tochter waren. »Wann soll ich Sophie abholen kommen?«

»Na ja, ich muss morgen arbeiten«, erklärte Simon. »Wie wär es, wenn ich sie mit in den Laden nehme, und du holst sie von da ab? Das erspart dir die mühsame Reise nach Nordlondon. Und ihr wird es sicher Spaß machen, mich in den Laden zu begleiten.«

»Das«, seufzte Bella, »ist eine tolle Idee, verdammt.«

»Ich habe dich seit Jahren nicht mehr fluchen hören«, stellte Simon überrascht fest.

»Das liegt wahrscheinlich daran, dass du mich seit Jahren nicht mehr außer Hörweite von Sophie erlebt hast.«

»Ah. Das erklärt alles.« Simon dachte schuldbewusst daran, wie Sophie seine Telefonnachricht für Joe belauscht hatte.

»Ich habe immer noch ein eigenes Leben, musst du wissen, Simon«, fuhr Arabella nach ein paar Sekunden fort. »Ich bin zuallererst Mutter, das stimmt, aber irgendwo gibt es nach wie vor etwas Zweites, Drittes und Viertes, das nur auf seine Chance wartet zu entkommen.«

»Ich weiß.«

»Das Schlimme ist, sieh dir bloß an, was passiert, sobald ich versuche, etwas anderes zu sein als Mutter. Es kommt sofort zur Katastrophe.«

»Das war kaum eine Katastrophe«, entgegnete Simon. Er dachte an Alex' Gesicht, als sie Sophie auf dem Sofa hatte sitzen sehen. Na ja, dann vielleicht doch eine Katastrophe, eine kleine.

»Hm, nein, wahrscheinlich nicht, was ich dir zu verdanken habe. Aber ich ... ich koche trotzdem vor Wut. Danke, dass du dich um meinen kleinen Schatz kümmerst, Simon.«

Er lächelte ins Telefon. »Gern geschehen.«

Bella stieß einen langen Seufzer aus. Es folgte eine Pause. »Es ist nicht immer leicht, diese Geschichte mit der Mutterschaft, weißt du?«, bemerkte sie.

»Du scheinst das aber gut hinzubekommen«, sagte Simon.

»Na ja, ich habe meine starken Momente. Aber es gibt Zeiten, da wird einem das doch alles etwas zu viel.«

»Ich kann beim Thema Mutterschaft nicht mitreden,

aber die Onkelschaft kann ich nur empfehlen«, erklärte Simon. »Die Höhepunkte sind wunderbar.«

»Familien sind manchmal harte Arbeit«, erwiderte Bella.

Simon schwieg. Er fragte sich, ob sie in Bezug auf Michael bereits einen Verdacht hegte. »Weißt du eigentlich, wo Michael heute Abend hinmusste?«, erkundigte er sich vorsichtig.

»Irgendeine geschäftliche Sache, wie gewöhnlich. Kommt einem schon verrückt vor, an einem Sonntagabend.«

»Da sprichst du ein wahres Wort gelassen aus«, stimmte Simon ihr zu. Verrückt bis hin zu absolut unglaubwürdig.

»Ich wünschte, er würde etwas kürzer treten«, bekannte sie. »Er wird schließlich auch nicht jünger.«

»Ja, ich wünschte auch, er würde kürzer treten«, erwiderte Simon mit Nachdruck.

Es folgte eine Pause.

»Ich vermisse Mum«, gestand Arabella nach einem kurzen Augenblick.

»Ich weiß«, antwortete Simon. »Ich auch.«

»Gute Nacht.«

»Nacht.«

Simon legte den Hörer auf, strich die Decke auf dem Sofa glatt und schlief ein.

17. KAPITEL

Am nächsten Tag nahm Simon Sophie mit zur Arbeit. Er machte eine interessante Entdeckung: Mit einem kleinen Kind im Schlepptau zeigten sich die Menschen in der U-Bahn ihm gegenüber deutlich mitfühlender, als sie es getan hatten, als er an Krücken gegangen war. Vielleicht wurden Kinder als das größere Handicap erachtet.

Sophie war ganz aus dem Häuschen bei der Vorstellung, in den Zaubereiladen zu gehen. Simon dagegen erfüllte die Aussicht mit gemischten Gefühlen. Er machte sich Sorgen, wie Brian darauf reagieren würde.

Während der Zug unter der Stadt in Richtung Süden dahinglitt, versuchte Simon, nicht an den vergangenen Abend und an seinen Fehlschlag mit Alex Petrie zu denken. Stattdessen dachte er an die romantischen Verstrickungen von Victoria Station und Russell Square. Wie genau, fragte er sich, war es ihm gelungen, sich in diese kleine Episode zu verstricken? Er wollte sichergehen, dass Vick Russell erklärt hatte, dass Simons angebliche Rolle in der Angelegenheit einzig eine Ausgeburt ihrer Fantasie gewesen war. Er hatte nicht die mindeste Lust, sich aus Rachsucht von einem psychotischen Gangster mit Neigung zu Gewalttätigkeit und Unterarmen so dick wie Baumstämmen verfolgen zu lassen.

Auf dem Weg von der U-Bahn-Haltestelle zum Laden bemerkte Simon, dass Bob sich nicht an seinem gewohnten Platz befand. Stattdessen stand dort ein anderer

Mann, der seine Zeitschriften in einem Plastikbeutel aufbewahrte. Als Simon und Sophie näher kamen, eilte der Mann mit langen Sätzen auf sie zu.

»Eine *Big Issue*, der Herr?«

»Wo ist Bob?«, fragte Simon zurück.

»Urlaub«, erklärte der Fremde.

»Urlaub?«, wiederholte Simon. »Wo ist er denn hin?«

»An die Algarve, glaube ich«, erwiderte der Mann.

»Die Algarve? Für wie lange?«

»Zwei Wochen. Er hat mir für die ganze Zeit eine Sub-Franchise eingeräumt. Na ja, er hat mir ansonsten ziemlich harte Bedingungen aufgedrückt, aber na ja. So ist eben das Geschäft, was? *Big Issue*?«

Simon griff automatisch in seine Tasche und tastete nach einer Pfundmünze, bevor er die ihm dargebotene Zeitschrift nahm.

Als sie in den Laden kamen, standen Brian und Vick hinter der Theke. Bei ihrem Eintritt blickten sie wachsam auf.

»Hallo«, grüßte Simon. »Mir ist klar, dass der Nichtenmitbringtag offiziell erst nächste Woche ist, aber ich dachte, ich entziehe mich dem Gedränge und bringe sie heute Morgen schon mit. Das ist Sophie. Ihre Mum kommt später vorbei, um sie abzuholen, aber bis dahin wird sie ein Weilchen bei uns bleiben, wenn das in Ordnung ist.« Er stieß Sophie an.

»Hallo«, sagte Sophie höflich.

Vick schaute sie gelangweilt an. Brian jedoch konnte seinen Blick nicht von ihr abwenden. Er war wie gebannt.

»Sophie ist übrigens ganz versessen auf Zauberei«, fuhr Simon mit einem besorgten Seitenblick auf Brian fort. Es folgte eine Pause. »Brian?«, sprach Simon ihn direkt an. »Geht es dir gut?«

»Was? Oh, ja. Alles bestens«, antwortete Brian geistes-abwesend. »Tut mir Leid. Es ist nur so, dass sie mich an Vick erinnert, als sie in dem Alter war.«

»Oh. Verstehe«, murmelte Simon. Das erklärte den gehetzten Gesichtsausdruck. »Dann geht das also in Ordnung?«

Brian starrte Sophie weiter an und nickte abwesend. Er riss sich gerade aus seinem Tagtraum, als Dean mit einem großen Pappkarton voller sich drehender Frackschleifen hereinwuselt kam. »Hallo«, meinte Dean gut gelaunt zu Sophie. »Wie heißt denn du?«

»Sophie.«

Dean stellte seinen Karton ab. »Was für ein hübscher Name«, bemerkte er. »Hast du ihn schon lange?«

Sophie kicherte.

»Ich sag dir was«, meinte Dean. »Ich wette, du weißt nicht, warum Clowns rote Nasen haben.«

Sophie dachte über diese Bemerkung nach. »Ich weiß es nicht«, bekannte sie schließlich.

»Wenn du mal hier rüberkommst«, erwiderte Dean, »erzähle ich dir eine Geschichte, die so erstaunlich ist, dass du sie nicht glauben wirst.« Simon machte ein Zeichen mit dem Daumen nach oben. Sophie und Dean verzogen sich in eine Ecke, und Dean begann, sie mit Zauberkunststücken, Witzen und dummen kleinen Geschichten zu unterhalten.

Simon machte im Laden alles für den Tag bereit. In der ersten halben Stunde kam keine Kundschaft, daher verfolgte Simon Deans improvisierte Vorstellung. Sophie war fasziniert. Schließlich sickerte ein dünnes Rinnsal von Leuten in den Laden, und Simon hatte schon bald zu viel mit Erklärungen und Vorführungen zu tun, um Dean zu beobachten. Gelegentlich wehte Sophies glockenhelles Lachen durch den Laden. Schließlich kamen Dean und Sophie strahlend wieder aus ihrer Ecke hervor.

Brian demonstrierte einem pickligen Jungen in einem Anorak einen Trick, bei dem er ein buntes Taschentuch aus seinem Ohr zog. Sophie zeigte auf Brian. Vor allem auf seine Nase. Dann erklärte sie ohne jede Vorwarnung: »Dieser Mann ist ein *Wichser*.«

Victoria Station, die mit einer Tasse Tee am Vorhang stand, brach in Gelächter aus. Simon dämmerte langsam, dass sie ihm mürrisch und unglücklich lieber war. Bisher war ihr Gelächter immer der Vorbote irgendeiner Katastrophe gewesen. Eine Sekunde lang erstarrte Brians Gesicht, bevor es einen interessanten Purpurton annahm.

»*Was* hat sie gesagt?«, stieß Brian hervor. Beim Sprechen legte er die Hände auf die Theke, und ein grünes Taschentuch hing ihm ein wenig unpassend aus dem linken Ohr heraus.

»Oh, nichts«, murmelte Simon.

Sophie zupfte an seinem Ärmel. »Ich hab doch etwas gesagt«, widersprach sie. »Ich habe gesagt, er ist ein Wichser.« Vick johlte ungläubig, schüttelte den Kopf und ging zurück in den Lagerraum. Der Junge in dem Anorak hatte inzwischen ebenfalls zu kichern begonnen. Brian warf ihm einen säuerlichen Blick zu.

»*Sophie*«, mahnte Simon. »Was haben wir gestern Abend besprochen? Dass man dieses Wort nicht benutzen soll, nicht wahr?«

»Du hast nur gesagt, ich soll es nicht vor Mummy benutzen«, erklärte Sophie.

»Oh. Hm, ich meinte aber, du sollst es gar nicht benutzen«, erwiderte Simon und wünschte, seine Nichte hätte nicht diese fatale Neigung, die Dinge wörtlich zu nehmen. Er sah Brian an, der immer noch wie vom Donner gerührt hinter der Theke stand, und schenkte ihm ein gequältes Lächeln. »Sophie, entschuldige dich bitte.«

»Tut mir Leid«, murmelte sie.

Brian sah Simon und Sophie argwöhnisch an, unsicher, ob es sich hierbei nicht vielleicht um einen im Voraus geplanten Scherz auf seine Kosten handelte. Er kratzte sich verwirrt am Ohr und bemerkte das grüne Taschentuch. Hastig zog er es ganz aus dem Ohr und steckte es in die Tasche.

»Also gut«, brummte er schließlich.

Der Teenager, der Brians Trick mit den Taschentüchern beobachtet hatte, grinste immer noch still vor sich hin. Brian sah ihn an. »Ja?«, bluffte er.

»Sie haben mir diesen Trick mit dem Taschentuch gezeigt«, erklärte der Teenager.

»Also, der ist nicht verkäuflich«, erwiderte Brian. »Jedenfalls nicht für dich.«

»Aber das ist nicht fair«, protestierte der Teenager.

»Das Leben ist nicht fair. Jetzt verpiss dich.« Brian drehte sich um, verschwand hinter dem Samtvorhang und ließ den glücklosen Teenager vor der Theke zurück. Nach einer Weile verließ der Junge den Laden, wobei er im Gehen seinen verwirrten Kopf schüttelte.

»Simon«, flüsterte Sophie.

»Was?«, fragte Simon erschöpft.

»Was heißt ›verpiss dich‹?«

Etwa eine Stunde später kam Arabella in den Laden, ihre Augen hinter einer großen dunklen Brille versteckt. Sophie erkundete gerade zusammen mit Dean den Lagerraum.

»Hallo«, rief Simon, als seine Schwester sich der Theke näherte. »Wie geht es denn so?«

Arabella schüttelte den Kopf, besann sich dann aber eines Besseren. »Nicht gut«, murmelte sie. »Schlecht«, führte sie nach ein paar Sekunden näher aus. »Ich habe eine Art Kater.«

»War aber ein schöner Abend, hm?«

»Das kommt auf den Standpunkt an. Eine alte Freundin aus meiner Zeit im Verlag hat aus heiterem Himmel angerufen, und wir sind in einen Weinkeller auf dem Lavender Hill gegangen, wo wir uns dann darangemacht haben, mithilfe von drei Flaschen Wein die Welt in Ordnung zu bringen. Oder vielleicht waren es auch vier.«

»Ah«, machte Simon. Bella war keine große Trinkerin. »Habt ihr es denn wenigstens geschafft, die Welt und ihre Probleme in den Griff zu bekommen?«

»Eigentlich nicht. Wir sind bei der Frage stecken geblieben, wohin man mit kleinen Kindern in Urlaub fährt. Bis zu Hunger in der Welt, Drogenschmuggel oder dem Handel mit illegalen Waffen haben wir es gar nicht geschafft. Und dann bin ich nach Hause gekommen, um festzustellen, dass Michael Sophie in deine Wohnung gebracht hatte. Er hatte mir eine Nachricht dagelassen. Ich hätte ihn umbringen können. Ich *hätte* ihn umgebracht, wenn er da gewesen wäre.« Sie hielt inne. »Und wenn ich im Stande gewesen wäre, ohne Hilfe aufrecht stehen zu bleiben. Was anscheinend nicht der Fall war.«

Simon warf einen besorgten Blick auf seine Schwester. Er hatte sie noch nie zuvor so gesehen. Es schien, als hätte ihre gewohnte Maske, der mehr oder weniger fröhliche Gleichmut, den sie der Welt zeigte, einen Riss bekommen. War da etwas im Gange? Hegte sie einen Verdacht gegen Michael? Bella sah sich in dem Laden um.

»Ich bin schon eine ganze Weile nicht mehr hier gewesen. Es hat sich nichts verändert, oder?«

Simon schüttelte den Kopf. »Überhaupt nichts«, stimmte er ihr zu.

»Und wo ist mein Augapfel?«

»Dein Augapfel befindet sich gegenwärtig im Lagerraum und foltert einen meiner Kollegen«, erklärte Simon. »Moment. Ich gehe sie holen.« Er drehte sich um und rief nach Sophie, die pflichtschuldigst erschien, gefolgt von einem erschöpft wirkenden Dean.

»Hallo, Liebling«, sagte Bella und bückte sich, um sie zu umarmen.

»Hallo«, antwortete die Kleine. »Warum trägst du eine Sonnenbrille?«

Mein Gott, dachte Simon, hört sie denn niemals auf, die falschen Fragen zu stellen?

»Hm, ich glaube, dass später vielleicht noch die Sonne rauskommt, Schätzchen«, erwiderte Bella mit der Selbstsicherheit eines Menschen, der weiß, dass es weniger darauf ankommt, was man sagt, als darauf, wie man es sagt.

»Oh«, machte Sophie und ließ es dabei bewenden.

»Also«, meinte Bella und kämpfte sich ihre Tasche über die Schulter, »dann machen wir uns wohl besser mal auf den Weg. Ich rufe dich dieser Tage an, Simon. Damit wir uns mal wieder sonntags sehen können.«

»Das wäre super.«

»Tschüss, Simon«, rief Sophie.

»Auf Wiedersehen, Käferchen.«

»Auf Wiedersehen, Dean«, sagte sie.

»Auf Wiedersehen, Sophie«, keuchte Dean.

Als sich die Tür hinter Mutter und Tochter schloss, zog Dean sich voller Erleichterung in den Lagerraum zurück, und Simon setzte den Kessel auf und summte dabei eine Melodie von Charlie Parker vor sich hin, *Ornithology*. Es war ein anspruchsvolles Stück mit zwei Akkordwechseln pro Takt, ein Stück, das Parker in einem halsbrecherisch schnellen Tempo zu spielen pflegte. Manchmal konnten seine Begleiter nur mit Mühe mit ihm Schritt halten, während er durch die Melodie flog, bevor er sich in elektrisch aufgeladene Soli stürzte, die Melodie völlig umkrempelte, sie in Fetzen riss und wieder zusammensetzte, und das alles mit einer atemberaubenden Geschmeidigkeit und einer musikalischen Logik, die nahtlos und ganz einfach perfekt war. *Ornithology*. Das Studium der Vögel. Zweifellos ein kompliziertes Thema. Simon fühlte sich wie einer von Parkers Begleitern, der immer versuchte, Schritt zu halten.

Seine Gedanken wanderten zu Alex Petrie zurück und zu dem Tag, den sie gemeinsam verbracht hatten. Er war beinahe perfekt gewesen. Beinahe. Simon bedauerte es, dass er den Abend nicht mit einer verzückten sinnlichen Vorstellung beendet hatte. Sie wären sicher beide übereingekommen, dass dies die denkwürdigste Erfahrung war, die sie beide *jemals* gemacht hatten, aber in gewisser Weise war er auch froh, dass sie noch ein Weilchen darauf würden warten müssen. Der Rausch der Vorfreude, das entdeckte er jetzt, hatte etwas für sich, wenn man wusste, dass etwas oder jemand einem sicher war.

Der Kessel stellte sich mit einem Klicken ab, und Simon brühte sich eine Tasse Kaffee auf. Einen flüchtigen Augenblick lang gestattete er sich die Vorstellung, er flöge nach New York, um Alex zu besuchen und eine glamouröse transatlantische Liebesaffäre zu haben. Es würde gestohlene Wochenenden in Manhattan geben und gelegentliche Ausflüge an exotische Urlaubsorte auf Long Island. Simon war nie in New York gewesen, aber er träumte schon seit Jahren davon – vor allem von den berühmten, mittlerweile jedoch geschlossenen Jazzclubs, die in den Vierzigerjahren, auf dem Höhepunkt des Bebop, die Zweiundfünfzigste Straße gesäumt hatten. Er konnte Dizzy vor sich sehen, wie er an jenem Laternenpfosten schwang, Monk, wie er in einem der vielen schummrig beleuchteten, verräucherten Clubs zum Klavier schlurfte. Diese Clubs – das »Five Spot«, das »Three Deuces« und viele andere – hatten vor langer Zeit ihre Türen für immer geschlossen, aber in Simons Fantasie war ihr Glanz ungebrochen. Und jetzt, sagte er sich, wäre Alex Petrie vielleicht der perfekte Grund, um diese Stadt auch in der Realität einmal kennen zu lernen.

Simon fragte sich, wie lange er warten sollte, bevor er Alex wieder anrief. Er wollte nicht zu erpicht erscheinen, aber andererseits sollte sie auch nicht glauben, dass er nicht interessiert sei. Vielleicht morgen Früh. Oder vielleicht übermorgen. O Gott, dachte er, ist das kompliziert.

An diesem Abend trottete Simon zur U-Bahn und dachte dabei an Alex Petrie. Er versuchte, sich seine nächsten Schritte genau zu überlegen. Obwohl der vergangene Tag ein Erfolg gewesen war, wurde Simon bei dem Gedanken, sie anzurufen, ganz schwach in den Kniekehlen.

Simon wollte das Ganze zuerst mit Joe besprechen. Mittlerweile musste er Simons Nachricht von gestern Abend bekommen haben. Joe schien es zu genießen, Ratschläge zu erteilen, und Simon war sich sicher, dass er sich die Gelegenheit nicht entgehen lassen würde, das noch einmal zu tun. Als er sich den automatischen Fahr-

scheinsperren näherte und den stetigen Strom von Pend-
lern beobachtete, die in den Eingeweiden der Londoner
U-Bahn verschwanden, spürte Simon ein Widerstreben,
jetzt schon nach Hause zu fahren. Er musste sich entspannen, sich etwas gönnen. Kurz entschlossen drehte er
auf dem Absatz um, verließ den Bahnhof und stieg stattdessen in einen Bus. Es war an der Zeit für eine kleine
Einkaufstherapie.

Im Laden roch es wie immer nach altem Pappkarton.
Aus den hoch oben an der Wand montierten Lautsprechern sprudelten die Klänge eines Tenorsaxofons, die
wie eine Million winziger Lichtstrahlen in die stickige
Atmosphäre des Ladens perlten. Simon stand eine Weile
nur da, lauschte und sah sich um. Es waren drei Kunden
im Laden, ein jeder verloren in seiner eigenen kleinen
Welt. Sie beugten sich über die Regale mit Secondhand-
platten, überflogen die abgenutzten Pappkarton-Cover
mit geübtem Blick, verharrten, um eine Schallplatte herauszuziehen und die Texte auf der Schutzhülle zu lesen, und manchmal kicherten sie leise vor sich hin, wenn
sie einen Song wiedererkannten, sich an eine Anekdote
erinnerten.
    Simon lauschte auf die Musik aus der Stereoanlage.
Dem Saxofonsolo war eine Trompete gefolgt. Simon erkannte die Melodie. Es war ein Song von Rogers and
Hart, *The Most Beautiful Girl in the World*. Während die
Trompete über die Akkorde flog, streifte Simon durch
den Laden und blieb hie und da stehen, um sich eine
Platte anzusehen. An den Wänden hingen alte Poster von
Jazzmusikern, die lange tot waren. Hinter Glasscheiben
aufbewahrt, gab es auch verschiedene Sammlungen von

Erinnerungsstücken, die Simon besonders liebte: alte Fotografien, abgerissene Tickets, Programme, sogar ein oder zwei alte Schallplatten.

Als der Song endete, ging Simon zur Theke, um sich anzusehen, was er da gehört hatte. Es war ein Livealbum, das Anfang der Sechzigerjahre von einem Quintett unter der Führung des Saxofonspielers Tubby Hayes in Ronnie Scotts Club in Soho aufgenommen worden war. Tubby. Jazzmusiker hatten wahrhaftig seltsame Namen, überlegte Simon. Jelly Roll Morton. Zoot Sims. Mezz Mezzrow. Dizzy. Alles war möglich. Er hatte eine Schallplatte, die Stan Getz zusammen mit einem Drummer namens Milton Banana aufgenommen hatte.

Simon blätterte die langen Reihen willkürlich nebeneinander gestellter alter Vinylscheiben durch. Schließlich ging er zur Ladentheke und inspizierte noch einmal das Tubby-Hayes-Album.

Er traf eine Entscheidung.

Einige Zeit später kam Simon nach Hause, seine Neuerwerbung unter den Arm geklemmt. Er ging sofort weiter ins Wohnzimmer, um seinen Anrufbeantworter abzuhören. Er zwinkerte ihm bereits zu. Joe, dachte Simon.

Er ging zum Plattenteller, nahm seine neue Schallplatte aus der Hülle und legte sie vorsichtig auf die wartende schwarze Gummischeibe. Dann hörte Simon zu, während Tubby seine Einführung für das Publikum sprach. Als die ersten Takte des ersten Songs laut wurden, drückte er den Knopf an seinem Anrufbeantworter.

»Hi, ich bin es.« Arabella. »Ich wollte noch mal *Vielen* Dank sagen, dass du dich für mich – für uns – um Sophie gekümmert hast. Ich hoffe, sie hat dir nicht zu viel Mühe gemacht. Sie war heute Nachmittag zum Spielen bei einer Nachbarstochter, und ich habe ganz still mit einem Lappen auf dem Gesicht auf meinem Bett gelegen. Na ja. Ich hoffe, bei dir ist alles in Ordnung. Ruf mich doch bald mal an. Bis dahin.«

»Ende der Nachrichten«, erklärte der Anrufbeantworter übertrieben diensteifrig.

Simon runzelte die Stirn. Immer noch nichts von Joe. Das war ärgerlich. Simon brauchte seinen Rat. Er griff nach dem Hörer und wählte Joes Nummer. Während das Klingelzeichen durch die Leitung dröhnte, versuchte Simon, sich seine Worte zurechtzulegen. Nach viermaligem Läuten klickte es.

»Hi, keiner da, hinterlassen Sie eine Nachricht.«

»Ähm, Joe? Hi. Hier spricht Simon.« Er versuchte selbstbewusst und entspannt zu klingen. »Ich wollte dich nur mal schnell anrufen, um zu hören, ob du meine Nachricht von gestern Abend bekommen hast. Wäre schön, mal wieder zu plaudern, also ruf mich doch an, vielleicht wenn du nach Hause kommst, falls es nicht zu spät ist.« Simon hielt inne, weil er sich plötzlich Sorgen machte, dass er zu verzweifelt geklungen hatte. »Nichts Wichtiges«, fügte er wenig überzeugend hinzu. »Ich wollte nur etwas plaudern, du weißt schon, mal hören, wie es dir geht und so weiter. Na ja, da wären doch wohl ein oder zwei Dinge, die ich dich fragen wollte. Nichts Wichtiges«, wiederholte er in dem festen Bewusstsein, dass er jetzt hoffnungslos zu schwafeln begonnen hatte. Er holte tief Luft und versuchte, sich für ein starkes Schlusswort zu sammeln. »Also, es ist jetzt ... hm ... ungefähr sieben. Ich werde wahrscheinlich den ganzen Abend zu Hause sein. Tja, ruf mich an. Wir sprechen uns dann bald.«

Simon ließ den Hörer auf die Gabel fallen und schlurfte zum Sofa. Dann schloss er die Augen und ließ sich von der Musik mitreißen.

18. KAPITEL

Joe rief nicht zurück.
Simon verbrachte den Rest des Abends damit, wie ein gefangener Ozelot in seiner Wohnung auf und ab zu gehen, während er mit bis zum Zerreißen gespannten Nerven darauf wartete, dass das Telefon klingelte. Die Stunden krochen mühsam dahin, und Simon sah sich immer weniger in der Lage, Alex Petrie anzurufen, ohne vorher genaue Anweisungen zu bekommen.

Simons Selbstbewusstsein hatte einen solchen Tiefstand erreicht, dass er trotz ihres erfolgreichen gemeinsamen Tages nicht wusste, wie Alex auf seinen Anruf reagieren würde. Instinkt und empirische Beweise sagten ihm, dass er sich gründlich vorbereiten sollte, bevor er zum Hörer griff. Simon starrte das Telefon an und hasste es aus Leibeskräften. Das Leben musste so viel zivilisierter gewesen sein vor Alexander Bloody Graham Bloody Bell. Man war einfach zum Haus einer Dame gegangen, hatte seine Karte abgegeben und gewartet, bis die Gastgeberin persönlich erschien, um einen zu empfangen. Na schön, es hatte wahrscheinlich weniger Knutschereien gegeben, aber dafür hatte die Romantik in Jane Austens Tagen einen gewissen Reiz gehabt. Sie war eleganter, raffinierter gewesen. Und es hatte keine Telefone gegeben.

Gegen Mitternacht ging Simon endlich ins Bett, nachdem er sich erfolgreich die Idee ausgeredet hatte, noch eine Nachricht auf Joes Anrufbeantworter zu hinterlassen. Von der langen Strapaze des nervösen Wartens war er so fix und fertig, dass er sofort in einen tiefen Schlaf fiel. Er träumte, dass altmodische Bakelittelefone, ein jedes von der Größe eines kleinen Hauses, vom Himmel krachten und ihn nur um Haaresbreite verfehlten.

Als er am nächsten Morgen im Station Magic ankam, war Simon gründlich niedergeschlagen. Beim Öffnen der Tür sah er sein Spiegelbild in der Fensterscheibe, und der Anblick seines GI-Joe-Haarschnitts trieb seine Stimmung noch weiter in den Keller.

Vick und Brian standen hinter der Theke und schrien einander an. Dean beugte sich über die Kasse und versuchte, den erhitzten Familienstreit, der nur wenige Schritte von ihm entfernt ausgetragen wurde, zu ignorieren. Vick trug einen Rollkragenpullover. Als die Tür geöffnet wurde, blickten alle auf.

»Du kommst zu spät«, schnarrte Brian.

»Simon«, flüsterte Dean erleichtert.

»Oh, *Gott*«, rief Vick und stürmte in den Lagerraum davon.

»Hallo, alle miteinander«, meinte Simon. »Danke für dieses wunderbare Willkommen.«

»Sieh zu, dass du dich hinter die Theke schwingst und etwas getan bekommst, verdammt noch mal«, fuhr Brian ihn an, bevor er mit einem energischen Schwung des Samtvorhangs ihren Blicken entschwand.

»Meine Güte. Was war denn da los?«, fragte Simon. »Das sah ja aus wie eine Mordskabbelei, selbst für ihre Maßstäbe.«

Dean schüttelte den Kopf. »Keine Ahnung«, antwortete er. »Ich habe versucht, nicht hinzuhören. Ich glaube, es ging um einen Jungen.«

Simons Interesse war sofort geweckt. »Haben die beiden auch gesagt, um welchen ... ähm ... Jungen es ging?«

»Nein. Das war ja das Problem. Sie wollte ihm nicht verraten, welcher Junge es war.«

»Welcher Junge *was* war?«

Dean verdrehte Unheil verkündend die Augen. »Du wirst schon sehen«, flüsterte er.

Kurze Zeit später ging Simon, außer Stande, seine Neugier zu bezähmen, in den Lagerraum hinunter. Zu seiner Überraschung arbeitete Vick tatsächlich; sie überprüfte einige Lieferungen. Simon schlenderte lässig zu ihr hinüber.

»Hallo«, begann er. »Ist alles in Ordnung?«

Vick drehte sich zu ihm um. »Nein«, antwortete sie. »Wenn du es genau wissen willst: Nichts ist in Ordnung.«

»Oje«, machte Simon. Er wartete darauf, dass Vick nähere Erklärungen abgab, aber sie wandte sich wieder ihren Formularen zu.

»Hat das vielleicht etwas mit Russell zu tun?«, erkundigte er sich.

»Ja«, erwiderte Vick, »es hat alles mit Russell zu tun.«

»Und wo genau liegt das Problem?«

»*Das* genau ist das Problem.« Vick zog den Kragen ihres Pullovers herunter, um Simon an ihrem Hals eine monströse purpurne Schwellung von der Größe einer Walnuss zu zeigen. Simon betrachtete den blauen Fleck mit einer Mischung aus Entsetzen und Faszination. Er konnte sogar noch den schwachen Abdruck von Russells Zähnen auf Vicks Haut erkennen. Der Knutschfleck schien, wie von einer übernatürlichen Energie aufgeladen, schwach zu glänzen, sodass er wie ein mystisches Amulett wirkte.

»Mein Gott«, entfuhr es Simon, und er versuchte, seine Überraschung zu verbergen.

»Yeah, *mein Gott* trifft es genau«, pflichtete Vick ihm bei und rollte ihren Kragen wieder hoch. »Na ja, wie auch immer, ich habe nicht mal gemerkt, dass er überhaupt *da* war, bis Dad ihn heute Morgen beim Frühstück entdeckt hat. Er ist einfach durchgedreht. Ist die verdammten Wände hochgegangen. Er wollte wissen, was da los war. Und mit wem. Ich hab es ihm nicht erzählt. Deshalb haben wir uns den ganzen Morgen angeschrien.«

»Ich verstehe«, sagte Simon. »Aber davon abgesehen ist alles in Ordnung mit Russell?«

»Ja«, antwortete Vick lakonisch.

»Und du ... ähm ... du hast Russell erklärt, dass du die Sache mit mir nur erfunden hast?«

Vick warf Simon einen vernichtenden Blick zu. »Mein Gott, Simon, reg dich ab. Ja, ich hab es ihm erzählt.«

»Oh«, murmelte Simon erleichtert. »Na, dann ist es ja gut.« Es folgte eine Pause. »Also hat Russell sich benommen, ja?«

Vick nickte. »Er ist in Ordnung. Ein bisschen zu enthusiastisch, das ist alles.« Sie hielt inne. »Aber von jetzt an wird nicht mehr an meinem Hals geknabbert, das kann ich dir verraten.«

»Du solltest ihm auch einen Knutschfleck verpassen«, bemerkte Simon und fragte sich, welchen Schaden all das Metall in Vicks Mund ungeschützter Haut zufügen konnte.

»Ja.« Vick nickte. »Vielleicht mach ich das.«

Brian kam die Treppe hinunter. Sofort verdüsterte seine Miene sich. »Hast du nichts Besseres zu tun, als da rumzustehen und zu quatschen?«, fragte er. »Hast du keine Arbeit?«

Simon trat unbehaglich von einem Fuß auf den anderen. »Tut mir Leid ...«, begann er.

»Oh, verzieh dich doch«, unterbrach Vick ihn, bevor sie die Treppe hinauf in den Laden rannte. Simon ging auf, dass die Frage nicht an ihn, sondern an sie gerichtet gewesen war.

Brian sah seiner Tochter kopfschüttelnd nach. »Ich weiß nicht«, seufzte er. »Frauen!«

Simon schnalzte mitleidig mit der Zunge.

»Ein unberechenbares Volk«, bemerkte Brian philosophisch.

»Hmhm«, stimmte Simon ihm zu.

»Weißt du, dass sie sich mit einem Burschen trifft, der ihr einen verdammten Knutschfleck auf ihren verdammten Hals gemacht hat?«, fragte Brian plötzlich. Simon warf Brian einen Blick zu, von dem er hoffte, dass er Schockiertheit, moralische Entrüstung und Verzweiflung ausdrückte, alles hübsch zu einem mitfühlenden Ganzen verschlungen.

»*Nein*«, flüsterte er.

»Wenn ich den pickeligen kleinen Fußabtreter erwische, der das getan hat, zermalme ich ihn zu Brei«, schimpfte Brian.

Simon dachte an Russell Squares fabelhafte, fitnessstudiogestählte Bizepse und bezweifelte, dass Brian ganz so unbekümmert sein würde, wenn er den infrage stehenden »pickligen Fußabtreter« erst einmal gesehen hatte. »Ich schätze, sie wird einfach erwachsen«, meinte Simon. »Du weißt schon, sie geht abends aus und knutscht mit Jungs rum. Na komm schon, Brian, du musst doch das Gleiche getan haben, als du jung warst.«

Brian fuhr sofort sämtliche Stacheln aus. »Ich soll mit Jungen rumgeknutscht haben? Was redest du da?«

»Nein, natürlich nicht mit Jungen«, korrigierte Simon sich hastig. »Aber mit Mädchen. Du weißt schon. Als du jung warst. Ich wette, du hast es ganz schön wild getrieben.« Simon zwinkerte ihm verschwörerisch zu, von Mann zu Mann.

Brian sah Simon verständnislos an. »Eigentlich nicht. Ich habe mich damals mehr für Modellflugzeuge interessiert. Für Mädchen hatte ich gar keine Zeit.«

»Ah«, machte Simon. »Na, wie auch immer«, beharrte er, ohne sich ganz sicher zu sein, warum, »heutzutage werden die jungen Leute schneller erwachsen als früher, nicht wahr? Sie sind mehr als wir damals auf Experimente aus. Du weißt schon, sie wollen ihren Spaß haben.«

»In Ordnung«, brummte Brian. »Vielleicht. Aber sie werden nicht an meiner Tochter experimentieren, verstanden?«

»Okay«, beschwichtigte Simon ihn rasch.

»Als Nächstes wird sie mir noch anfangen zu rauchen«, orakelte Brian. »Und dann kam ich für nichts mehr garantieren ...«

Simon erwiderte nichts.

Trotz der guten Neuigkeit, dass die neu entfachte Romanze zwischen Vick und Russell Square gute Fortschritte zu machen schien, machte Simon sich nach wie vor Sorgen um die Frage, wann er Alex anrufen sollte und wie dieser Anruf auszusehen hatte. Den Rest des Tages verbrachte er damit, auf das Telefon zu lauschen und zu hoffen, dass Joe sich melden würde. Dabei dämmerte ihm langsam, dass die eigentliche Schwierigkeit in diesem Fall eine andere war: Diesmal musste er ganz allein die Initiative ergreifen. Er hatte zu viel Zeit zum Nachdenken gehabt. Jetzt war er festgefahren, hatte sich restlos verheddert und wusste nicht mehr weiter.

Außerdem war da noch das kleine Problem, was er in Bezug auf Michael unternehmen sollte. Die Vorstellung, dass sein Schwager sich in der Stadt herumtrieb und Arabellas Vertrauen missbrauchte, war ihm unerträglich. Noch weniger Reiz hatte jedoch die Aussicht, Bella zu verraten, was da vor sich ging. Simon musste einräumen, dass Michael, wenn er ein Scheißkerl war, zumindest ein diskreter Scheißkerl war.

Trotzdem, dachte er. Es musste eine Möglichkeit geben, die Situation zu korrigieren, ohne Arabella wehzutun. Wenn Simon seinen Schwager nur dazu bringen könnte *aufzuhören*, dann wäre er schon zufrieden.

Simon sah jedoch nur eine Möglichkeit, Michael dazu zu zwingen, sich in Zukunft zu benehmen: Er musste ihm drohen, Arabella alles zu erzählen. Andererseits war Simon in den letzten Tagen zu der unausweichlichen Schlussfolgerung gekommen, dass er niemals im Stande sein würde, seine Drohung wahr zu machen. Seine Hauptsorge bestand darin, sie und Sophie vor Michaels Benehmen zu schützen. Sobald Michael begriff, dass Simon Bella niemals etwas verraten würde, würde er so weitermachen wie bisher.

Nein: Hier war etwas anderes vonnöten. Es musste eine Möglichkeit geben, Michael die Tändeleien auszutreiben, ohne dass Arabella je davon erfuhr. Simon versuchte, eine unorthodoxere Lösung des Problems zu finden. Wie fingen die Leute es im Allgemeinen an, wenn sie andere Leute dazu bringen wollten, etwas Bestimmtes zu tun oder zu lassen? Plötzlich hatte Simon eine Vision von Russell Squares Unterarmen. Natürlich! Er konnte nicht begreifen, warum ihm das nicht schon früher eingefallen war.

Während er noch dort stand, kam Vick wütend die Treppe vom Lagerraum heraufgepoltert und trat in den Laden.

»V«, begann Simon.

»Was?«, bluffte sie.

»Könntest du mir einen Gefallen tun?«

19. KAPITEL

Das flaschenförmige Neonschild, das Simon anstarrte, blitzte plötzlich zweimal auf und wurde dann abgeschaltet. Simon hoffte, dass das kein Omen für die bevorstehenden Ereignisse war.

Wenn das Neonschild seinen Geist aufgegeben hatte, so war es das Einzige, von dem man das behaupten konnte. Simon war umgeben von flirrender Aktivität und hochkochender Erregung, während die Leute um ihn herum Schlange standen, um in den Pub eingelassen zu werden. An der Tür waren drei hünenhafte Männer postiert, die in ihren Ohren diskret kleine schwarze Kopfhörer versteckt hatten. Die drei Türsteher musterten jeden Möchtegerngast, bevor sie den Kopf neigten, um ihn einzulassen. Die ganze Vorstellung war eine Scharade und dazu ersonnen, eine definitiv falsche Aura der Exklusivität zu schaffen. In den fünfzehn Minuten, die Simon dort gestanden hatte, hatten die drei Männer nicht eine einzige Person abgewiesen. Zu den Neuankömmlingen hatten eine Gruppe extrem betrunkener, halb nackter Fußballfans gehört, drei Frauen, die ganz offensichtlich Prostituierte waren, und ein rotäugiger, unrasierter Tramp.

Der überwiegende Teil der Kundschaft war jedoch jung und unrettbar vulgär. Der Pub war eine Billigversion des »Slick Tom's«, was wirklich einiges heißen wollte.

Als Vick Simon erzählt hatte, dass Russell Square bereit sei, sich mit ihm zu treffen, und ihm beschrieben hatte, wo das Rendezvous stattfinden sollte, hatte sie offensichtlich irgendeine Reaktion von ihm erwartet – jedenfalls bedeutend mehr als den ausdruckslosen Blick, den er ihr zugeworfen hatte.

»Das ›Crusty Toad‹«, wiederholte Simon. »In Ordnung. Wo ist das denn?«

»Du weißt schon. Ich meine *das* ›Crusty Toad‹.«

»Sollte ich das kennen?«, fragte Simon.

Vick seufzte. »Es ist nur der beste, berüchtigtste Pub in Mile End«, erwiderte sie.

»Oh«, murmelte Simon. »Verstehe. *Das* ›Crusty Toad‹.«

Simon hatte es faszinierend gefunden, dass Vick die Etiketten der »beste« und der »berüchtigtste« Pub in einem Atemzug nebeneinander gestellt hatte, und er hatte seinem Ausflug nach Mile End mit einer wohl ausgewogenen Mischung aus Neugier und Furcht entgegengesehen. Jetzt hatte er eine Viertelstunde vor dem Lokal gestanden und zugesehen, wie eine fragwürdige Ansammlung von Menschen durch seine Türen defilierte – ganz zu schweigen von dem gelegentlichen hastigen Erscheinen minirocktragender junger Frauen, die den Pub verließen, um zu einem kurzen taktischen Erbrechen um die Ecke des Gebäudes zu verschwinden. Inzwischen hatte Simon daher eine bessere Vorstellung davon, was ihn im Innern des Lokals erwartete.

Simon sollte Russell Square um neun Uhr im Pub treffen. Es war jetzt halb neun. Er holte tief Luft und beschloss hineinzugehen. Es sprach nichts dagegen, warum er sich nicht genauso gut ein wenig entspannen und etwas trinken sollte, während er auf Russells Ankunft wartete.

Simon reihte sich in die Schlange ein. Die Luft um ihn herum war geschwängert von einer Mischung aus billigem Parfüm und noch billigerem Rasierwasser. Endlich stand er ganz vorn in der Reihe. Er lächelte das Trio der Rausschmeißer nichts sagend an und wartete auf das beiläufige Nicken. Die Männer trugen allesamt schwarze Hosen, schwarze Polopullover und eine Goldkette um den Hals, die sie sorgfältig über die Pullover gezogen hatten.

Einer der Männer sah ihn mit zusammengekniffenen Augen an. »Alles klar, Kumpel«, meinte er schroff.

»Yeah, vielen Dank«, antwortete Simon.

Der nächste Rausschmeißer reckte langsam das Kinn in Simons Richtung. »Du bist nicht von hier, hab ich Recht?«, wollte er wissen.

»Ja«, gab Simon überrascht zu. »Ist das ein Problem?«

Der dritte Mann machte einen Schritt auf Simon zu. »Komm uns hier nicht mit dieser großkotzigen Art, Mann«, knurrte er.

»Ich hatte nicht die Absicht ...«, begann Simon.

Der erste Rausschmeißer hob seine mit klotzigen Ringen geschmückten Hände. »Schon gut, Troy, Mann. Immer mit der Ruhe, Sportsfreund. Der Typ hat dich nicht angemacht.«

»Arroganter kleiner Scheißer«, murmelte Troy leise.

»Also, mein Freund«, fuhr der erste Mann fort. Er hielt die Hände vor die Brust und schlang die Finger ineinander, eine Geste, die eine vage Frömmigkeit simulierte, »was führt dich ins ›Crusty Toad‹?«

Simon blinzelte. »Ich möchte was trinken«, antwortete er.

»Was trinken?« Der zweite Mann wirkte sofort misstrauisch.

»Das ist ein Pub, oder?«, fragte Simon. »Ich meine, das kann doch kein so ungewöhnlicher Wunsch sein, oder?«

Troy machte mit geballten Fäusten noch einen Schritt auf ihn zu. »Ich warne dich, du kleiner Pisser ...«

Troys Kollegen scheuchten ihn wieder zurück. »Nein«, meinte der erste Mann an Simon gewandt. Während er sprach, befingerte er seine goldene Kette. »Nein, Sie haben Recht, das als solches ist nichts Ungewöhnliches. Ich nehme an, wir sind einfach nur neugierig, warum Sie ausgerechnet dieses Lokal gewählt haben.«

»Nun, das ist leicht erklärt«, antwortete Simon. »Ich bin hier mit jemandem verabredet.«

»Mit wem sind Sie verabredet?«, verlangte der zweite Mann zu erfahren.

Simon runzelte die Stirn. »Nur mit einem Kerl.«

Troys Augen verrieten seinen Argwohn. »Was für ein Kerl ist das?«

Simon zuckte die Schultern. »Nur ein ... Freund.«

Rausschmeißer Nummer eins beäugte ihn argwöhnisch. »Ein Freund, sagen Sie?«

Simon nickte.

»Ein guter Freund, ja, dieser Kerl?«

»Na ja, wohl eher ein Bekannter«, erwiderte Simon, mittlerweile ehrlich erstaunt.

»Hm. Jetzt behauptet er, der Mann sei ein Bekannter«, wandte sich der erste Mann an seine beiden Kollegen. Sie tauschten bedeutungsvolle Blicke.

»Hören Sie«, bat Simon, der sich der wachsenden Reihe ungeduldiger Gäste hinter sich vollauf bewusst war, »könnten Sie mich nicht einfach reinlassen? Sie haben doch sonst jeden durchgewinkt.«

»Yeah«, konterte Troy und machte einen Schritt vorwärts, »aber die wollten auch keinen *Drink* mit einem

Kerl.« Dem Ausdruck auf seinem Gesicht nach war das, was Simon angedeutet hatte, unaussprechlich pervers.

»Okay«, meinte Simon. »Ich sehe das folgendermaßen. Das«, erklärte er und zeigte auf die Tür des Pubs, »ist ein Pub, der berechtigt ist, Drinks an Gäste zu verkaufen. Ich bin ein Gast, der einen Drink kaufen und einen Freund hier treffen will. Ich möchte mich unterhalten, ich möchte lachen und vielleicht noch einen Drink kaufen. Ich bin einfach ein ganz gewöhnlicher Kunde.«

Drei Stirnen wurden gleichzeitig kraus gezogen, und die Rausschmeißer steckten die Köpfe zusammen, um sich zu beraten. Endlich traten sie auseinander und nahmen ihre ursprünglichen Positionen wieder ein.

»Alles klar«, brummte der erste Mann und straffte sich. »Rein mit Ihnen.«

Der zweite Mann zeigte mit dem Kopf zur Tür. »Nun mal dalli. Da warten *Leute* hinter Ihnen.«

»Oh«, machte Simon. »Alles klar. Vielen Dank.«

Troy sagte nichts, sondern beäugte ihn nur mit unverhohlenem Misstrauen.

Der erste Rausschmeißer beugte sich über Simon. »Tut mir Leid, Mann«, grunzte er. »Man kann heutzutage nicht vorsichtig genug sein, wenn Sie verstehen, was ich meine?«

»Oh, ja, ähm, ganz recht. Absolut«, erwiderte Simon, bevor er die Türen aufdrückte und in den Pub trat.

Dort brauchte Simon ein oder zwei Sekunden, um sich zu orientieren und sich an seine neue Umgebung anzupassen. Die Geschäftsleitung hatte statt einer traditionellen Beleuchtung etwas Exotischeres gewählt. Wenn die Zurschaustellung von Neon draußen vor dem Pub ein wenig planlos gewirkt hatte, so wurde man im Innern dafür mehr als entschädigt. Es gab überall Neon. An den

Wänden hingen grell leuchtende Gestalten. Der äußere Bereich um die Theke herum wurde von zuckenden Kobaltstreifen umrissen. In dem ganzen Lokal gab es nicht eine einzige gewöhnliche Glühbirne. Leuchtstofflampen erhellten den dunklen Raum mit einem verblüffenden Spektrum elektrischer Farben. Man fühlte sich wie in der City von Kowloon. Die Fenster des Pubs waren geschwärzt, um die Wirkung nicht zu verderben. Simon blinzelte in das Halbdunkel. Das Einzige, was er sehen konnte, waren die weißen Hemden der Gäste, die das Neonlicht mit einem seltsamen, beinahe durchscheinenden bläulich weißen Leuchten widerspiegelten.

Simon schob sich vorwärts und versuchte dabei niemanden anzurempeln. Die Bar war ein lang gestreckter Raum und überraschend leer. Eine Frau mit metallicblauer Mascara, die sich böse mit dem kobaltfarbenen Neon biss, brachte ihm ein Glas Bier. Simon beschloss, an der Bar auf Russell zu warten. Ansonsten liefen sie Gefahr, stundenlang durch die Dunkelheit zu tappen und nacheinander Ausschau zu halten.

Er starrte hinaus in das mysteriöse Halbdunkel, das den Pub als solchen verschlang. Dann dachte er zum hundertsten Mal darüber nach, wie er Russell seinen Vorschlag eigentlich unterbreiten sollte. Das Ganze war relativ simpel. Simon wollte Russell in seinem Hang zu gewalttätigem Verhalten bestärken – er sollte Simons Schwager Michael ein wenig unangenehm werden, durchaus unter Zuhilfenahme der Fäuste. Diese Prozedur sollte begleitet werden von ein paar sehr deutlichen verbalen Erklärungen, wie sich derartige Unannehmlichkeiten in Zukunft vermeiden ließen, nämlich indem er seine außerehelichen Mätzchen einem abrupten Ende zuführte.

Simon nippte an seinem Bier und fragte sich, ob das wirklich die richtige Methode war. Er war kein Freund von Gewalt, aber das war die einzige Möglichkeit, die ihm einfiel, um Michaels unerschütterliche Arroganz ins Wanken zu bringen und ihn dazu zu zwingen, sich zu ändern.

Nach einer Weile erschien Russell Square endlich. Er trug einen hellgrauen Anzug mit einer grellen Krawatte, auf der eine große Mickymaus prangte. Der Anzug hatte im Licht der Neonröhren einen seltsamen Schimmer. Russell hielt ihm die Hand hin.

»Also schön«, sagte er, schnappte sich Simons Hand und pulverisierte sie mehr oder weniger. Er schien keine besondere Freude daran zu haben, hier zu sein.

»Hi«, antwortete Simon und hielt leicht den Atem an, als seine rechte Hand wieder einmal ein schweres physisches Trauma erlitt. »Danke, dass Sie gekommen sind.«

Russell grunzte.

»Was kann ich Ihnen zu trinken bestellen?«, fragte Simon.

»Lager Shandy«, erwiderte Russell. »Ein Halbes.«

»Also, kommen Sie oft hierher?«, erkundigte Simon sich, während er darauf wartete, dass der Drink eingeschenkt wurde.

Russell nickte. »Meine Stammkneipe.«

»Interessantes Lokal«, bemerkte Simon. »Ich hatte es nicht ganz leicht, an den Rausschmeißern an der Tür vorbeizukommen.«

Russell stieß ein kehliges, verächtliches Lachen aus. »Die drei da? Wegen denen braucht sich keiner 'n Kopf zu machen. Die sind reine Show. Würden keiner Fliege was zu Leide tun. Bloß dass sie sich manchmal ein bisschen zu ernst nehmen, Sie wissen schon, was ich meine.«

»Es schien ihnen jedenfalls gegen den Strich zu gehen, mich reinzulassen.«

»Na ja, die kennen Sie nicht, oder? Normalerweise kommen hier nur Stammkunden her. Bei Fremden sind diese Jungs sehr misstrauisch. Ich schätze, die haben Sie für so einen Undercover-Scheißer gehalten.«

»Polizei?«, stieß Simon entsetzt hervor.

Russell nickte. »Alles schon da gewesen.«

»Aber warum sollte sich die Polizei für dieses Lokal interessieren?«, wollte Simon wissen. »Es ist nur ein Pub, oder?«

»Oh, natürlich«, stimmte Russell ihm zu und zwinkerte dabei viel sagend.

Simon war nahe daran, den Mut zu verlieren. Er fragte sich, ob sein Plan wirklich so gut war. Das Shandy wurde gebracht, und Simon reichte es an Russell weiter.

»Prost«, murmelte Russell. »Wollen wir uns setzen?« Er führte Simon von der Bar weg zu einem abgelegenen Tisch auf der anderen Seite des riesigen Raums. Dort war es praktisch stockdunkel. Simon konnte nur mit Mühe die Silhouette von Russells gewaltigem Leib auf der anderen Seite des kleinen Tisches ausmachen.

»Also«, begann Russell, nachdem sie sich gesetzt hatten. »Yeah. Bevor wir anfangen: Ich schätze, ich sollte mich noch für letzte Woche entschuldigen. Für diese kleine Konversation, die wir hatten.«

Simon wedelte wegwerfend mit der Hand. »Vergessen Sie das«, erwiderte er. »War nur ein Missverständnis.«

Russell schnaubte. »Frauen!«

Simon tat sein Bestes, amüsiert dreinzuschauen. Er verdrehte die Augen. »Frauen«, stimmte er zu.

»Na ja, V sagte, dass sie mit Ihnen nicht ausgehen würde, und wenn sie der letzte Mann auf Erden wären«, erzählte Russell freimütig.

»Nun, das ist ja eine tolle Neuigkeit«, erwiderte Simon mit vollem Ernst. Er nahm noch einen Schluck von seinem Bier. Irgendwie war ihm noch nicht danach zu Mute, gleich zur Sache zu kommen.

»Erzählen Sie mir von sich ... ähm ... Russell«, bat er. »Was genau machen Sie eigentlich?«

»Jobmäßig?«, fragte Russell zurück. Simon nickte. »Ich bin Händler«, antwortete er.

»Händler? Womit handeln Sie denn?« Simon dachte an den silberfarbenen Porsche. »Mit Autos?«

Russell runzelte die Stirn. »Nein. Ein richtiger Händler, Sie wissen schon. Ich arbeite auf den Märkten.«

Simon nickte. »Oh, verstehe. Also, was für Sachen verkaufen Sie denn? Und auf welchen Märkten arbeiten Sie im Allgemeinen? Ich war ein paar Mal auf dem Markt in der Petticoat Lane.«

»Nein«, entgegnete Russell. »Ich meine *richtige* Märkte. Ich handle in autoannuitiven kumulativen ausländischen Interbank-Ganzjahres-Derivaten, unter besonderer Berücksichtigung fernöstlicher quasisystemischer Junk-Bonds.«

»Oh, *klar*«, murmelte Simon. »Richtige Märkte.«

»Und Sie«, gab Russell zurück, »arbeiten in diesem blöden Laden für Zaubereiartikel.«

Es folgte eine Pause. »Das stimmt«, gab Simon ihm Recht.

»Na, jedenfalls«, fuhr Russell fort, »V meinte, Sie wollen mich sprechen. Was wollen Sie?«

Simon holte tief Luft und begann, die Situation mit Michael zu erklären. Er berichtete über ihre zufällige Begegnung im »Slick Tom's«. Er erklärte, dass er Michael daran hindern wolle, sich mit anderen Frauen zu treffen, ohne Arabellas Argwohn zu erregen oder ihr die Wahrheit zu enthüllen.

»Also, was genau soll ich da tun?«, wollte Russell wissen.

»Na ja, ich habe mich gefragt, ob Sie, Sie wissen schon ... Eingedenk ihres ... ähm ... Benehmens bei unserer ersten Begegnung, also, ob Sie vielleicht bereit wären, meinen Schwager mit ähnlichen Strategien dazu zu bringen, sich zu benehmen.«

»Aha«, machte Russell und nahm noch einen Schluck von seinem Shandy.

»Und, hm, ich schätze, ich hätte gern, dass Sie mit Ihren Drohungen eine winzige Spur weiter gehen und vielleicht ein oder zwei kleinere ... ähm ... Tätlichkeiten begehen, nur um ihm zu zeigen, dass Sie es ernst meinen.«

»Sie wollen, dass ich ihn zusammenschlage?«

Simon nickte. »Darauf läuft es in etwa hinaus, ja.«

Russell sah Simon mit einem belustigten Funkeln in den Augen an. »Nun, nun. Vielleicht sind Sie doch nicht so ein Scheißer«, bemerkte er.

»Ähm, danke«, erwiderte Simon. »Also, machen Sie mit?«, fragte er.

Russell dachte nach. »Yeah, ich schätze, ich mache es. Das wird ein Lacher. Sagten Sie, der Typ ist Anwalt?«

Simon nickte.

»Dann bin ich auf jeden Fall dabei«, erklärte Russell. »Und ich soll ihm verklickern, dass er aufhören soll, seine Frau zu betrügen?«

»Ja, bitte«, antwortete Simon dankbar.

»Na schön«, brummte Russell. »Und jetzt zu den Einzelheiten. Wo und wann? Und ich brauche eine Beschreibung, vorzugsweise ein Foto. Nicht dass ich den falschen Kerl erwische.«

»Klar«, stimmte Simon zu. »Ich habe ein Foto mitgebracht.« Er nahm es aus seiner Jackentasche und schob es über den Tisch. Russell betrachtete es mit Interesse.

»Selbstgefälliger Bastard, hm?«, vermutete er.

»Das ist er allerdings!«

»Sieht man ihm an.« Russell blickte auf. »Das wird ein Spaß.«

Simon gab Russell die Adresse von Michaels Kanzlei. »Das Beste wäre wohl, Sie knöpften ihn sich eines Abends vor, wenn er von der Arbeit weggeht«, überlegte er.

Russell nickte. »Betrachten Sie die Sache als erledigt.«

Simon hielt inne. »Sie werden ihn doch nicht *zu sehr* verletzen, oder? Gerade genug, um ihm einen echten Schrecken einzujagen und ihm etwas zum Nachdenken zu geben.«

Russell grinste ihn ungerührt an. »Keine Bange, Kumpel«, tönte er. »Ihre Schwester kriegt ihn in einem Stück zurück.«

»Das ist gut«, erwiderte Simon unsicher.

In Russell Squares Tasche erklangen die ersten Takte der *Kleinen Nachtmusik*. Er nahm ein winziges, silbernes Handy heraus und hob es ans Ohr. »Hallo? Yeah.« Russell nickte und hörte zu. »Und ob er das sollte, verdammt noch mal«, maulte er. Simon saß geduldig daneben. »Was, jetzt? Na ja, ich denke schon.« Russell lauschte und sah Simon dabei mit verdrehten Augen an. »Dann gib mir zwanzig Minuten.« Er warf einen Blick auf seine Armbanduhr. »Scheiße, nein. Das ist alles Müll. Ich schwör es. Yeah. Okay. Bis später dann. Yep. Klar. Bis dahin, Mum.« Russell schaltete das Telefon ab und steckte es wieder in seine Tasche. »Tut mir Leid, das«, meinte er.

»Schon gut«, erwiderte Simon höflich.

»Hören Sie, ich hoffe, es macht Ihnen nichts aus, aber ich muss los«, erklärte Russell. »Da ist was im Busch.« Er runzelte die Stirn, und seine Gedanken waren offensichtlich anderswo. »Also, dann sind wir uns einig, was Ihr kleines Problem betrifft?«

»Absolut«, antwortete Simon.

Russell Square stand auf. »Na denn. Prost.« Mit einem letzten Winken marschierte er in die sie umgebende Dunkelheit davon. Simon blieb allein mit seinem Glas im Halblicht zurück. Er trank eilig den Rest seines Bieres aus und stand auf, um den Pub zu verlassen und um über die ruchlosen Kontakte nachzudenken, die er soeben geknüpft hatte. Er drückte die Tür auf und näherte sich verstohlen dem Trio der Rausschmeißer, die immer noch dort standen. Plötzlich hörte er Troy rufen: »Oi! Ich will mit Ihnen reden!«

Simons Kopf flog unwillkürlich herum, und er sah, dass Troy in seine Richtung gestikulierte. Eingedenk Russells Theorie, dass sie ihn im Verdacht haben könnten, ein Undercover-Polizist zu sein und in der Überlegung, dass (a) es daher unwahrscheinlich war, dass Troy nur ein freundschaftliches Gespräch wünschte, (b) in Abwesenheit eines freundschaftlichen Gesprächs ein gewisses Maß an Gewalttätigkeit vernünftigerweise erwartet werden durfte und (c) er absolut nicht in der Position oder auch nur in der Verfassung war, sich zu verteidigen, begann Simon zu rennen.

Hinter sich hörte er einen erstickten Ausruf. Als er sich in rasendem Tempo der leeren Straße näherte, blickte Simon sich noch einmal um und sah zu seinem Entsetzen, dass Troy ihm jetzt dicht auf den Fersen war, und nicht nur das, er fluchte und schrie aus Leibeskräften.

Wie alle Rausschmeißer, die etwas auf sich hielten, machte Troy, was ihm an Charme, gesellschaftlichem Schliff und gehirnmäßiger Masse fehlte, durch einen prachtvoll gestählten Körper wett. Endlose Tage im Fitnessstudio hatten dazu geführt, dass er sowohl über die Kraft als auch die Ausdauer verfügte, die Simon fehlten. Als Simon eine Viertelmeile die Straße hinuntergelaufen war, konnte er hören, dass Troy langsam näher kam, wobei er immer noch wortgewaltig vor sich hin schimpfte. Ein scharfer Schmerz durchzuckte Simons Brust, und ihm wurde klar, dass ein Entkommen unmöglich war. Er blieb stehen und versuchte verzweifelt, sich raffinierte Gründe auszudenken, warum Troy ihm nichts antun sollte. Er entschied sich schließlich für die direkte Methode.

»Tun Sie mir nichts!«, rief er und schlug sich die Arme vors Gesicht.

Troy kam herangeschlittert und blieb nach einem mühelosen Bremsmanöver neben ihm stehen. »Weshalb sind Sie denn weggerannt, Mann?«, fragte er.

»Ich bin nicht von der Polizei!«, schrie Simon, ohne die Hände herunterzunehmen.

»Yeah, weiß ich doch«, erklärte Troy.

Simon ließ die Hände sinken. »Sie wissen ...?«

»Ich weiß, Mann«, wiederholte Troy. »Sie sind koscher, Mann. Russell war, nachdem er sich mit Ihnen getroffen hatte, noch auf ein schnelles Wort bei uns. Wir dachten, wir ... na ja, wir entschuldigen uns besser bei Ihnen, für vorher, Sie wissen schon.«

»Oh«, murmelte Simon, dessen Nerven noch immer zum Zerreißen gespannt waren.

»Hätten Sie doch was gesagt!«, fuhr Troy fort. »Russell ist hier überall gern gesehen. Und jeder Freund von Russell ist auch unser Freund.«

»Verstehe. Hm, das ist ja toll.«

»Yeah. Also, Sie sind hier in der Gegend jederzeit willkommen, klar? Das nächste Mal winken wir Sie gleich durch. Und noch mal, Entschuldigung.«

»Schon in Ordnung«, erwiderte Simon großmütig.

Troy nickte langsam. »Cool«, sagte er. Er wedelte lässig mit der Hand. »Dann mal los mit Ihnen, mein Freund.«

»Ähm, danke«, gab Simon zurück. Er lehnte sich an die Mauer, und während sein Oberkörper sich hob und senkte, sah er Troy nach, wie er zu dem Pub zurückschlenderte. Nach ein paar Augenblicken ging ihm auf, dass er in seiner Panik in die falsche Richtung gerannt war und dass er jetzt, um zur U-Bahn-Haltestelle zu kommen, noch einmal die Straße vor dem »Crusty Toad« hinuntergehen musste. Das, überlegte er, würde er auf keinen Fall tun. Wachsam bog er in eine Nebenstraße ein und tastete sich durch das Gewirr der Hintergassen von Mile End.

Etwa eine Stunde später hatte er sich verirrt, war wütend geworden und dann traurig, hatte seinen Weg wiedergefunden und erneut verloren, bis ihm seine eigene deprimierende Zwangslage schließlich so langweilig wurde, dass er sich keine Gedanken mehr darum machte. In diesem Zustand kam Simon endlich an der U-Bahn-Haltestelle in Mile End an. Im ersten Zug, der nach Westen ging, ließ er sich kraftlos auf einen Sitz sinken. Als der Zug in die Liverpool Street einbog, begann er darüber nachzudenken, worum er Russell Square gebeten hatte. O Gott, dachte er. Was habe ich getan?

20. KAPITEL

Als Simon nach seinem Treffen mit Russell Square nach Hause kam, ging er direkt zu seinem Anrufbeantworter. Er musste Michael aus dem Kopf bekommen und sich jetzt auf seine eigenen Probleme konzentrieren.

Niemand hatte angerufen.

Niedergeschlagen setzte Simon sich hin, öffnete eine Flasche Bier und legte seine neue Tubby-Hayes-Platte auf. Während er zuhörte, verblüffte Simon besonders das nahtlose Zusammenspiel des Quintetts. Wie ist so etwas möglich?, fragte er sich. Simon konnte sich eine solche Verknüpfung nicht vorstellen, eine solche Vertrautheit von Gedanken und Gefühl mit einem anderen Menschen. Niemand verstand ihn so gut! Er fühlte sich entwurzelt. Die Worte eines berühmten Songs fielen ihm ein. Er war *Desafinado* – leicht aus dem Takt geraten.

Plötzlich klingelte das Telefon.

Simon sprang auf, und eine Woge von Adrenalin schoss kreischend durch sein Nervensystem. Plötzlich fühlte er sich ganz benommen vor Erleichterung. Joe. Gott sei Dank, dachte er. Wurde aber auch verdammt Zeit. Als er auf das Telefon zuging, versuchte er, sich zu fassen. Gib dich cool. Gib dich natürlich. Ungeachtet des tief greifenden Widerspruchs, der diesen beiden Instruktionen innewohnte, nahm Simon den Hörer auf und sagte so gelangweilt wie möglich: »Hallo?«

»Hallo.«

»Oh. Hallo.«

»Alles in Ordnung?«

»Alles bestens«, versicherte Simon und versuchte, seine Enttäuschung zu verbergen.

»Bist du dir sicher?«, fragte Kate. »Du klingst jedenfalls nicht so.«

»Nein, wirklich, mir geht es gut. Wie läuft es denn so im sonnigen Australien? Wie viel Uhr ist es bei euch da drüben?«

»Na komm schon«, meinte Kate. »Ich bin nicht blöd. Was ist passiert?«

Mit einem Seufzer erzählte Simon von Alex Petrie und dass er versuchte auszuknobeln, wann er sie anrufen sollte und was er sagen sollte, wenn er es tat.

Ein Kreischen hallte durch die Leitung. »Mein Gott! Ich bin beeindruckt. Du hast es wirklich getan. Schön für dich.«

»Es ist gar nicht nötig, so überrascht zu klingen«, erwiderte Simon gekränkt.

»Hm, tut mir Leid, Schätzchen, aber ich habe wohl irgendwie nicht geglaubt, dass du es wirklich tun würdest.«

»Was, nur Worte, keine Taten, meinst du so etwas?«, wollte Simon verbittert wissen.

Es folgte eine Pause, während Kate über seine Worte nachdachte. »So ziemlich, ja«, gab sie schließlich zu.

»Also, nachdem wir jetzt genau ermittelt hätten, was du von meiner Dynamik hältst und von meiner allgemeinen Fähigkeit, mein Leben selbst in die Hand zu nehmen, hättest du da vielleicht irgendwelche guten Vorschläge?«

»Warte einfach nicht zu lange, das ist alles, was ich zu

sagen habe«, riet ihm Kate. »Nach einer Weile wirkt so etwas nämlich zu künstlich, so, als spieltest du irgendwelche Spielchen.«

»Aber das ist es ja gerade«, jammerte Simon. »Wir spielen tatsächlich Spielchen. Es ist alles ein einziges großes Spiel.«

»Ja, Simon, das ist mir klar«, erwiderte Kate geduldig, »aber worauf es ankommt, ist, dass man es nicht allzu offensichtlich tut. Ein Teil des Spiels besteht darin, so zu tun, als *gäbe* es überhaupt kein Spiel.«

Simon seufzte. »Ich dachte, diese Sache mit dem ›Sex ohne Hintergedanken‹ sollte ganz einfach sein. Das ist alles zu verwirrend für mich. Deshalb muss ich dringend mit Joe reden.«

»Ist das der berühmte neue Freund, der Antworten auf alle Fragen hat?«

»Das ist er. Er hat meine Anrufe nicht erwidert. Ich frage mich langsam, ob ich ihn langweile oder so etwas.«

»Himmel, Simon. Reiß dich zusammen. Greif einfach zum Telefon und ruf ihn an.«

»Du hast Recht«, stimmte Simon zu.

»Ich weiß, dass ich Recht habe«, erwiderte Kate. »Dafür bin ich ja da. Ich bin ein telefonischer Ratgeber.«

Einen Augenblick lang herrschte liebevolles Schweigen.

»Wie auch immer, ich muss langsam Schluss machen«, erklärte Kate schließlich. »In dreieinhalb Stunden ruft die Arbeit.«

»Allmächtiger. Du hast die Kondition eines Ochsen. Ich weiß nicht, wie du das schaffst.«

»Übung, Übung, Übung«, antwortete Kate gut gelaunt. »Das ist der Schlüssel zu allem.«

»Klar. Danke für deinen Anruf«, sagte Simon.

»Dann wirst du also diesen Typ, diesen Joe, auf der Stelle anrufen?«

»Mache ich.«

»Versprochen?«

»Ich verspreche es«, entgegnete Simon. »Jetzt sieh zu, dass du etwas Schlaf bekommst, du Verrückte.« Er legte den Hörer auf.

Nach ein paar Sekunden wählte er Joes Nummer. Als Joes Telefon zum vierten Mal klingelte, machte sich tiefe Mutlosigkeit in Simon breit. Er war immer noch nicht da. Der Anrufbeantworter trat mit einem Klicken in Aktion. Beim Piepton räusperte Simon sich und begann.

»Joe, hey. Ich schon wieder. Simon. Teller. Simon Teller.« Pause. »Ich wollte eigentlich nur mal schnell durchläuten, um Hallo zu sagen und zu hören, wie es dir so geht. Ich habe vor ein paar Tagen eine Nachricht hinterlassen. Vielleicht hast du sie nicht gekriegt. Na ja, egal.« Noch eine Pause. »Okay. Hm. Ruf mich doch irgendwann bald mal an. Vielleicht wenn du heute Abend zurückkommst. Hm. Bis dann. Cheers.«

Klong.

Oh, klasse, *gut* gemacht, lobte Simon sich selbst, als er in die Küche ging, um noch ein Bier aus dem Kühlschrank zu holen. Welche Lässigkeit, welche Wortgewandtheit. Welch einnehmende Eröffnung eines Gesprächs. Und das alles mit einem Anrufbeantworter, der nicht einmal Antwort gibt. Große Klasse, du. Es gab nichts, was er jetzt noch tun konnte, außer dasitzen, warten und an Alex Petrie denken.

Also war es das, was er tat.

Am nächsten Morgen kam Simon zu einem Entschluss. Er hatte über Kates Ratschlag nachgedacht, Alex anzurufen. Er wollte es nicht riskieren, zu lange damit zu warten. Natürlich hätte er gern zuerst mit Joe gesprochen, um sich ein paar Tipps zu holen, aber er konnte es nicht länger hinauszögern. Joe hin, Joe her, heute würde er Alex anrufen.

Bereits um elf Uhr morgens war Simon so weit mit seinen Gedanken entfernt, dass er nicht einmal mehr den einfachsten Zaubertrick vorführen konnte. Er hatte einen möglichen Verkauf ruiniert, weil er nicht in der Lage gewesen war, die Spielkarte zu finden, die der Kunde gewählt hatte, und dann hatte er versehentlich die Kreditkarte eines anderen Kunden zerschnitten und war nicht mehr im Stande gewesen, sie zusammenzufügen. Als ihn jemand bat, ihm die Handgelenkguillotine vorzuführen, war Dean hastig auf dem Plan erschienen und hatte sich erboten, den Zaubertrick an Simons Stelle zu zeigen.

Simon sah ein, dass er langsam mit den Nerven am Ende war, und beschloss, die Sache nicht weiter auf die lange Bank zu schieben. Er ging die Straße hinunter zum nächsten öffentlichen Fernsprecher.

Nachdem er tief Luft geholt hatte, wählte er die Nummer von Alex' Hotel und bat darum, zu ihrem Zimmer durchgestellt zu werden.

Mit einem Knacken in der Leitung wurde der Hörer aufgenommen.

»Hallo?«

»Alex?«

»Wer ist denn da?«

»Alex, hier ist Simon. Aus dem Zaubereiladen.«

Es folgte eine winzige Pause, bevor sie rief: »Ah, *hey*.

Nette Überraschung. Ich hatte mich schon gefragt, was aus dir geworden ist.«

Simon strahlte. »Tut mir Leid«, erwiderte er. »Ich hatte ein bisschen viel um die Ohren.«

»Na ja, besser spät als nie, schätze ich«, gab Alex zurück. Sie schien sich ehrlich zu freuen, von ihm zu hören. »Du, ich wollte dir noch sagen, dass ich mich letzten Sonntag wirklich gut amüsiert habe.«

»Oh ja, ich auch«, pflichtete Simon ihr eifrig bei. »Es war einfach toll.« Während er sprach, bemerkte Simon einen Mann mit einem Aktenkoffer, der draußen vor der Telefonzelle wartete und auf seine Uhr sah.

»Vor allem der Spaziergang hat mir gefallen«, meinte Alex. »Das war cool.«

»Gut, gut«, antwortete Simon. »Hm, ich hatte mich gefragt, ob du vielleicht ...«

»Also, das mit deiner Nichte war ja ein bisschen peinlich, nicht wahr?«, bemerkte Alex. »Ich konnte gar nicht schnell genug wegkommen. Es hat mich ein klein wenig aus der Ruhe gebracht, du verstehst schon? Irgendwie haben Kinder immer diese Wirkung auf mich. Sie lösen eine Art Fluchttrieb bei mir aus. Tut mir Leid. Es war nicht die beste Art, den Tag zu beenden.«

Ein wahres Wort, dachte Simon. Der Mann mit dem Aktenkoffer war jetzt direkt vor die Telefonzelle getreten und klopfte gegen eine der Glasscheiben, wobei er auf seine Armbanduhr zeigte und mit den Lippen ein paar Worte formte, um Simon zur Eile anzutreiben. »Mach dir nichts draus«, meinte Simon und wandte sich ab, um sich dem Blick des Mannes zu entziehen. »So was kann schon mal passieren.«

»Yeah. So wird es wohl sein. Na, wie auch immer, tut mir Leid, dass ich dir einfach so weggelaufen bin.«

»Denk nicht mehr darüber nach. Du könntest mich dafür entschädigen, wenn du willst.«

»Yeah? Wie?«

»Ähm, ich hatte mich gefragt, ob ich dich vielleicht dazu verlocken könnte ... Entschuldige mich bitte einen Augenblick.«

Simon nahm den Hörer vom Ohr. Der Mann mit dem Aktenkoffer hatte die Tür der Telefonzelle geöffnet. »Wenn Sie so freundlich sein wollen?«, bat Simon. »Ich telefoniere.«

»Das sehe ich«, bluffte der Mann ihn an. »Und Sie tun das jetzt schon seit einer ganzen Weile.«

»Nun, ich werde auch noch eine Weile brauchen«, erklärte Simon, »also seien Sie so gut und hauen Sie ab.«

Der Mann blies seine Wangen auf wie ein Pfau. »So können Sie nicht mit mir reden«, begehrte er auf.

»Ich hab es gerade getan«, bemerkte Simon, »und ich werde es noch einmal tun, wenn Sie nicht aus dieser Telefonzelle verschwinden und aufhören, mich bei meinem Gespräch zu stören.«

»Können Sie sich nicht beeilen?«, maulte der Mann. »Es ist dringend.«

»Nein«, zischte Simon. »Jetzt verpissen Sie sich endlich.«

Die Worte verblüfften sie beide. Der Mann zog sich ohne eine weitere Bemerkung aus der Telefonzelle zurück, und Simon nahm den Hörer hastig wieder ans Ohr. »Entschuldige«, wandte er sich an Alex. »Da hat so ein ungehobelter Klotz versucht, unser Gespräch zu unterbrechen.«

»Und ich dachte, die Engländer wären alle so gottverdammt höflich.« Sie lachte. »Na egal. Was wolltest du sagen?«

Simon runzelte die Stirn, während er versuchte, sich daran zu erinnern, wie weit er gekommen war. »Ja, tut mir Leid. Also, ich hatte mich gefragt, ob wir nicht noch irgendetwas anderes zusammen unternehmen könnten, du weißt schon, ob wir uns nicht vielleicht noch mal sehen könnten.« Simon stellte fest, dass der Hörer in seinen Händen schweißnass geworden war.

»Oh, Simon, das ist wirklich lieb von dir.«

Simon entfuhr ein Seufzer der Erleichterung. Na also, das war doch gar nicht so schwierig gewesen, oder? Alles würde sich zum Besten entwickeln. Der Mann mit der Aktentasche machte Simon jetzt durch die Glasscheibe viel sagende Zeichen. Simon schloss die Augen und versuchte, ihn zu ignorieren. Alex sprach weiter.

»Die Sache ist die, diese Woche ist das ein bisschen schwierig für mich. Abends arbeite ich ja, und dann habe ich noch jede Menge andere Sachen zu tun.«

»Hm, okay«, murmelte Simon. »Wie wär es dann mit dem Wochenende? Wir könnten eine zweite wahnsinnige und wunderbare Tour durch London machen.«

Am anderen Ende der Leitung herrschte einen Augenblick lang Schweigen. »Würde ich ja schrecklich gern. Aber dieses Wochenende habe ich schon furchtbar viel vor.«

»Oh«, sagte Simon.

Der Mann vor der Telefonzelle hatte seinen Aktenkoffer abgestellt und angefangen, Simon durch die Scheibe hindurch Grimassen zu schneiden. Auf der Straße gingen in aller Seelenruhe Passanten vorbei, als wäre das Ganze das Natürlichste auf der Welt. Simon versuchte sich zu konzentrieren.

»Also«, fragte Alex, »würde es dir was ausmachen, wenn wir uns auf nächste Woche vertagen?«

»Nächste Woche. Klar. Warum nicht?« Simon hielt inne. »Nächste Woche wäre klasse. Wann?«

»Hör mal, das kann ich im Augenblick nicht genau sagen. Warum rufst du mich nicht nächste Woche noch mal an und wir reden dann darüber?«

»Geht in Ordnung«, antwortete Simon beflissen. »Ich rufe dich an. Hm, am Montag?«

»Wie wär es mit Mittwoch?«, schlug Alex vor.

»Mittwoch.« Noch über eine Woche. Eine ganze verdammte Woche. »In Ordnung. Mittwoch. Wir sprechen uns dann also noch mal.«

»Klasse. Ich kann es gar nicht erwarten.«

»Ich auch nicht.«

»Also dann, bis dahin«, meinte Alex.

»Bis dahin.«

»Und danke für deinen Anruf.«

»Keine Ursache.«

»Okay.«

»Okay.«

»Auf Wiedersehen, Simon.«

»Klar, auf Wiedersehen.« Er legte den Hörer auf.

Sofort tauchte der Mann mit der Aktentasche an der Tür auf und klopfte ungeduldig an die Scheibe. Simon griff noch einmal zum Hörer und tat so, als wählte er eine andere Nummer. Aus den Augenwinkeln konnte Simon sehen, wie der Mann draußen auf und ab hüpfte. Simon lächelte mit grimmiger Befriedigung. Gehässigkeit, dachte er, konnte doch etwas sehr Befreiendes haben. Während er dem Summen des Wähltons in seinem Ohr lauschte, grübelte Simon über Alex nach. Dass er eine Woche warten musste, war nicht ideal, aber andererseits hätte er wohl kaum etwas daran ändern können, überlegte er. Wenn sie zu tun hatte, dann hatte sie zu tun.

Trotzdem, dachte Simon, er hatte ein neues Rendezvous mit Alex. Sozusagen. Und ein Rendezvous war ein Rendezvous. Er hatte sie angerufen und eine Verabredung arrangiert. Ohne Hilfe. Ohne Sicherheitsnetz. Darauf sollte er stolz sein.

Der Rest der Woche verflog im Nu. Simon tat sein Bestes, nicht allzu viel an seine Verabredung mit Alex in der folgenden Woche zu denken. Stattdessen gestattete er sich vorsichtig, auf eine abstraktere, langfristigere Art und Weise von ihr zu träumen. Manchmal waren verallgemeinerte Fantasien reizvoller als die Sorge um unmittelbare Einzelheiten, wie zum Beispiel die Frage, ob sie ihm eine zweite Chance geben würde, mit ihr zu schlafen, oder nicht.

Auch während der nächsten Tage rief Joe Simon nicht zurück. Mit der Zeit machte bei Simon das Gefühl einer leichten Kränkung dem echter Besorgnis Platz. Es sah Joe gar nicht ähnlich, seine Anrufe zu ignorieren, erst recht nicht, wenn sich ihm die Gelegenheit bot, gute Ratschläge zu erteilen.

Am Samstagnachmittag war Simon zu dem Schluss gekommen, etwas zu unternehmen. Er hatte zwei weitere Nachrichten auf Joes Anrufbeantworter hinterlassen und immer noch keine Antwort bekommen. Irgendetwas musste ihm passiert sein. Vielleicht hatte er einen Unfall gehabt. Ein winziger Zweifel machte sich in Simons Gehirn breit. Es gab natürlich plausiblere Erklärungen. Ein Urlaub zum Beispiel. Schließlich war es Joe nicht verboten zu verschwinden, ohne Simon vorher zu informieren. Es gab keine feste Verpflichtung, Anrufe innerhalb einer bestimmten Zeit zu erwidern. War es nicht möglich, flüsterte die Stimme des Zweifels leise, dass Simon ein wenig überreagierte?

Andererseits, dachte Simon, waren Freunde nicht genau dazu da? Freunde wachten übereinander. Was, wenn Joe wirklich etwas Schreckliches passiert war? War das nicht der Witz von Freundschaften, dass man nicht erst aufgefordert werden musste, bevor man das Richtige tat?

Simon griff zum Hörer und wählte noch einmal Joes Nummer. Wieder sprang mit einem Klicken der Anrufbeantworter an. Simon seufzte. »Joe? Hier ist Simon. Es ist Samstagnachmittag, und ich habe Gott weiß wie viele Nachrichten hinterlassen. Wo steckst du? Ich mache mir Sorgen! Ich komme mal rüber zu dir.«

Er machte sich auf den Weg zur U-Bahn-Haltestelle.

Eine halbe Stunde später trat Simon blinzelnd aus der U-Bahn-Haltestelle Kennington in das Südlondoner Sonnenlicht. Nach einem Fußweg von einigen Minuten kam er vor einer roten Tür in der Mitte einer Reihe gut erhaltener georgianischer Häuser an. Simon musterte mit zusammengekniffenen Augen die Aufschriften auf den Klingelknöpfen neben der Tür. Joes Name war ungleichmäßig auf ein schmutziges Stück Papier getippt, das hinter das obere Rechteck durchsichtigen Plastiks geschoben worden war.

Simon drückte auf die Klingel. Nichts passierte. Nach ein oder zwei Sekunden drückte er noch einmal und wartete.

Nichts.

Simon seufzte. Was jetzt? Es gab nicht viel, was er sonst noch tun konnte. Er beäugte die anderen Namen auf den Klingelknöpfen. Vielleicht konnte er sich bei Joes Nachbarn erkundigen, ob sie wussten, wo er war. Dann schüttelte Simon den Kopf. Es würde sehr verdächtig aussehen; wahrscheinlich würden die Nachbarn sofort die Polizei anrufen.

Ratlos wandte Simon sich von der Tür ab.

»Simon. Hallo. Was machst du denn hier?«

Joe stand auf dem Gehsteig, hielt mit der einen Hand sein Fahrrad fest und beschirmte mit der anderen seine Augen vor dem grellen Sonnenlicht.

»Joe«, platzte Simon heraus. »Wie geht es dir?«

»Mir geht es gut. Was machst du hier?«, wiederholte Joe.

Simon tat sein Bestes, möglichst lässig auszusehen. »Nichts eigentlich. Ich war gerade in der Gegend. Bin ganz zufällig vorbeigekommen. Also dachte ich, ich schaue mal rein. Du weißt schon. Ich hab seit einer Weile nichts mehr von dir gehört.« Er kam sich plötzlich ziemlich idiotisch vor.

Er sah zu, wie Joe sein Fahrrad an dem Eisengitter vor dem Haus ankettete. Wie sollte er den Grund für seinen Besuch erklären, ohne sich lächerlich zu machen? Dann fiel ihm die ängstliche Nachricht wieder ein, die er Joe zuvor auf dem Anrufbeantworter hinterlassen hatte. Er stöhnte innerlich.

Joe trat an die Tür und lächelte Simon flüchtig zu. »Hm, du kommst wohl besser mit rauf«, schlug er vor, während er in seiner Tasche nach den Schlüsseln grub.

»Nein, das muss nicht sein, nicht wenn es irgendwelche Mühe macht«, sagte Simon hoffnungsvoll.

»Natürlich nicht. Sei nicht blöd. Komm schon.« Joe öffnete die Haustür.

»Okay«, flüsterte Simon. Dann folgte er Joe die Treppe hinauf.

»Da wären wir«, erklärte Joe, während er die Tür zu seiner Wohnung öffnete, die sich im obersten Stock des Gebäudes befand. Joe folgte ihm hinein. Als Erstes fiel ihm das Telefon auf, das auf dem Flurtisch stand. Das rote Licht blinkte hektisch. Simons Herz krampfte sich zusammen. »Meine bescheidene Unterkunft«, bemerkte Joe. »Eine Cola?«

Simon lächelte schwach. »Cola wäre schön.«

»In Ordnung. Ein Momentchen.« Joe ging in die Küche, ohne den Anrufbeantworter zu beachten. Simon stellte sich vor den Flurtisch, sodass Joe das blinkende Rotlicht nicht sehen konnte.

»Also, was hast du denn so getrieben?«, erkundigte sich Joe aus der Küche.

»Oh, so dies und das«, erwiderte Simon. »Das Übliche eben. Nichts Aufregendes.«

Joe kam aus der Küche, reichte Simon eine Cola-Dose, dann öffnete er eine zweite und nahm einen Schluck.

»Danke«, murmelte Simon. »Und bei dir?«

Joe zuckte die Schultern. »War nicht viel los, eigentlich.« Er lehnte sich an die Tür und beobachtete Simon, der vor dem Anrufbeantworter unbehaglich von einem Fuß auf den anderen trat. »Hm. Willst du die große Führung?«

»Ähm, in Ordnung«, stimmte Simon zu.

»Dann komm«, meinte Joe unbeschwert. »Hier ist das Wohnzimmer.« Er zeigte auf eine offene Tür.

Widerstrebend gab Simon seine Position vor dem Anrufbeantworter auf und folgte Joe, wobei er sich fragte, wie er seine Nachricht am besten erklären sollte. Schließlich kamen sie wieder in den Flur. Bevor Simon reagieren konnte, sah Joe das blinkende Licht. »Aha«, rief er gut gelaunt. »Irgendjemand liebt mich.« Er trat vor den Tisch und drückte auf den Knopf. Es folgte eine kurze Pause.

»Joe? Hier ist Simon«, knisterte Simons Stimme. »Es ist Samstagnachmittag, und ich habe Gott weiß wie viele Nachrichten hinterlassen. Wo steckst du? Ich mache mir Sorgen. Ich komme mal rüber zu dir.«

Joe sah Simon fragend an. Der breitete jovial die Hände aus. »Vergiss es«, bat er hastig. »Kein Grund ...«

Der Anrufbeantworter unterbrach ihn mit einem lauten Piepton, dann hallte eine neue Stimme durch die Wohnung:

»Hey. Ich bin es. Du bist gerade auf deinem süßen Fahrrad weggefahren. Ich dachte, ich rufe dich schnell noch mal an, um mich für diese wunderbare Vorstellung zu bedanken. Und um sicherzustellen, dass du heute Abend noch mal vorbeikommst, für einen Nachschlag. Ich habe auch einen Becher Schlagsahne gekauft, wie befohlen. Du *Biest*. Wenn ich nichts mehr von dir höre, sehe ich dich um acht.«

Während das Band zum Anfang zurücksurrte, stand Simon wie angewurzelt da und starrte den Anrufbeantworter an.

Denn die zweite Stimme war unverkennbar Alex Petries Stimme gewesen.

21. KAPITEL

Simon und Joe sahen einander mehrere Sekunden lang an.

»Ähm«, begann Joe schließlich.

Simon schüttelte den Kopf. »Ich verstehe nicht«, gab er nach einer Weile zurück.

»Was?«

»Diese Nachricht.« Simon zeigte auf den Anrufbeantworter.

»Mmh«, sagte Joe. Er schnitt eine Grimasse.

»Das war doch Alex, oder?«

»Ja. War sie.«

»Also, das verstehe ich nicht«, wiederholte Simon.

Joe zuckte die Schultern. »Na ja. Ich habe letzten Sonntag deine Nachricht bekommen, daher wusste ich, dass die Sache mit euch beiden nicht so richtig hingehauen hatte. Also bin ich am nächsten Abend noch mal in das Restaurant, um selbst mein Glück zu versuchen. Sie ist an meinen Tisch gekommen und hat wieder diesen Trick mit dem Taschentuch vorgeführt. Es ist übrigens wirklich ein großartiger Trick. Aber egal, ich habe sie gefragt, ob sie Lust auf einen Drink nach der Arbeit hätte, und sie hat Ja gesagt.« Er sah Simon an. »Und dann sind die Dinge eben weitergegangen.«

»Also seid ihr ...? Habt ihr ...?«

Joe schien verlegen zu sein. »Ähm, ja, ich schätze, wir sind. Das heißt, wir haben.«

Simon versuchte, die Übelkeit zurückzudrängen, die in seiner Brust aufstieg. »Aber du *wusstest*, dass ich sie wollte«, bemerkte er verwirrt.

Joe trank seine Cola aus und zerdrückte die Dose in der Hand. »Simon, sie ist Amerikanerin. Sie geht in einer Woche nach New York zurück. Sie war die letzte Frau, mit der du dich einlassen solltest.«

»Ach ja? Das ist deine Meinung, wie?«

Joe nickte. »Komm schon. Sehen wir den Tatsachen ins Auge. Es wäre eine Katastrophe gewesen. Ich weiß doch, wie du bist. Sie wäre in die Staaten zurückgekehrt, und du hättest mit gebrochenem Herzen hier in London gesessen.«

Simon schüttelte den Kopf. »Moment mal. Willst du mir erzählen, du hättest es zu meinem eigenen Besten getan?«

»Sozusagen. Ich wollte nicht, dass man dir wehtut.«

»*Wehtut?*«, fragte Simon scharf. »Was glaubst du, wie ich mich im Augenblick fühle?«

»Du bist erregt«, antwortete Joe. »Meinetwegen sogar aufgebracht. Das verstehe ich ja. Aber glaub mir, ich habe dir einen Gefallen getan. Was du jetzt empfindest, ist erheblich weniger schmerzhaft als alles, was du empfunden hättest, sobald Alex wieder weg ist.«

»Also«, sagte Simon. »Rekapitulieren wir. Du hast dich absichtlich hinter meinem Rücken an die Frau rangemacht, auf die ich, wie du wusstest, scharf wie nur was war, und jetzt erzählst du mir, du hättest es zu meinem eigenen Besten getan.«

Joe nickte. »So ziemlich, ja.«

»In Ordnung. Ich habe eine Frage.«

»Schieß los.«

»Hältst du mich für einen kompletten Vollidioten?«

Joe hob die Hände. »Hör mal, ich habe es natürlich nicht *nur* um deinetwillen getan. Ich meine, sie ist ein hübsches Mädchen.«

»Ich erinnere mich«, erwiderte Simon bitter.

»Aber, Simon, hör mir doch zu. Sie war genau *mein* Typ. Sie war perfekt für mich. Auf der Durchreise. Heute hier, morgen wieder weg. Wir haben uns beide gut amüsiert, und niemand ist dabei zu Schaden gekommen.«

»Niemand? Was ist mit mir?«

»Hm, in Ordnung, abgesehen von dir ist niemand zu Schaden gekommen.«

»Ich bin dir ja so dankbar.«

»Komm schon, Simon. Können wir die Sache nicht einfach vergessen?«

Simon starrte Joe an. »Vergessen?«, echote er.

Joe nickte und versuchte ein kurzes Grinsen. Simon sah Joe in die Augen, runzelte die Stirn und versuchte zu verstehen, wie das passieren konnte.

»Also, wie sieht es aus?«, wollte Joe wissen. »Immer noch Freunde?«

»Joe«, entgegnete Simon, »du bist der letzte Dreck.« Plötzlich schnellte Simons rechter Arm vor. Leidenschaftslos beobachtete er, wie seine Faust direkt auf Joes Nase landete. Es gab ein seltsam knirschendes Geräusch, als Knorpel zerdrückt wurden. Dann machte Simon einen Schritt zurück, und sein Arm hing wieder dort, wo er hingehörte. Joe krümmte sich zusammen, beide Hände vors Gesicht geschlagen. Blut sickerte durch seine Finger und tropfte auf den Teppich.

»Ich wünschte«, erklärte Simon verblüfft, »du hättest mir lediglich ins Gesicht gefurzt und es dabei belassen.«

Simon fuhr mit der U-Bahn nach Hause. Er stand da und hielt sich an einem der Plastikgriffe fest, die wie Miniaturpunchingbälle von der Decke des U-Bahnwagens herabbaumelten. Er hielt sich mit der linken Hand fest. Kurz nachdem er aus Joes Wohnung geflüchtet war, war seine rechte Hand erschreckend angeschwollen, und jetzt pochte sie schmerzhaft.

Simon starrte sein verzerrtes schwarzes Spiegelbild in dem gewölbten Glas des Zugfensters an. Der Boxhieb hatte ihn genauso sehr überrascht wie Joe. Er hatte noch nie zuvor jemanden im Zorn geschlagen. Es war eine instinktive, automatische Reaktion gewesen. Er wusste, dass es absolut die richtige Reaktion gewesen war, vielleicht die einzig richtige. Und, das musste er zugeben, es war äußerst befriedigend gewesen. Es hatte schon eine Menge für sich, jemandem eins auf die Nase zu geben, wenn man seinem Missvergnügen über irgendetwas Ausdruck verleihen wollte.

Als der Zug in die Haltestelle Angel einfuhr, trat Simon auf die Plattform hinaus. Als er sich jedoch umdrehte, um zum Lift zu gehen, spürte er, dass er noch nicht bereit war, sich der Einsamkeit seiner Wohnung zu stellen. Dort würde es nichts geben, was ihn von der hässlichen Wahrheit von Joes Verrat ablenkte. Er brauchte noch Zeit, um wieder einen freien Kopf zu bekommen, um die Tatsachen für sich sprechen zu lassen.

Ohne groß nachzudenken, machte er kehrt und stieg wieder in den Zug, nur wenige Sekunden bevor dessen Türen sich wieder zuschoben. Simon lehnte sich an die Tür am Ende des Wagons, dessen Fenster halb offen stand. Während der Zug durch die Schwärze davonschoss, pfiff die abgestandene Luft des Tunnels durch

Simons Haar. An der Haltestelle Hampstead stieg er aus und folgte der Menge zu den Aufzügen.

Zurück im Sonnenschein des Nachmittags, ging Simon die Heath Street hinauf, vorbei an einer Reihe Autos, die vor einer Ampel am Fuß des Hügels warteten. Auf der Spaniards Road trat er in das raue Gras am Rand der Hampstead Heath und begann seinen Spaziergang.

Simon hielt sich von den vorgegebenen Wegen und Pfaden fern. Er wollte sich für eine Weile im Dickicht der Heide verlieren. Er kämpfte sich durch dichtes Blätterwerk, kletterte über am Boden liegende Bäume und bahnte sich langsam einen Weg durch Labyrinthe ineinander verschlungener Zweige.

Endlich kam er zu einer freien Grasfläche, die sich bis in die Ferne erstreckte. Hie und da waren vereinzelte Gestalten zu sehen, die sich zu ungestörter Lektüre auf den Boden gesetzt hatten oder über die ungezähmte Heide wanderten. Die Silhouette der Stadt leuchtete in der Ferne, eine stille Erinnerung daran, dass Simon ihr trotz all dieser ländlichen Ruhe nicht entkommen war. London und seine Probleme warteten nach wie vor auf ihn.

Simon ging eilig weiter. Er kam an dem Badeteich vorbei, wo drei Angler reglos am Wegesrand saßen und argwöhnisch eine kleine, aber energiegeladene Gruppe von Schwimmern beäugten, die im Wasser umhertollten. Auf dem Parliament Hill setzte er sich auf eine Bank und blickte über die Dächer von London. Ein schwarzer Labrador kam auf ihn zugesprungen und stupste fragend sein Bein an, um ihn zu einem Spiel zu verleiten. Simon bückte sich und tätschelte dem Hund den Kopf. Flugs ertönte ein argwöhnischer Schrei, und eine Frau in mittleren Jahren rief den Hund zu sich. Der Hund stellte die Ohren auf und rannte ohne einen weiteren Blick auf Simon zu seinem

Frauchen zurück. Abgesehen von den fernen Rufen eines trägen Fußballspiels und dem Gezwitscher der nahen Vögel herrschte absolute Stille. Eine schwache Brise strich kühlend über sein Gesicht. Simon atmete tief ein, sog die frische Luft gierig in seine Lungen und hoffte, damit etwas von den abgestandenen Überresten der Stadt zu verscheuchen, die von innen an ihm nagten.

Auf den Hängen, die auf den Weg für die Läufer und den Lido hinunterführten, genossen etliche Menschen die Sonne. Pärchen lagen lässig nebeneinander und tauschten Küsse und leise Worte aus. Kleine Kinder liefen den Hügel hinauf und hinunter in die Arme geduldiger Eltern. Simon betrachtete die Stadt, die sich unter ihm erstreckte. Irgendwo da unten, dachte Simon, waren Alex und Joe. Er fragte sich, ob Joe bei Alex gewesen war, in ihrem Bett, als Simon sie vor einigen Tagen angerufen hatte. Simon schloss die Augen. Ein schmerzhafter Cocktail aus Wut und Selbstmitleid flutete durch seine Adern. Er stellte sich die beiden vor, wie sie zusammen lachten, nachdem Alex den Hörer aufgelegt hatte. Die Grube in seinem Magen gähnte quälend. Er inspizierte seine rechte Hand. Es war ihm nicht möglich, die Finger zu biegen, ohne dass es schmerzte. Er dachte darüber nach, dass dies das zweite Mal war, dass ihm wegen Joe die Hand wehtat.

Simon saß da und starrte den Sender Chrystal Palace an, der allein auf dem Gipfel seines fernen Hügels stand. Alex war jetzt für ihn verloren. Er seufzte traurig. Außerdem hatte er das untrügliche Gefühl, dass seine Freundschaft mit Joe ihm unter den Fingern zerrann.

Er kam sich vor wie ein fürchterlicher, hoffnungsloser Idiot.

Simon blieb bis zum frühen Abend und blickte auf die Stadt hinab. Schließlich stand er auf und ging zurück zur Hampstead High Street. Er stellte fest, dass er immer noch nicht klüger war als zuvor, dass er nicht wusste, was er tun oder was er denken sollte. Es als Erfahrung verbuchen, nahm er an. Leg die Episode ab unter »gewaltiger Reinfall« und leb einfach weiter.

Auf dem Heimweg besuchte Simon Charlie und kaufte sich zwei Flaschen Chenin Blanc und eine tiefgefrorene Lasagne. Zurück in der Wohnung, stellte er den Ofen an, öffnete die erste Flasche Wein und beschloss, sich ein Video anzusehen, um sich zu beschäftigen. Er sah sich den Stapel Kisten auf dem Fußboden an und zog eine Kassette von ziemlich weit oben heraus – *Der dritte Mann*. Simon legte das Band in den Videoapparat und setzte sich hin, um sich den Film anzusehen. Eine alltägliche Geschichte von Loyalität und Freundschaft, Verrat und Betrug. Perfekt, dachte er. Genau das, was ich brauche, um mich aufzuheitern. Er nippte an seinem Wein und versuchte, seinen schmerzenden Kopf zu ignorieren.

Als der junge Orson Wells schließlich Joseph Cotton seine Weltanschauung erklärte, während sie im Riesenrad hoch über Wien schwebten, hatte Simon eine ganze Flasche Wein getrunken und schwelgte in Selbstmitleid. Mit schwerem Herzen hörte er sich Harry Limes Erklärung für sein unmoralisches, gewinnsüchtiges Verhalten an. Es kam ihm allzu vertraut vor.

Simon schniefte theatralisch. Es gab keine Gerechtigkeit auf der Welt, so viel stand fest, überlegte er, während er die zweite Flasche öffnete. Die Schuldigen bleiben unbestraft. Die Unschuldigen sind diejenigen, die routinemäßig eins aufs Dach kriegen.

Was soll das alles?, fragte er sich benebelt, während er sich noch ein Glas Wein einschenkte. Wozu all diese verdammte Mühe?

Simon sah sich das Ende des Films nicht mehr an. Er hatte es schon hundert Mal gesehen. Es war, befand er, Zeit für einen taktischen Rückzug von der Welt im Allgemeinen. Er hatte die Nase voll.

Simon stellte seinen Anrufbeantworter an und ging ins Bett.

Zwischenspiel

»Simon. Hey. Ich bin es. Joe. Hör mal, tut mir Leid, was gestern passiert ist. Wirklich. Ich hätte mich nicht so mies benehmen sollen. *Pause.* Ich verstehe ja, wenn du sauer auf mich bist. Was ich getan habe, war nicht in Ordnung, zugegeben, und es tut mir Leid. Aber ich möchte trotzdem, dass wir Freunde sind. Einen Strich unter die Vergangenheit machen, so in der Art. Ich hoffe jedenfalls, es geht dir gut. *Pause.* Übrigens, du hast mir die Nase gebrochen. Es war ein verdammt guter Treffer. Tut saumäßig weh. Ruf mich doch an, wenn du diese Nachricht bekommst. Wir reden bald mal wieder.«

»Hallo? Hallo? *Scheiße.*«

»Simon, hallo, Kumpel, hier ist Dean. Hör mal, ich dachte, ich rufe nur mal schnell an, weil wir uns alle fragen, wo du steckst, und Brian schreit Zeter und Mordio. Also, hör mal, ich weiß nicht, ob du krank bist oder was, aber ruf wenigstens an und gib uns Bescheid. Brian verliert sonst noch sein winziges bisschen Verstand. *Pause.* Das hab ich nie gesagt.«

»Simon, Darling, hier ist Kate. Es ist jetzt ... vier Uhr morgens Ortszeit, und ich wollte mal nachhören, ob mit der Amerikanerin alles glatt gelaufen ist. Erzähl es mir mal. Ich drück dir die Daumen. Bis bald. Alles Liebe für dich.«

»Hey, Simon, noch mal Joe. Es ist halb neun, und ich hatte gehofft, dich zu Hause zu erwischen. Ich weiß nicht, ob du meine Nachricht gestern bekommen hast. Na egal, du hast nicht zurückgerufen, also wollte ich nur mal durchklingeln, um nachzuhören, ob du okay bist, und um dir zu sagen, dass du mich mal anrufen sollst, wenn du einen Augenblick Zeit hast. Also. Himmel, ich hasse diese verdammten Anrufdinger. Gott, jetzt rede ich Müll. Okay. Ich mach dann mal Schluss. Ruf mich bald mal an. Gibt eine Menge zu bereden.«

»Simon. Ich bin es. Ruf mich mal an. Ich habe eine wichtige Frage an dich wegen Pat dem Postboten. Oh, und wir müssen noch was wegen des Abendessens verabreden.«

»Hier spricht Brian Station. Wo zum *Teufel* steckst du? Wenn ich bis zum Ende des Tages nichts von dir gehört habe, kannst du dich als gefeuert betrachten. Ende der Nachricht. *Pause.* Bastard. Endgültiges Ende der Nachricht.«

»*Scheiße.*«

»Danke Kumpel. Dein Anruf hat mir mehr oder weniger das Leben gerettet, weil Brian mich sonst umgebracht hätte. Tut mir Leid, das mit der Malaria zu hören. Klingt nach was Ernstem.«

»Simon, *hey*. Ich weiß nicht, ob Sie sich an mich erinnern. Hier ist Monique. Von Sophies Party. *Ich* kann mich an *Sie* jedenfalls gut erinnern. **Kehliges Kichern.** Es war toll, Sie mal kennen zu lernen, und ich hatte mich gefragt, ob wir uns nicht mal verabreden wollen, zum Essen vielleicht oder auf einen Drink oder wozu Sie sonst Lust hätten. Vielleicht könnten Sie mir noch ein paar von Ihren Tricks zeigen. Ich schaudere bei dem Gedanken, was Sie mit Ihren geschickten Fingern alles anstellen könnten. Rufen Sie mich an.«

»Hey, ich bin es. Ich hoffe, es geht dir gut. Wo bist du? Treibst dich in der Stadt rum und führst nichts Gutes im Schilde, hoffe ich. Bei uns ist alles in Ordnung, nehme ich an, obwohl Sophie Zwangsvorstellungen wegen der Nase von Pat dem Postboten entwickelt hat. Sehr merkwürdig, wirklich. Na ja, du hast nicht zurückgerufen, und ich versuche, Pläne zu machen. Ein paar von uns müssen nämlich Einkaufslisten schreiben, weißt du? Also ruf mich an. Bis bald dann mal. Sophie lässt schön grüßen.«

»Oh, Scheiße. Simon? Hallo? Bist du da? Wenn du da bist, dann geh *bitte* ans Telefon. *Pause.* Okay. Simon, hier ist Alex. Ähm, hör mal, Joe hat mir so mehr oder weniger erzählt, dass da zwischen euch beiden nicht mehr alles richtig im Lot ist und dass es etwas mit mir zu tun hat. Hör mal, das ist ja sehr schmeichelhaft, aber ich will auf keinen Fall eine Freundschaft kaputtmachen, ehrlich nicht. Na ja, hm, ich bin hier, immer noch im selben Hotel, also ruf mich an, und wir reden.«

»Hey, Simon, noch eine Nachricht für deinen Anrufbeantworter und für dich auch. Ich weiß nicht, ob du die Livevorstellung hörst oder ob du die Freude hast, dir diese Mitteilung als Aufzeichnung reinzuziehen. Ich wüsste gern, ob du da bist. Hm, wie auch immer. Bitte, ruf mich an. Hier ist Joe. Dein Kumpel.«

Piep.

22. KAPITEL

Schließlich geschah das Unvermeidliche. Es klingelte an der Tür.

Simon vergrub den Kopf unter seinem Kissen. Es klingelte abermals. Simon drückte sich das Kissen fester auf die Ohren und zog sich weiter unter seine Decke zurück.

Dreißig Sekunden später klingelte es wieder, lauter und, wie es schien, immer lauter. Gleich nachdem das Klingeln aufgehört hatte, erklang ein energischer Trommelwirbel, der auf seine Wohnungstür geschlagen wurde. Mit einem Seufzen hievte Simon sich aus dem Bett. Wer immer es war, er hatte offensichtlich nicht vor, anständig zu sein und ihn in Ruhe zu lassen. An der Wohnungstür holte Simon ein paar Mal tief Luft. Er brauchte nicht mit jemandem zu reden, mit dem er nicht reden wollte. Wenn es Joe war, sagte er sich, würde er ihm die Tür vor der Nase zuschlagen. Er legte die Sicherheitskette vor, zog die Tür sieben oder acht Zentimeter weit auf und blickte argwöhnisch hinaus.

Draußen stand eine entschlossen dreinblickende Alex Petrie.

»Oh«, murmelte Simon benommen. »Hey.«

Alex blickte Simon durch die Sieben-Zentimeter-Lücke an. »Darf ich reinkommen?«, bat sie.

Simon versuchte nachzudenken. »Okay«, entschied er schließlich. Er schloss die Tür und nahm die Kette ab. Als er die Tür richtig öffnete, kam Alex in die Wohnung gerauscht, bevor er seine Meinung noch einmal ändern konnte. Simon drehte sich um und folgte ihr ins Wohnzimmer. Was um alles in der Welt tat sie hier?

Wollte sie ihm erklären, dass alles einfach nur ein schreckliches Missverständnis gewesen war? Sein Herz fing unter dem Morgenmantel nervös zu flattern an.

»Also«, begann Alex und setzte sich mitten auf das Sofa, ohne auf eine Aufforderung zu warten. »Du warst in letzter Zeit ganz schön schwer zu erreichen.«

Simon zuckte die Schultern. »Tut mir Leid.«

»Ich hab mir ein bisschen Sorgen um dich gemacht.« Alex sah ihm in die Augen. »Wo hast du gesteckt?«

»Ach, du weißt schon, hier und dort.«

»Zu beschäftigt, um meine Nachrichten zu beantworten?«

Simon schwieg kurz. »So ziemlich, ja.«

»Was nichts mit der Tatsache zu tun hat, dass du glaubst, Joe und ich hätten miteinander geschlafen.«

Simons Herz geriet ein wenig ins Schlingern. »Ich nehme an, das könnte eine Rolle gespielt haben, ja«, räumte er ein. Es folgte eine Pause. »Ihr *habt* doch miteinander geschlafen, oder?«, fragte Simon.

Alex musterte ihn kühl. »Oh, ja«, antwortete sie.

Er musste auch so blöd sein, diese Frage zu stellen!

»Hm«, machte er und versuchte, seine Qual zu verbergen, »wie schön.«

»Deshalb wollte ich persönlich mit dir reden«, erklärte Alex. »Joe dachte, du hättest dich darüber aufgeregt, und ich wollte mit dir reden und sehen, ob ich die Dinge wieder in Ordnung bringen kann.«

»Okay«, gab Simon vorsichtig zurück.

»Also immer schön der Reihe nach. Warum hast du Joe geschlagen?«

Simon blinzelte. »Warum? Weil er mich hintergangen hat. Weil er wusste, dass ich scharf auf dich war, und dich trotzdem gefragt hat, ob du mit ihm ausgehen willst.«

Alex runzelte die Stirn. »Aber er hat das doch vorher mit dir abgesprochen.«

Simon sah Alex seltsam an. »Nein, hat er nicht. Das ist ja verrückt. Glaubst du, ich hätte zugestimmt, wenn er mich vorher gefragt hätte?«

Alex hob den Blick zur Decke. »Um genau zu sein, wurde ich tatsächlich glauben gemacht, er *hätte* dich zuerst gefragt und du hättest keine Einwände gehabt. Ich habe mich, ehrlich gesagt, ziemlich darüber aufgeregt. Als du neulich anriefst, habe ich gedacht, du hättest einfach deine Meinung geändert, aber zu dem Zeitpunkt war alles schon ein bisschen zu spät.«

Alex und Simon verfielen beide in Schweigen.

»Glaub mir, wenn er mich gefragt hätte, hätte ich Nein gesagt.« Simon hielt inne. »Mehrmals und mit beträchtlicher Lautstärke.«

Alex sah ihm gerade in die Augen. »Ich glaube dir«, erwiderte sie.

Simon blickte auf seine Hände hinab. Er war nicht der Einzige, der hereingelegt worden war. »Mein Gott«, meinte er nach ein paar Sekunden des Schweigens.

»Mein Gott«, pflichtete Alex ihm bei.

»Also, was wirst du jetzt machen?«

Alex zuckte die Schultern. »Na ja, ich treffe ihn heute Abend. Dann werde ich ihn vielleicht danach fragen.«

»Und das ist alles?«, platzte Simon heraus, bevor er sich Einhalt gebieten konnte. »Du wirst ihn einfach *danach fragen*? Bist du denn nicht *wütend*? Er hat dich *angelogen*.«

»Was könnte ich denn sonst tun? Ich fände es schade,

wenn wir uns mit dieser Sache alles andere kaputtmachen würden.«

»Alles andere?«

»Sieh mal, Simon«, erklärte Alex geduldig. »Es ist
nichts weiter Finsteres daran. Ich habe mich während der
letzten Tage mit Joe getroffen, weil wir eine Menge wirklich erstaunlichen Sex gehabt haben. Das ist alles.«

Simon stand einen Augenblick lang stocksteif da, während er sich ganz darauf konzentrierte, weiter zu funktionieren. »Oh, wirklich«, stieß er schließlich hervor. »Das
ist alles? Einfach erstaunlichen Sex?«

Alex nickte. »*Erstaunlich*. Er zieht da diese Nummer
mit Schlagsahne ab ...«

»Na, das ist ja wunderbar«, unterbrach Simon sie.

Alex runzelte die Stirn. »Oh, na komm schon. Reg dich
ab. Okay, Joe hat uns beide angelogen. Aber was glaubst
du denn, was zwischen uns passiert wäre? Ich meine, na
schön, vielleicht wären du und ich es gewesen, die den
erstaunlichen Sex gehabt hätten, und nicht er und ich.
Aber davon mal abgesehen, es ist doch einfach ein bisschen Spaß.«

Simon blieb still. Einfach ein bisschen Spaß. Joe hatte
die ganze Zeit über Recht gehabt, grübelte er. Frauen waren genauso versessen auf Sex wie Männer. Er hatte sich
jahrelang etwas vorgemacht. Simon seufzte tief. »Na
schön«, flüsterte er. »Aber bitte geh jetzt.«

Alex Petrie stand auf. »Mach dich deswegen nicht fertig, okay? Du bist ein netter Kerl. Ich mag dich. Du hast
alles richtig gemacht. Aber es ist doch nur ein Spiel. Ein
Spiel.«

»Ein bisschen Spaß«, wiederholte Simon stumpf.

Alex nickte. »Genau. Ein bisschen Spaß.«

Simon rieb sich die Augen und begleitete Alex zurück

zur Tür. »Danke, dass du vorbeigekommen bist«, meinte er, während er ihr die Tür aufhielt. »Pass auf dich auf.«

Alex Petrie sah ihn ernsthaft an. »Mache ich. Und du auch.« Sie küsste ihn schnell auf die Wange und wandte sich dann ab.

Simon sah ihr nach, wie sie zum Ende der Straße ging. Sie blickte nicht ein einziges Mal zurück.

Am Tag nach Alex Petries Besuch verließ Simon endlich wieder seine Wohnung.

Es widerstrebte ihm zwar, den einsamen Trost seiner Bettdecke aufzugeben, aber am Ende blieb ihm nicht viel anderes übrig. Nach drei Tagen einer Fernsehdiät, die ausschließlich aus australischen Seifenopern und Sendungen mit ernsthaft dreinblickenden Leuten bestanden hatte, die auf pastellfarbenen Sofas saßen und über Cellulitis diskutierten, musste er einfach raus.

Außerdem musste Simon etwas essen.

Er ging zu Charlies Laden. Seine selbst auferlegte Gefangenschaft hatte ihm nicht besonders gut getan. Jedes Mal, wenn er versucht hatte, sich einen Reim auf Joes Benehmen zu machen, stiegen schmerzhafte Visionen von Joe und Alex vor ihm auf, wie sie sich in verschiedenen Stadien der Entkleidung und in einer Anzahl fantasievoller Positionen miteinander vergnügten. In einigen dieser Visionen spielte Schlagsahne eine Rolle. Simon fühlte sich wie ein waidwundes Reh. Um die Dinge noch zu verschlimmern, tat seine Hand immer noch abscheulich weh. Die beiden mittleren Finger waren geschwollen und hatten einen Aufsehen erregenden Purpurton angenommen.

Simon trat über die Schwelle von Charlies Laden und

inhalierte den vertrauten, stechenden Geruch von Curry-pulver. Charlie saß hinter der Kasse und las eine Ausga-be der *Sun*. Als Simon eintrat, blickte er auf. »Müsstest du nicht eigentlich bei der Arbeit sein?«, fragte er, wäh-rend er gelangweilt eine Seite umblätterte.

»Urlaub«, murmelte Simon.

Charlie musterte ihn kritisch. »Du siehst so aus, als gehörtest du ins Bett«, entgegnete er. »Du siehst einfach grauenhaft aus.«

»Herzlichen Dank.« Simon machte sich daran, Char-lies Auswahl an Dosensuppen zu begutachten. Suppe tat ja angeblich so gut, dachte er. Sie war herzhaft, wärmend, lebenspendend. Optimistisch legte er zwei Dosen in sei-nen Einkaufskorb.

Simon setzte den Marsch durch den Laden fort. Als er an die Kasse kam, hatte er sich außerdem für einen Laib weißes, geschnittenes Brot entschieden und für eine Dose Frankfurter. Charlie klappte seine Zeitung zusammen und legte sie beiseite, als Simon näher kam. Dann mus-terte er kritisch den Inhalt des Einkaufskorbes, während Simon alles auf die Theke packte.

»Sie sollten mehr Gemüse essen, wissen Sie das?«, meinte er und zeigte auf die Ansammlung brandigen Grünzeugs ganz hinten im Laden, von dem das meiste mindestens eine Woche lang dort gelegen hatte. »Sie wer-den nie ein großer Junge werden, wenn sie sich weiter von diesem Scheiß ernähren.« Er griff nach der Dose mit Frankfurter Würstchen und beäugte sie mit Abscheu.

Simon wollte sich nicht in eine von Charlies Diskussio-nen über die diätetischen Vorzüge seiner Waren verwi-ckeln lassen. Er bezahlte seine Einkäufe und floh.

Zurück in der Wohnung, öffnete Simon die Dose mit den Frankfurtern. Er war halb verhungert. Die Würstchen hüpften in dem schlammigen See der Salzlake obszön auf und ab. Er zog eins aus der Dose und wusch es unter fließendem Wasser ab, um es von dem klebrigen Schleim zu befreien, mit dem es überzogen war. Dann quetschte er einen großzügigen Klacks Tomatenketchup auf eine Scheibe Weißbrot, legte das Würstchen in die Mitte und rollte das Ganze dann zusammen, bevor er am einen Ende abbiss. Als er das tat, platschte am anderen Ende des Brotes ein dicker Klecks Ketchup heraus und landete auf seinem T-Shirt. Er war zu hungrig, um sich darum zu scheren. Er verzehrte seinen improvisierten Hotdog mit drei Bissen und schlenderte nachdenklich kauend durch die Wohnung.

Schließlich setzte Simon sich auf sein Sofa und schaltete den Fernseher an. Eine Gruppe junger Australier führte auf irgendeinem Strand eine Auseinandersetzung. Das ist einfach hoffnungslos, dachte er. Er ging zurück in die Küche und bereitete sich noch einen Hotdog zu.

Als er seine Mahlzeit beendet hatte, verließ Simon abermals die Wohnung. Die Sonne schien. Er schlenderte zu den Highbury Fields und setzte sich auf eine der Bänke, die den östlichen Rand des ungleichmäßigen Rasens säumten. In der Mitte des Parks kickten sich einige Männer einen Fußball zu. Der Sonnenschein schimmerte durch das Blätterwerk der überhängenden Bäume, und ein leichter, warmer Wind trug ihm das gedämpfte Dröhnen des Verkehrs auf der Holloway Road zu. Hinter der Hecke konnte er das Kreischen kleiner Kinder hören, die auf dem gemeindeeigenen Spielplatz herumtollten. Simon streckte sich auf der Bank aus und entspannte sich. Ein paar Augenblicke lang gönnte er sich absolute innere Ruhe.

Plötzlich hustete jemand neben ihm. Er drehte sich um.

Eine Frau von beträchtlichen Ausmaßen hatte sich neben ihn gesetzt. Ihr Gesicht war schmutzverkrustet, und sie hatte sich das Haar mit einem schmuddeligen Schal zusammengeknotet. Sie trug mehrere Schichten einer zerrissenen und vergammelten Kleidung. Auf dem Gehweg vor ihr standen zwei Plastiktüten, die aus allen Nähten platzten.

»Geben Sie mir ein paar Pennys«, sagte sie.

Simon sah sich die alte Frau an. Sie zog eine Grimasse. Vielleicht war es der Versuch eines Lächelns. Das ließ sich schwer sagen. Jedenfalls entblößte sie dabei eine unregelmäßige und unvollständige Reihe brauner Zähne.

»Na los«, bat sie. »Bitte.«

»Für eine Tasse Tee, ja?«, fragte Simon.

Die Frau zuckte die Schultern. »Das dürfte wohl eher eine Dose Tennants Extra werden, wenn es Ihnen egal ist.«

Simon lächelte. Er schob eine Hand in die Tasche und holte zwei Pfundmünzen heraus. »Machen Sie einen drauf«, erwiderte er, als er ihr das Geld gab. »Schmeißen Sie eine Party.«

Die Frau sah Simon überrascht an. »Vielen Dank«, antwortete sie mit Würde. »Das mache ich.«

Simon stand auf. Es hatte keinen Sinn, sich selbst noch länger Leid zu tun. »Ich muss los«, erklärte er der Frau.

»Sind Sie sich sicher, dass Sie sich mir nicht anschließen wollen?«, fragte sie mit einem gackernden Lachen.

Simon verbeugte sich steif. »Ein sehr freundliches Angebot, Madam, aber ich muss leider ablehnen.«

»Wie Sie wollen.« Die alte Frau machte es sich auf der Bank gemütlich und hielt dabei Simons Geld fest in ihrer behandschuhten Hand. »Ich wünsche Ihnen einen schönen Tag. Sie sind ein netter Kerl.«

»Machen Sie sich selbst einen schönen Tag.« Mit einem kurzen Winken drehte Simon sich um und ging zu seiner Wohnung zurück.

Es gab noch eine Menge zu tun.

Simon nahm die U-Bahn zur Victoria Station. Er musste herausfinden, ob er noch einen Job hatte.

Als er im Station Magic ankam und vorsichtig die Tür aufdrückte, wusste er nicht, was ihn erwartete. Brian und Dean standen beide hinter der Theke. Vick war nirgends zu sehen.

Brian beäugte ihn argwöhnisch. »Habe ich dich nicht gefeuert?«, brummte er.

»Nein«, sagte Dean eifrig. »Du wolltest es eigentlich, aber er hatte Malaria, weißt du noch? Er war krank.«

Brians Stirn legte sich in Falten. »Oh, yeah«, murmelte er. »Dann geht es dir also besser?«, erkundigte er sich. »Die Malaria ist wieder weg?«

Simon nickte. »Ich bin putzmunter, vielen Dank.« Er sah Brian an. »Also«, fragte er, »habe ich meinen Job noch?«

»Ich denk schon«, antwortete Brian widerstrebend.

»Klasse«, entgegnete Simon. Dean strahlte ihn an.

»Und jetzt sieh zu, dass du was getan kriegst«, bluffte Brian.

Im Laufe des Tages stellte Simon zu seiner Überraschung fest, dass er sich ehrlich darüber freute, wieder da zu sein. Er hatte vor allem Deans wortkarge Kameradschaft vermisst, aber selbst Brians schlechte Laune hatte eine tröstliche Vertrautheit. Es war, als lernte man nach einem schweren Unfall wieder laufen. Simon fühlte sich wie der Sechstausenddollarmann. Er musste neu aufgebaut werden, aber dann würde er zurückkommen, stärker und besser als zuvor. Am Ende des Tages hatte seine Stimmung sich beträchtlich gehoben.

Als Simon an diesem Abend in seine Wohnung zurückkehrte, hatte er das Gefühl, dass seine Wiedereingliederung in die Gesellschaft einen glaubwürdigen Anfang genommen hatte. Zwar war ihm das im Wesentlichen deshalb gelungen, weil er einfach zu viel zu tun gehabt hatte, um an Joe und Alex zu denken, aber wenn es funktionierte, funktionierte es.

Als er jedoch in sein Wohnzimmer kam, löste Simons Zufriedenheit mit sich selbst sich in Luft auf. Die Wohnung erinnerte ihn an seine jüngste Internierung. Er fühlte sich sofort wie eingepfercht. Statt wie gewohnt eine Atmosphäre der Behaglichkeit zu verströmen, erschien ihm die Wohnung jetzt so kalt und abweisend wie eine Gefängniszelle.

Der Anrufbeantworter blinkte. Simon zog die Nase hoch und ging in die Küche, um sich ein Bier aus dem Kühlschrank zu holen. Die Nachrichten auf dem Band interessierten ihn nicht mehr. Der Rest der Welt kam auch ohne ihn recht gut zurecht. Plötzlich kam es ihm in den Sinn, dass es Arabella sein könnte. Es könnte sogar Alex sein. Es könnte, Gott behüte, Monique sein. Er ging zurück ins Wohnzimmer und musterte den Anrufbeantworter mit beträchtlichem Abscheu. Andererseits war er nicht im Stande, den Verlockungen des blinkenden Lichtes zu widerstehen. So sehr er sich bemühte – Simon wusste, dass er am Ende der Versuchung erliegen und den kleinen Knopf auf der elektronischen Büchse der Pandora drücken würde. Die einzige Frage war, wann. Er seufzte. Eingedenk der Unausweichlichkeit der Ereignisse schien es wenig Sinn zu haben zu warten. Mit einem fatalistischen Seufzer drückte er den Knopf.

»Hallo, Simon. Ich bin es. Hör mal ...«

Simon drückte auf den Löschknopf und unterbrach Joe mitten im Satz und ohne seine Nachricht abgehört zu haben. Dann grunzte er befriedigt. Schon komisch, wie einem selbst der kleinste Sieg helfen konnte.

Er sah sich in der Wohnung um. Sein Blick ruhte schließlich auf seinem Thelonious-Monk-Poster. Vielleicht, dachte er, ist es an der Zeit für einen Tapetenwechsel. Simon stand auf.

Eine Kneipentour war jetzt genau das Richtige für ihn.

Während er die schmale Treppe zum »Vortex-Jazz-Club« hinaufging, spürte Simon, wie das vertraute Prickeln freudiger Erregung ihn durchströmte. Simon mochte das »Vortex«, weil es sich im ersten Stock des Gebäudes befand und somit eine angenehme, unprätentiöse Abwechslung gegenüber den traditionellen verräucherten Kellern darstellte, die normalerweise einen Jazzclub beherbergten. Er hörte, wie ein Schuss die Luft zerriss, eine Trompete leise durch die Tonleitern flog und ein Doppelbass tief und sinnlich summte. Unwillkürlich musste er lächeln. Die Band wärmte sich auf, jeder Musiker in seiner eigenen kleinen Welt, der sich auf den großen Gemeinschaftsakt vorbereitete, wenn sie sich als Gruppe ins Zeug legen würden.

Simon ließ sich auf seinem Platz an einem kleinen Tisch im Halbdunkel nieder, in dem weitläufigen Raum relativ weit hinten. Er beobachtete die Leute an den Tischen zwischen sich und der Bühne. Männer mit sauber geschnittenen, grau melierten Bärten und Strickjacken saßen dort und blickten schweigend zu den Musikern hin. Überwiegend jedoch wurde der Raum von dem glücklichen Geplauder jüngerer Besucher erfüllt, die sich mehr füreinander als für die Musiker zu interessieren schienen.

Simon ging in die Bar und bestellte sich eine Flasche Pinot gris. Mit der Flasche im Arm und einem einsamen Weinglas kehrte er an seinen Tisch zurück. Livejazz und feiner Wein: sehr trendig, sehr *in*, dachte er trocken.

Er schenkte sich ein Glas Wein ein und blickte zur Bühne. Ein alter Mann mit einem Saxofon um den Hals stand dort auf der einen Seite. Er blinzelte mit zusammengekniffenen Augen in die Lichter und spähte in den Raum. Dann kam er auf der Bühne langsam nach vorn. Die anderen Musiker schlenderten hinter ihm her.

Nach und nach senkte sich Stille über den Raum, und alle Gäste erwarteten, dass der Saxofonspieler zur Eröffnung ein paar Worte verlieren würde. Der Mann musterte das Publikum mit einem durchdringenden Blick aus seinen kleinen, runden Augen, und ein angedeutetes Lächeln zuckte auf seinem ledrigen Gesicht. Dann wandte er sich dem Schlagzeuger zu und zählte zwei Takte vor.

Die Band stürzte sich in eine schwungvolle, flotte Version von *I remember April*. Es war eine beachtliche Vorstellung. Simon lehnte sich auf seinem Stuhl zurück, nippte an seinem Wein und schloss mit ungeteilter Wonne die Augen. Die Sorgen der letzten paar Tage begannen dahinzuschwinden.

Plötzlich hörte er ein Klappern auf dem Tisch vor sich, das Geräusch von Glas auf Holz. Simon öffnete die Augen und sah, dass jetzt ein zweites Weinglas neben seinem eigenen stand.

»Hey«, sagte Joe. »Was dagegen, wenn ich mich zu dir setze?«

Simon starrte Joe an, vorübergehend außer Stande zu sprechen.

Ohne auf eine Antwort zu warten, zog Joe sich einen der anderen Stühle an den Tisch und setzte sich. Er sah ziemlich mitgenommen aus. Seine Nase war geschwollen, und unter seinem linken Auge hatte er einen dunklen, purpurfarbenen Streifen. »Darf ich?«, fragte er und zeigte auf die Weinflasche. Simon nickte wie betäubt. »Prost«, meinte Joe gut gelaunt. Er schenkte sich ein und nahm einen großen Schluck. Während Simon ihn beobachtete, hatte er Mühe, seine Ungläubigkeit im Zaum zu halten. Was machte Joe hier? Simon hatte keine der Nachrichten beantwortet, die er ihm während der letzten Tage auf seinem Anrufbeantworter hinterlassen hatte. Es war ein Wink mit dem Zaunpfahl gewesen, konnte er das denn nicht verstehen? Joe blickte zur Bühne und nickte im Rhythmus der Musik mit dem Kopf.

Simon wünschte sich nur, dass Joe wieder gehen würde, wusste aber, dass er sich würde anhören müssen, was auch immer Joe ihm zu sagen hatte. Der Grund dafür war teils eine morbide Neugier, teils eine nicht zu unterdrückende masochistische Veranlagung. Er erwartete kein Happy End; das hatte er inzwischen begriffen. Simon sah Joe argwöhnisch an und wartete.

Die Band hatte begonnen, das Thema reihum frei zu variieren. Schließlich nahmen sie die Melodie wieder auf und legten ein atemberaubendes Finale hin. Das Publikum brach in begeisterten Applaus aus. Der Bandleader quittierte den Beifall mit einem angedeuteten Nicken, dann kehrte er den Zuschauern wieder den Rücken, um mit dem Bassisten zu reden.

»Das Lokal ist in Ordnung, hm?«, bemerkte Joe und sah sich um. »Sehr cool. Ich bin noch nie hier gewesen. Kommst du oft her?«

»Joe«, gab Simon zurück, »was willst du hier?«

»Ich wollte mit dir reden«, erwiderte Joe.

»Woher wusstest du, dass ich hier bin?«, hakte Simon nach.

»Ich bin dir gefolgt.«

»Mir gefolgt?«, wiederholte Simon. »Wie? Von wo?«

»Von deiner Wohnung natürlich«, antwortete Joe. »Als du meine Nachrichten nicht beantwortet hast, wurde mir klar, dass ich dich aufsuchen musste. Bloß dass du, gerade als ich das Ende deiner Straße erreicht hatte, aus deiner Wohnung spaziert kamst. Da bin ich dir hierher gefolgt.« Er hielt inne. »Ich habe überlegt, ob ich überhaupt reinkommen soll. Ich bin kein großer Jazzfan. Aber schließlich dachte ich, na ja, Teufel auch, da ich doch schon mal so weit gekommen bin.«

»Aber was bringt dich auf den Gedanken, ich könnte Lust haben, mit dir zu reden?«, erkundigte sich Simon.

Die Band setzte jetzt mit einem zügigen Bossa-Nova-Rhythmus wieder ein, und das Saxofon und die Trompete griffen eine alte Joe-Henderson-Melodie auf, *Recorda Me*.

»Ich wollte versuchen herauszufinden, was los gewesen ist, und sehen, ob wir nicht einen Strich unter die ganze Sache ziehen können«, erklärte Joe, ohne auf Simons Frage einzugehen.

Simon lehnte sich auf seinem Stuhl zurück. »Versuchst du dich zu entschuldigen?«, fragte er ungläubig.

Joe zuckte mit den Schultern. »Ich bin mir nicht sicher, ob ich so weit gehen würde. Ich wollte diese Sache nur irgendwie aus der Welt schaffen.«

Simon schüttelte den Kopf, weil er hoffte, auf diese Weise ein wenig klarer zu sehen. »Du versuchst also nicht, dich zu entschuldigen?«

»Sieh mal«, begann Joe aufs Neue, »mir scheint, dass wir diese Sache einfach aus verschiedenen Blickwinkeln betrachten.«

»Verschiedene Blickwinkel?«, wiederholte Simon. Von dem bärtigen Mann am Nachbartisch kam ein viel sagendes Räuspern. Simon senkte die Stimme. »Welche Blickwinkel sind da verschieden, welche genau?«, zischte er.

»Na ja, sieh dich doch an«, sagte Joe. »Du bist offensichtlich sehr erregt. Und ich möchte lediglich herausfinden, warum.«

Simon blinzelte. »*Warum?*«

Joe nickte. »Ja. Ich fühle mich deswegen *mies*. Ich wollte nicht, dass du dermaßen sauer wirst. Ich hatte ja keine Ahnung, dass du so überreagieren würdest. Ich meine, sie ist nur eine Frau, nicht wahr?« Er nahm noch einen Schluck Wein.

Simons Schultern sackten herab. Er beugte sich zu Joe vor. »Das ist es, ja? Das ist deine Entschuldigung? ›Sie ist nur eine Frau?‹«

Joe sah ihn an. »Na ja, ist sie doch, oder?«

Simon seufzte. »Die Sache ist die«, erklärte er, »dass ich Alex ziemlich mochte.«

Es folgte eine Pause, während der Joe diese Information verdaute. Ein seltsamer Ausdruck trat in seine Züge, als hätte er gerade in eine Zitronenscheibe gebissen. »Was«, murmelte er, »du mochtest sie – du meinst, du *mochtest* sie?«

Simon nickte.

»Aber *warum*?«

»Ich fand sie *großartig*«, antwortete Simon. »Sie war

witzig, sie war hübsch, sie mochte Jazz. Sie war seit Jahren die interessanteste Frau, die ich kennen gelernt habe.«

Joe beäugte Simon argwöhnisch. »Du bindest mir auch keinen Bären auf?«, wollte er wissen. Simon schüttelte den Kopf. »Scheiße«, murmelte er vor sich hin.

»Also, macht das die Dinge etwas klarer?«, gab Simon zurück.

»Aber sie fährt in ein paar Tagen nach New York zurück«, wandte Joe ein und ignorierte Simons Frage. »Was wolltest du dann machen?«

»Darum geht es nicht«, bluffte Simon ihn an. Er würde Joe nicht von seinen Träumen erzählen, nach Manhattan zu gehen. Das alles schien lange zurückzuliegen.

»Entschuldigung«, kam eine Stimme vom Nebentisch. »*Ein paar* von uns versuchen, die Musik zu hören.« Die Leute an dem Tisch hinter ihm musterten Simon und Joe jetzt mit missbilligenden Blicken. Simons Gesicht brannte vor Scham. Er formte mit den Lippen eine Entschuldigung, dann wandte er sich wieder zu Joe um.

»Darum geht es nicht«, wiederholte er im Flüsterton. »Worum es geht, sind folgende Dinge. Erstens, ich war sehr scharf auf diese Frau. Zweitens, ich konnte zum gegebenen Zeitpunkt nicht mit ihr schlafen, weil meine Nichte unerwartet in meiner Wohnung auftauchte. Drittens, ich habe dir davon erzählt. Viertens, du bist sofort losmarschiert und hast selbst mit ihr geschlafen. Habe ich die Sache damit klar umrissen?«

»Ich schätze schon«, gab Joe leise zu.

»*Und*«, fuhr Simon fort, »du hast mich nicht nur hintergangen, du hast sie auch belogen und ihr erzählt, ich hätte dir meinen Segen gegeben.«

Joe schnitt eine Grimasse. »Yeah, Alex hat gestern Abend auch etwas in der Art erwähnt.« Er hielt inne. »Tut mir Leid.«

Simon konnte seine Neugier nicht länger zügeln. »Was hat Alex gesagt, als du es zugegeben hast?«

Joe zuckte die Schultern. »Sie hat mich einen hinterhältigen Bastard genannt.«

»War das vor oder nach der letzten Benutzung der Schlagsahne?«

Joe zögerte einen winzigen Augenblick. »Vorher«, antwortete er.

Simon lehnte sich schweigend in seinen Stuhl zurück. Frauen.

»Hör mal, Simon, ich hatte einfach keine Ahnung, was du für sie empfunden hast. Ich meine, wenn mir klar gewesen wäre, was da in deinem verrückten Kopf vorgeht, hätte ich natürlich die Finger von ihr gelassen.«

»Natürlich.«

»Komm schon, Simon, sei nicht so hart zu mir. Ich bin doch kein verdammter Gedankenleser. Woher sollte ich wissen, dass du dermaßen versessen auf sie warst?«

»Na ja, da springen einem gleich zwei Dinge ins Auge. Erstens, du hättest mich ja fragen können, statt die Sache einfach an dich zu reißen. Zweitens, egal was ich für sie empfand, da wäre da noch die winzige Kleinigkeit genereller Höflichkeit. Du kannst dich nicht einfach so vordrängen, ohne wenigstens um Erlaubnis zu fragen. Es hatte nämlich schon jemand vor dir in der Schlange gestanden, weißt du?«

Joe blickte verlegen drein. »Tut mir Leid. Ich habe einfach nicht nachgedacht. Außerdem«, fuhr er fort, »habe ich immer gedacht, die Frau, an der dir wirklich liegt, sei Delphine.«

Simon sah ihn säuerlich an. »Nun, du hast ja im Allein-gang dafür gesorgt, dass ich bei ihr keine Chance hatte, wenn du dich erinnerst.«

Joe ignorierte diese Bemerkung. »Nein, komm schon. War *sie* diejenige, die du eigentlich wolltest?«

»Ja. Na und?«

»Warum hast du dann niemals auch nur versucht, mit ihr Verbindung aufzunehmen?«

Simon sah Joe verärgert an. Er und Joe konnten sich über die meisten Themen wie gewöhnliche menschliche Wesen unterhalten, aber sobald es um Frauen ging, pas-sierte etwas Seltsames. Ganz plötzlich öffnete sich eine gewaltige, unüberbrückbare Kluft zwischen ihnen. Über diesen Abgrund konnte nichts vermittelt werden, was von Bedeutung war. Es war hoffnungslos.

»Du kapierst es nicht, was?«, murmelte er traurig. »Es ist ausgeschlossen, dass ich Delphine jemals anrufen könnte. Ich schaffe das nicht. Bei mir ist der erforderliche Gehirnschaltkreis nicht vorhanden. Es ist eine biologi-sche Unmöglichkeit. Wenn sie nicht wie durch Magie auf meiner Türschwelle auftaucht, ist es mir bestimmt, ein delphinefreies Leben zu führen.«

Ein seltsamer Ausdruck trat in Joes Augen. »Das ist ja wirklich außerordentlich«, bemerkte er.

»Yeah, hm«, sagte Simon, der nun endgültig die Nase voll hatte. Er schaute Joe an. Es hatte keinen Sinn, das Gespräch fortzusetzen. »Du und ich, wir sind völlig ver-schieden. Daran ist nichts auszusetzen. Aber mir meine Freundin zu stehlen und mich anzulügen – das ist nicht das, was ich von meinen so genannten Freunden erwarte. Also, wenn das alles ist, was du zu sagen hast, dann möchte ich den Rest des Konzerts allein erleben.«

Joe sah ihn erstaunt an.

»Und das war es dann?«, vergewisserte er sich. »Du schickst mich weg?«

Simon nickte. Er zeigte auf die Bühne, wo die Musiker immer noch spielten. Der Bassist befand sich mitten in einem Solo, und die Bläser standen alle auf einer Seite der Bühne und hörten ihm zu. »Ich möchte die Musik genießen. Deshalb bin ich übrigens hier, nicht um ein sinnloses Gespräch mit dir zu führen.«

»Aber du kannst mich nicht einfach *wegschicken*«, begehrte Joe wütend auf.

Vom Nachbartisch kam ein verärgertes »Scht«. Diesmal schenkten weder Simon noch Joe ihm Beachtung.

»Joe«, erklärte Simon. »Bitte geh. Es gibt nichts mehr zu sagen.«

Joe blieb, wo er war. »Es gibt noch eine ganze Menge zu sagen«, widersprach er.

»Worüber?«

»Wir haben nichts geklärt«, beharrte Joe. »Ich meine, ja, wir haben festgestellt, dass ich die Sache mit Alex vermasselt habe, und das akzeptiere ich, aber davon abgesehen sind wir keinen Schritt weitergekommen.«

»In Hinblick worauf?«, fragte Simon, der gegen seinen Willen neugierig war.

»In Hinblick auf *uns*«, antwortete Joe. »Als Kumpel, du verstehst schon.«

Eine gletscherkalte Ruhe bemächtigte sich Simons. »Joe«, entgegnete er leise und beugte sich über den Tisch. »Es ist vorbei. Ende der Geschichte. Wir sind keine Kumpel mehr. Ich bin nicht länger interessiert.« Mit jedem Wort spürte Simon, wie er stärker wurde. Er griff nach seinem Weinglas und trank.

Joe schüttelte den Kopf. »Das kannst du nicht machen«, erwiderte er.

»Was kann ich nicht machen?«

»Du kannst mich nicht *sitzen lassen*.«

»Ich lasse dich nicht sitzen«, gab Simon zurück. »Du bist nicht mein Lover, verdammt noch mal.«

»Genau«, versetzte Joe. »Das meine ich ja. Du kannst einen *Freund* nicht sitzen lassen. So funktioniert das nicht.«

»Aber genau das will ich doch zum Ausdruck bringen«, seufzte Simon. »Verstehst du, du bist nicht mehr mein Freund. Also ist, was mich betrifft, alles klar.«

»Verzeih mir, wenn ich das sage«, erwiderte Joe, »aber deine Argumentation dreht sich im Kreis.«

»Ich verzeihe dir. Und jetzt verschwinde bitte.«

»Hör mal, ich gebe zu, dass ich einen Fehler gemacht habe. Und du hast mir die Nase gebrochen, was bedeutet, dass wir quitt sind.« Joe hielt inne. »Aber ich habe dafür gebüßt. Ich habe meine Strafe abgesessen. Es ist an der Zeit, zu vergeben und zu vergessen.«

»Glaub mir«, versicherte Simon, »wenn ich diese ganze verdammte Geschichte vergessen könnte, täte ich es.« Das Gespräch fing an, ihn zu langweilen. Er schenkte sich Wein nach, wobei er Joes leeres Glas geflissentlich ignorierte, und drehte seinen Stuhl zur Bühne, damit er die Musiker besser sehen konnte. Die Band spielte einen mittelschnellen Blues. Simon versuchte sich auf die Musik zu konzentrieren.

»Na ja, wie auch immer«, meldete sich Joe nach ein paar Sekunden wieder zu Wort. »Wo hast du gelernt, so zu boxen?«

»Ich hab es nicht gelernt. Anfängerglück. Oder vielleicht haben mich die Umstände inspiriert«, erwiderte Simon schneidend.

»Mein Gott.« Joe grinste kläglich. »Ich muss dafür sorgen, dass ich diesen Fehler nicht noch einmal mache.«

Simon sah ihn an. »Ich auch«, erwiderte er.

Es folgte eine Pause.

»Also, wo stehen wir jetzt?«, fragte Joe.

Simon seufzte. »Wie meinst du das?«

»Du weißt schon, sind wir wieder Freunde?«

»Du kriegst einen Einser für Beharrlichkeit, aber die Antwort lautet immer noch: nein.« Simon hielt inne. »Ich kann dich nicht ansehen, ohne an Alex zu denken. Du hast mein Vertrauen missbraucht. Und damit habe ich ein echtes Problem.«

Joe machte eine abschätzige Handbewegung. »Diese Sache mit Alex? Das hat nichts bedeutet.«

Simon schauderte. »Für dich vielleicht nicht.« Er sah Joe ein paar Sekunden lang aufmerksam an. »Darf ich dir eine Frage stellen?«

»Nur zu.«

»Warum bist du so versessen darauf, mein Freund zu sein?«

Joe schnitt eine Grimasse. »Warum?« Er dachte nach. »Ich mag dich. Wir können miteinander lachen.«

»Aber du musst doch hunderte von Freunden haben«, beharrte Simon. »Wozu all die Mühe, hierher zu kommen?«

»Hunderte? Kaum«, antwortete Joe.

Simon runzelte die Stirn. »Du überraschst mich.«

»Es ist die Wahrheit.«

»Was ist mit Angus und Fergus?«, bemerkte Simon in Erinnerung an ihre erste Begegnung.

»O Gott, die beiden sind doch keine *Freunde*«, rief Joe. »Das sind Bekannte.«

»Wo liegt da der Unterschied?«

»Bekannte sind die Leute, die du zu Partys einlädst, aber nur damit sie dich ihrerseits einladen. Sie sind Rohmaterial, Brennstoff für dein Gesellschaftsleben. Du kannst dich auf sie verlassen, wenn es darum geht, eine Runde voll zu bekommen. Das sind nicht die Leute, mit denen du wirklich viel Zeit verbringen möchtest.«

»Aber Freunde sind es?«

»Natürlich. Freunde sind Menschen, die du wirklich *magst*. Menschen, mit denen du einen trinken möchtest. Du kannst mit ihnen reden, mit ihnen lachen. Wie wir zwei«, fügte Joe hoffnungsvoll hinzu.

»Oder du kannst ihnen ihre Freundinnen wegnehmen«, konterte Simon.

Entschlossen und ohne Simons Einwurf zu beachten, fuhr Joe fort. »Freunde sind Menschen, in deren Gegenwart du dich entspannt fühlst, Menschen, bei denen du einfach du selbst sein kannst. Ohne Schauspielerei oder Heuchelei.«

Simon dachte nach. »Wann ist mein Geburtstag?«, fragte er.

Joe sah ihn verständnislos an. »Ich habe keine Ahnung«, bekannte er.

»Wie viele Geschwister habe ich?«

»Oh, Himmel, ich weiß es nicht«, seufzte Joe.

Simon lehnte sich zurück und zuckte die Schultern. »Du weißt gar nichts über mich.«

»Stimmt nicht. Ich weiß, dass du kein großer Curryfan bist«, widersprach Joe. »Und dass du ein hoffnungsloser Romantiker bist.«

Simon schnaubte. »Große Klasse.«

»Na ja, wie auch immer«, meinte Joe stirnrunzelnd, »was hat das denn mit all dem zu tun? Soll das eine Art Test sein, den man bestehen muss, bevor man mit jemandem befreundet sein darf?«

»Nein, aber begreifst du denn nicht, dass es ein bisschen sinnlos ist, einen Freund zu haben, wenn man nichts über ihn weiß? Es *bedeutet* einfach nicht besonders viel. Es ist, als würde man ein Buch empfehlen, das man nicht gelesen hat.«

»Das tue ich ständig«, bemerkte Joe nachdenklich. »Worauf willst du hinaus?«

Simon seufzte. »Na ja, wenn du nichts von dem Buch weißt, macht das die Empfehlung ziemlich hohl, findest du nicht auch?«

»Bücher sind nicht wie Menschen«, versetzte Joe. »Selbst wenn du glaubst, dass du ein Buch nicht anhand seines Covers beurteilen kannst, lässt sich dieses Prinzip nicht auf Menschen anwenden. Ich kann jemanden beurteilen, sobald ich ihn kennen gelernt habe. Ich brauche ihn nicht seit einer Ewigkeit zu kennen. Deshalb bin ich noch lange kein oberflächlicher Mensch. Ein intuitiver Mensch vielleicht. Aber deswegen nicht schlechter.« Es folgte eine Pause. »Sieh mal«, begann Joe wieder, »du und ich, wir sind verschiedene Menschen. Wir erwarten verschiedene Dinge. So viel steht fest. Und das ist gut. Doch unterm Strich gibt es einen Grund, warum wir beide hier sitzen und dieses Gespräch führen.« Simon blickte mit steinerner Miene geradeaus. »Und dieser Grund ist, dass wir einander mögen. Meiner Meinung nach macht uns das zu Freunden.«

»Nun, vielleicht hättest du darüber nachdenken sollen, *bevor* du mit meiner Freundin ins Bett gestiegen bist«, entgegnete Simon mürrisch.

»Na schön«, räumte Joe ein und hob die Hände. »Es war falsch von mir. Das akzeptiere ich. Und wenn du willst, dass wir einander besser kennen lernen, dann geht das in Ordnung.« Joe lächelte; er spürte, dass er Fortschritte machte. »Fang du an. Erzähl mir von deinen Eltern. Was machen die beiden beruflich?«

In Simons Ohren dröhnte es. »Meine Eltern«, antwortete er, »sind tot.«

Joe sah ihn erschüttert an.

»Sie sind vor drei Jahren gestorben«, fuhr Simon tonlos fort.

»Mein Gott, Simon. Es tut mir so Leid. Es tut mir so ...« Joe verfiel in Schweigen und starrte seine Hände unter dem Tisch an.

Simon nickte. »Mir auch.« Er hielt inne. »Du bist nicht mein Freund, Joe«, erklärte er. »Wie könntest du das sein? Du weißt nichts von mir. Gar nichts.«

»Also schön. Ihr zwei da.« Die Stimme dröhnte durch die Lautsprecher des Clubs. Simon spürte, wie sich die Blicke aller Anwesenden im Raum ihnen zuwandten. Ein paar Sekunden lang herrschte absolute Stille. Auf der Bühne hatte die Band innegehalten, und der Saxofonspieler stand am Mikrofon und zeigte in ihre Richtung. »Seit wir angefangen haben zu spielen, habt ihr zwei unaufhörlich geredet. Also, ich habe nichts gegen ein schönes Plauderstündchen, aber das ist nicht der richtige Ort dafür. Der Rest von diesen netten Leuten hier versucht, der Band zuzuhören.« An den Tischen im Raum erhob sich zustimmendes Gemurmel. Simon spürte, wie ihm langsam die Röte vom Hals bis zu den Ohren hinaufstieg. »Und jetzt haut ab! Raus mit euch.« Von irgendwo weiter vorn kam ein selbstgerechtes Aufheulen der Zustimmung. Simon schüttelte ungläubig den Kopf. Sie konnten ihn nicht rauswerfen. Werft *Joe* raus, hätte er am liebsten gerufen. Ich bin nur wegen der Musik hergekommen. Mit mir hat das alles hier nichts zu tun.

Dann wurde ihm klar, dass alle sie ansahen und darauf

warteten, dass sie sich bewegten. Die Band stand auf der Bühne und hatte offensichtlich nicht die Absicht, auch nur noch eine Note zu spielen, bevor sie den Club verlassen hatten. Joe schob seinen Stuhl zurück und stand auf. Sein Gesicht war eine Maske. Simon blieb noch ein paar Sekunden sitzen, während er darum kämpfte, das Geschehene zu begreifen. Schließlich stand auch er auf und ging auf den Ausgang zu, ohne auf den sarkastischen Applaus zu reagieren, der ihn aus dem Raum jagte. Als er die Treppe hinunterstolperte, die auf die anonyme Zuflucht der Straße hinabführte, hörte er einen kurzen Trommelwirbel von der Bühne. Die Musiker bereiteten sich darauf vor, wieder anzufangen. Wie betäubt vor Scham und Wut, trat Simon hinaus auf die Stoke Newington Church Street.

Es hatte zu regnen begonnen.

Einen Augenblick lang stand Simon auf dem Gehsteig, fasziniert von dem Wetter, das sich ebenfalls gegen ihn verschworen zu haben schien.

Joe blickte zum Himmel auf. »Oh, Mist«, schimpfte er leise. Ihr Rauswurf aus dem Club schien ihn weder zu bekümmern noch ihm peinlich zu sein, und seine Ungerührtheit war plötzlich eine unaussprechliche Folter für Simon.

»Bist du jetzt glücklich?«, brachte Simon endlich heraus.

Joe warf Simon einen sarkastischen Blick zu. »Nicht besonders«, antwortete er. »Und du?«

»Was glaubst du?«, fragte er. »Gerade als ich dachte, du könntest keinen Schaden mehr anrichten, tauchst du auf und tust genau das. Ich wollte mir lediglich die Wunden lecken, die Trümmer einsammeln und mein Leben weiterleben. Ich wollte lediglich vergessen, dass ich dir je begegnet bin. Aber du konntest es einfach nicht dabei belassen, nicht wahr? Du musstest zurückkommen und eine letzte kleine Gemeinheit begehen, etwas, das mich für immer an dich erinnern würde.«

Joe runzelte die Stirn. »Wovon redest du eigentlich?«

Simon wies mit dem Kopf auf die Tür des Clubs. »Da drin.«

»Was ist da drin?«, fragte Joe.

»Du musstest dich einmischen, nicht wahr?«

»Simon. Wovon redest du?«

Simon holte tief Luft. »Da drin«, erklärte er, »werde ich lebendig. Da drin höre ich auf, der langweilige alte Simon Teller zu sein, der in einem Geschäft für Zaubereiartikel arbeitet. Es ist, als würde ich aus einem tiefen Schlaf geweckt. Plötzlich ergibt alles einen Sinn. Alles glitzert und funkelt. Alles passt zusammen. Es ist Zauberei.« Er zeigte auf die schwach erleuchteten Fenster des »Vortex«. »Da drin bin ich ganz oben. Ich bin Mahatma Gandhi. Die Fesseln fallen ab. Ich kann alles tun. Es ist wie eine wunderbare Droge. Halluzinogen vielleicht, aber trotzdem eine wunderbare Droge.« Er hielt inne und sah Joe an.

Joe schüttelte den Kopf. »Tut mir Leid«, murmelte er. »Ich kann dir nicht folgen.«

Mittlerweile hatte der Regen ihre Kleidung durchnässt. Sie standen da und starrten einander an, während auf der Straße die Autos spritzend vorbeifuhren. Simon zitterte. »Begreifst du denn nicht? Jetzt hast du all das besudelt.«

Joe zuckte die Schultern. »Aber die lassen dich doch sicher wieder rein, oder?«

»Natürlich tun sie das«, antwortete Simon. »Aber darum geht es nicht. Die Frage ist nicht, ob ich hereingelassen werde, sondern ob ich *dich* draußen halten kann. Jedes Mal, wenn ich jetzt wieder dort hineingehe, werden mich die Erinnerung an heute Abend und an dich und an Alex begleiten. Und das alles wird dort sitzen, auf dem Stuhl neben mir und mir den ganzen Spaß verderben.«

Joe rührte sich nicht. Der Regenguss hatte ihm das Haar flach an den Kopf gedrückt. »Simon«, versuchte er es noch einmal. »Hör mal.« Er hielt inne und holte tief Atem. »Es tut mir Leid. In Ordnung? Es tut mir Leid, dass ich dir ins Gesicht gefurzt habe. Die Sache mit den Kanadiern tut mir Leid. Das mit Alex tut mir Leid, und das mit dem Jazz tut mir Leid. Und das mit deinen Eltern tut mir Leid. Es tut mir Leid, dass ich es nicht wusste. Aber ich weiß nicht, was ich sonst noch tun kann. Es tut mir Leid. Wenn ich die Uhr zurückdrehen könnte, täte ich es. Aber ich kann nicht. Wir sind alle Gefangene der Gegenwart. Wir können nicht einen deiner Zauberstäbe schwingen und Geschehenes ungeschehen machen. Wir müssen beide irgendwie mit diesem ganzen Scheiß zurechtkommen. Es tut mir Leid. Es tut mir Leid.«

Simon sah Joe an. Ein Regentropfen hing ihm an der Nasenspitze, aber er schien es nicht zu bemerken. Er starrte Simon an, einen Ausdruck demütigen Flehens auf dem Gesicht, und machte einen Schritt auf Simon zu.

»Du hast dich entschuldigt«, erklärte Simon. »Du hast dich wirklich entschuldigt.«

Joe nickte und lächelte ein winziges Lächeln. »Ich entschuldige mich noch mal, wenn es hilft.«

Simon dachte nach. Er zuckte die Schultern. »Spar dir die Mühe«, erwiderte er.

Er wandte sich ab.

23. KAPITEL

Fertig?«
»Ich denke schon.«

»Fertig. Mach dich auf was gefasst.« Dean stand auf Zehenspitzen da und schob das lange Metallschwert mitten durch Simons Kopf.

»Ist das die Stelle, an der ich ›Au‹ sagen soll?«, fragte Simon.

»Kommt drauf an«, erwiderte Dean, griff nach dem nächsten Schwert und ließ es auf die Theke klirren, um zu demonstrieren, dass es echt war. »Kommt drauf an, ob du einen Lacher erzielen willst.« Er ging um Simon herum und schob das nächste Schwert von der anderen Seite durch seinen Kopf.

»Wie viele Schwerter haben wir denn?«, erkundigte sich Simon, dessen Stimme in dem hölzernen Kasten gedämpft klang.

»Etwa zehn«, erwiderte Dean. »Soll ich weitermachen?«
»Bitte.«

Dean griff nach dem nächsten Schwert. Dann konsultierte er die Gebrauchsanweisung. »Hier steht, dass dieses hier geradewegs durch den oberen Schlitz geführt werden soll«, berichtete er.

»Hervorragend. Mitten durch meinen Schädel«, murmelte Simon.

»Ich bin mir nicht sicher, ob ich da rankomme«, sagte Dean.

Simon seufzte. »Hier. Gib es mir.« Dean legte Simon das Schwert behutsam in die ausgestreckte Hand. Simon hob es über die Box, in der sein Kopf steckte, und tastete nach dem Schlitz. Einige Sekunden später fand er ihn, und das Schwert war an Ort und Stelle, theoretisch um seinen Schädel säuberlich in zwei Hälften zu spalten. »Bisher scheint doch alles glatt zu gehen«, vermeldete er.

Es war Mittag. Dean und Simon waren allein im Laden und probierten einen neuen Zaubertrick aus – das Material dafür war gerade geliefert worden. Er war eine Version der berühmten Illusion vom verschwindenden Kopf. Der Zauberer stülpt seinem Assistenten eine Holzkiste über den Schädel, dann werden Schwerter in diese Kiste geschoben, mitten durch den Kopf und in den verschiedensten Winkeln. Der Zauberer erklärt, dass er im Begriff sei, ein Wunder zu vollbringen: Er öffnet die Vorderseite des Kastens, und – Tätä! – man sieht nichts außer den Schwertern, die in dem Kasten stecken. Der Kopf des Assistenten ist verschwunden. Es war ein wunderbarer Trick.

»Alles in Ordnung da drin?«, erkundigte sich Dean.

»Du hast mich noch nicht umgebracht, falls es das ist, was du meinst«, antwortete Simon.

»Hervorragend«, rief Dean. »Und ansonsten?«

Simon starrte in die Dunkelheit, die ihn umgab, und dachte nach. »Ansonsten, Dean, vielleicht nicht so gut.« Er konnte hören, wie Dean um ihn herumging. Ein oder zwei Sekunden später erschien das nächste Schwert. »Ich bin froh, dass du das machst, Dean«, bekannte Simon. »Ich kann darauf bauen, dass du es richtig machst und mir nichts tust.«

»Ich hoffe es«, murmelte Dean vor sich hin.

»Ich meine, ist es denn eine solche Überheblichkeit,

von seinen Freunden ein wenig Vertrauen und Loyalität zu erwarten?«

»Halt still, während ich das nächste Schwert reinschiebe, ja?«, bat Dean, wobei er die ihm gestellte Frage mit Bedacht ignorierte.

»Ich meine, Joe hat nicht nur mit meiner Freundin geschlafen, sondern erwartet dann auch noch, dass wir anschließend immer noch Freunde sind. Wofür hält der mich eigentlich? Für eine Art Fußabtreter?«

»Keine Ahnung«, antwortete Dean.

»Das war eine rhetorische Frage«, gab Simon gereizt zurück.

»Entschuldige«, brummte Dean.

»Na ja, wie auch immer, ich hab es ihm erklärt. Ich habe mich ganz klar ausgedrückt. Ich hatte die Nase voll. Gott weiß, wie viele blaue Flecken meine Selbstachtung bekommen hat, seit er in mein Leben getreten ist.« Simon hielt inne. Er dachte daran, wie er in seinem Badezimmer stimmgewaltig Übelkeit vorgetäuscht hatte, um Rachel Gilbert abzuschrecken, und wie er sich aus dem »Slick Tom's« gestohlen hatte, um der grässlichen Debbie zu entrinnen. Er dachte an Corky und seinen katastrophalen Haarschnitt und an die Demütigung, in Joes Wohnung zu stehen und Alex Petries Stimme auf dem Anrufbeantworter zu hören. Er dachte daran, wie man ihn aus dem Jazzclub geworfen hatte. Er schauderte.

»Da kommt das nächste«, warnte Dean, als ein weiteres Schwert Simons Kopf durchbohrte.

»Was habe ich mir bloß dabei gedacht?«, fragte sich Simon.

»Ich weiß es nicht«, antwortete Dean geistesabwesend.

»Entschuldige mich bitte, Dean, wenn es recht ist?«,

fuhr Simon ihn an. »Es besteht keine Notwendigkeit, mich dauernd zu unterbrechen, oder?«

»Entschuldige«, murmelte Dean noch einmal.

»Wo war ich?«, fuhr Simon fort. »Oh ja. Ich begreife jetzt einfach nicht mehr, warum ich so lange gebraucht habe, um dahinter zu kommen, was los war. Mein Gott. So viel zum Thema Scheuklappen. Er hat mich so verwirrt, dass ich nicht mehr über meine eigene Nasenspitze hinaussehen konnte.«

Um keinen neuerlichen Tadel zu riskieren, hielt Dean klugerweise den Mund und stach stattdessen lediglich ein weiteres Schwert durch Simons Kopf.

»Wenn ich jetzt zurückblicke, ist mir klar, dass ich hätte voraussehen müssen, dass so etwas passieren würde. Ich war ein absoluter Trottel. Ich meine, um Himmels willen, gleich bei unserer allerersten Begegnung hat Joe mich ins Krankenhaus befördert, verdammt. Er ist ein Soziopath. Das lag damals schon auf der Hand. Aber nein, nein, ich musste es ja auf die harte Tour herausfinden, nicht wahr? Ich konnte mich ja nicht von gesundem Menschenverstand leiten lassen oder von Instinkt. *Ich* konnte das nur kapieren, indem ich mich selbst absolut demütigte. Ich komme mir so idiotisch vor.«

Dean schwieg.

»Wie auch immer«, fuhr Simon fort. »Mir reicht es jetzt. Ich habe genug. Ich steige da aus. Ich ziehe mich aus dem Verkehr. Ich habe die Schnauze voll. Ich beabsichtige, in Zukunft zu Hause zu bleiben und mir meine Jazzplatten anzuhören. Keine Frauen mehr für mich. Oder Freunde. Wer braucht schon ein Gesellschaftsleben? Es ermüdet nur und kostet Geld, das ist alles.«

Beide Männer ließen sich das schweigend durch den Kopf gehen.

»Wenn ich jetzt so darüber nachdenke, war Joe schon ein Scheißkerl, *bevor* er mir ins Gesicht gefurzt hat«, stellte Simon bei der Erinnerung an ihre erste Begegnung fest. »Er hat es geschafft, dass ich vor einem ganzen Raum voller Fremder wie ein Hanswurst dastand. Ich meine, wer hat nicht schon mal von Zeit zu Zeit in der Badewanne masturbiert? Sehen wir den Tatsachen doch ins Auge, wir haben das alle schon getan, oder?«

»Bisschen still hier heute, findest du nicht auch?«, fragte Dean.

»Aber das war nicht das wirklich Schreckliche. Das Schlimmste war, dass Joes blöde Geschichte mir meine Chancen bei dieser wunderschönen Französin verdorben hat, die bei der Party war. Delphine hieß sie. Sie war umwerfend. Na ja, nachdem Joe seine Geschichte erzählt hatte, konnte sie mich nicht mehr ansehen, ohne zu lachen, damit war das also zu Ende. Mein Gott. Sie war perfekt. Ich meine, wirklich, wirklich perfekt. Ich hätte sie den ganzen Tag lang einfach nur ansehen können. Und sie war Französin.«

»Sagtest du bereits«, warf Dean ein.

»Ja, aber nicht einfach nur Französin. Du verstehst schon, sie war *Französin*. So wie Französinnen sein sollen, bloß dass sie es in Wirklichkeit nie sind. Du weißt schon, sexy, schön, sehr schick. Wie diese ... Wie hieß sie noch gleich? Nicole! Die Französin in den Autoannoncen.«

»Oh, yeah«, rief Dean, erleichtert, dass er endlich etwas von Simons Ausführungen verstanden hatte. »Sie war sehr nett. Hat mir gut gefallen.«

»Genau. Sehr nett. Aber hast du jemals in Wirklichkeit so eine Französin kennen gelernt?«

»Ähm, nein?«, versuchte Dean es, der, soweit er sich

erinnern konnte, überhaupt noch nie eine Französin kennen gelernt hatte.

»Nein. Genau. Nicole existiert nur in Männerfantasien, Autoannoncen und Hochglanzzeitschriften. In Wirklichkeit sind die Französinnen nicht anders, nur dass sie einen erotischen Akzent haben und sich die Achseln nicht rasieren.«

»Ähm, Simon«, sagte Dean.

»Bis auf Delphine«, fuhr Simon fort. »Sie war der Inbegriff der Französin. Sie war so kultiviert und sexy, wie du es dir nur vorstellen kannst. Und sie war witzig und geistreich. Mein Gott. Sie war einfach umwerfend.« Simon starrte in die Dunkelheit und dachte an Delphine.

»Simon«, wiederholte Dean und hüstelte bedeutungsvoll.

»Und was tue ich, wenn ich diese perfekte Frau kennen lerne? Wie reagiere ich auf diese Chance, wie man sie nur einmal im Leben bekommt, eine Chance, wie sie sich einem niemals wieder bieten wird? Ganz einfach: Ich gebe zu, dass ich in der Badewanne masturbiere, und dann verrenke ich mir beim Twister das Handgelenk. Geht es dir nicht gut?«

»Doch, alles bestens«, versicherte Dean, der laut gehustet hatte, während Simon gesprochen hatte. »Jetzt kommt das letzte Schwert.« Er stieß die Klinge durch das einzig verbliebene Loch.

Simon seufzte. »Weißt du, Dean, wenn ich damals gewusst hätte, was ich jetzt weiß ...«

»Alles klar«, unterbrach Dean ihn eilig. »Machen wir vorne auf, ja? Fertig?«

»Fertig«, antwortete Simon.

Dean schob zwei kleine Bolzen zurück, die die Türen

an der Vorderseite der Holzkiste geschlossen hielten. Er öffnete die Türen. Wo eigentlich Simons Kopf sein sollte, waren nichts als Schwertklingen. Ansonsten war die Kiste leer. Simon hörte ein erstauntes Aufkeuchen. Es war noch jemand anderes im Laden.

»Wer ist da?«, wollte Simon wissen.

»Eine Kundin«, erklärte Dean.

»Um Gottes willen, Dean«, bluffte Simon ihn an, »du hättest mir verdammt noch mal mitteilen können, dass jemand hier war, bevor ich anfing, wie ein Geisteskranker vor mich hin zu schwadronieren.«

»Ich hab es ja versucht«, erwiderte Dean freundlich. »Du weißt schon, das Husten.«

»Oh, toll, das Husten. Sehr hilfreich. Wie soll ich wissen, was ein Husten bedeutet? Ich dachte, du hättest einen Frosch im Hals.«

Dean schloss die Türen des Holzkastens und begann, die Schwerter herauszuziehen.

»Warum hast du mir nicht einfach gesagt, ich soll den Mund halten?«, maulte Simon.

»Na ja«, gab Dean verlegen zurück, »sie wollte nicht, dass ich es tue.«

Simon erstarrte. »Was?«

»Sie wollte nicht, dass ich es tue«, wiederholte Dean. »Sie hat einen Finger auf die Lippen gelegt.«

Simon stieß hörbar die Luft aus. Es war Alex Petrie, wieder einmal. Er starrte in die Dunkelheit der Holzkiste und fragte sich, was sie jetzt wohl schon wieder von ihm wollte. Dann versuchte er, zu einem Entschluss zu kommen, wie er diese Szene angehen sollte. Cool, gelassen und leidenschaftslos? Oder düster, brütend, emotional aufgewühlt?

Simon wandte sich in die Richtung, aus der er glaubte,

das Aufkeuchen vorhin gehört zu haben. »Hallo«, sagte er kühl.

Einen Augenblick lang herrschte Schweigen. Dann meinte Dean: »Sie winkt dir zu.«

»Wird sie denn nichts sagen?«, erkundigte sich Simon.

»Ähm, nein. Zumindest schüttelt sie den Kopf«, antwortete Dean.

Simon beschloss, es mit der Methode ›düster, brütend, emotional aufgewühlt‹ zu versuchen. Abgesehen von allem anderen erschien es ihm nur passend, da ihm im Augenblick ein Haufen Schwerter aus dem Kopf ragten.

»In Ordnung. Wird sie mir wenigstens ein oder zwei Fragen beantworten?«

»Sie nickt«, vermeldete Dean.

»Hervorragend.« Simon dachte nach. »*Warum?* Warum hast du es getan?«

Von der anderen Seite des Raums kam ein Murmeln. »Warum hat sie was getan?«, hakte Dean nach.

»Warum hat sie mit ihm geschlafen?«

Ein paar Sekunden verstrichen, während Dean und Alex sich leise miteinander berieten. Schließlich verkündete Dean: »Sie will wissen, mit wem sie geschlafen haben soll?«

Simon schnaubte. »Oh, na komm schon. Mit Joe natürlich.«

Weiteres Getuschel. Dean erklärte: »Sie sagt: ›Meinst du den Joe von der Dinnerparty?‹«

Dinnerparty?

»Denn wenn ja«, fuhr Dean fort, »dann hat sie definitiv nicht mit ihm geschlafen, niemals.«

Ein Weilchen später saßen Simon und Delphine in einem Café und tranken jeder eine Cola light.

»Das ist mir unglaublich peinlich«, versicherte Simon zum achten Mal.

Delphine kicherte. »Das muss es nicht sein. Es war komisch.«

»Ich dachte, du wärst jemand anderes«, erklärte Simon.

Delphine legte ihm eine Hand auf den Arm. »Simon, ich weiß. Das hast du mir jetzt x-mal erzählt. Es ist in Ordnung.«

»Aber all die Sachen, die ich gesagt habe. Über dich.«

»Ah. Also, *das* war äußerst interessant.« Delphines Augen glitzerten schelmisch.

»Wie viel hast du gehört?«

»Nicht alles, leider.«

»Es ist mir unglaublich peinlich«, meinte Simon zum neunten Mal.

»Nein, das darf es nicht sein«, entgegnete Delphine. »Tatsächlich hat es mich sehr gefreut, das zu hören, weil ich mich schon seit einer Weile gefragt habe, was nach der Dinnerparty aus dir geworden sein mochte.«

Simon sah sie vorsichtig an. Ihr Akzent klang wundervoll. »Wirklich?«, murmelte er.

»Oh ja. Aber wie dem auch sei, ich hatte schon so ein Gefühl, dass du vielleicht so empfinden würdest.«

Simon spürte, wie seine Wangen heiß wurden. »Ach ja? Wieso?«

»Joe hat es mir erzählt, als er mich gestern Abend anrief. Er hat mich gebeten, heute hierher zu kommen, um zu fragen, ob du ihm verzeihen würdest.«

Simon blinzelte. »Das hat er getan?«

»Oh ja. Er wollte unbedingt, dass ich heute herkomme und mit dir spreche.«

»Dann wusstest du also, bevor du gekommen bist, über meine Gefühle Bescheid?«

Delphine nickte.

»Und du bist trotzdem gekommen?«

Delphine nickte abermals.

Simon dachte nach. »Donnerwetter«, entfuhr es ihm schließlich. »Also, was genau hat Joe dir erzählt?«

»Nun ja, er meinte, bei eurem Streit ginge es um eine Frau.«

Simon machte eine wegwerfende Handbewegung. »Eine Frau?«, schnaubte er. »Nun ja, wahrscheinlich. Irgendwie schon. Aber mach dir wegen *ihr* keine Gedanken«, erwiderte er, eifrig darauf bedacht, sich nicht allzu weit von der viel interessanteren Frage zu entfernen, was Delphine für ihn empfand.

»Aber ich habe Joe versprochen, dass ich mit dir darüber reden würde«, berichtete Delphine. »Ich glaube, er war sehr aufgeregt. Wirklich traurig. Ich glaube, er möchte immer noch dein Freund sein.«

Simon schnitt eine Grimasse. »Das behauptet er. Aber ich habe nie verstanden, warum er überhaupt so versessen darauf war, mit mir befreundet zu sein.«

Delphine dachte nach. »Vielleicht ist er sehr einsam«, entgegnete sie leise.

»Zu viele Bekannte und nicht genug Freunde«, meinte Simon versonnen. Er hatte nicht vergessen, dass Joe zwischen diesen beiden Bezeichnungen deutlich unterschied. Er sah Delphine an und lächelte. »Ich brauche seine Freundschaft nicht«, erklärte er, und es war ihm ernst damit. »Ich meine, wozu hat man denn Freunde?«

Delphine zuckte die Schultern. »Um dich glücklich zu machen? Damit sie für dich da sind, wenn du sie brauchst?«

»In Ordnung«, stimmte Simon zu. »Also, rückblickend hat Joe mich fast die ganze Zeit über unglücklich gemacht. Und wenn ich ihn brauchte, kam er unweigerlich daher und machte die Dinge noch schlimmer, als sie schon waren.«

Delphine sah ihn an. »Ich glaube, du hast dich in dieser Sache schon entschieden.«

»Ganz recht.«

»Es ist wichtig, dass du Entscheidungen treffen und dich daran halten kannst«, bemerkte Delphine. »Das gefällt mir.«

»Nun«, gestand Simon, »ich war nicht immer so schrecklich konsequent.« Er hielt inne. »Zumindest *glaube* ich nicht, dass ich es war.«

»Du brauchst nur den Mut zu deinen Überzeugungen«, gab Delphine zurück.

Simon verbarg sein Lächeln. »In der Tat«, stimmte er ihr zu.

»Und was ist mit mir?«

»Was soll mit dir sein?«, hakte Simon nach.

»Bist du wirklich überzeugt von dem, was du über mich sagtest, als dein Kopf in diesem Kasten steckte?«

Simon blinzelte. »Absolut. Nehme ich an.« Er hielt inne. »Wenn das, hm, du weißt schon, okay ist.«

Delphine lachte. »Klar ist es okay«, versicherte sie. »Es freut mich.«

»Wirklich?«, stieß Simon hervor.

»Wirklich«, antwortete Delphine.

»Wow«, murmelte Simon.

24. KAPITEL

Wow«, rief Arabella.
»Hmhm«, sagte Simon.

»Nein, wirklich. Ich meine es ernst: wow! Das ist großartig.«

Simon schnitt eine Grimasse. »Yeah.«

Bella schob ihrem Bruder eine Schale mit dampfender Suppe hin. »Du klingst nicht sehr überzeugt«, bemerkte sie.

»Das ist es nicht«, erwiderte Simon. »Ich meine, natürlich bin ich überzeugt. Wer wäre das nicht? Sie ist wundervoll. Ich mache mir nur einfach Sorgen.«

»Du? Sorgen um eine Frau? Bestimmt nicht.«

Simon seufzte. »Wir gehen nächste Woche abends zum Essen aus. Und ich weiß nicht, was ich tun soll. Ich hatte in letzter Zeit eine furchtbare Pechsträhne. Und diesmal will ich es auf keinen Fall verpfuschen, auf gar keinen Fall. Das hier ist etwas Besonderes. Das könnte etwas Großes werden.«

»Also, wo habe ich das schon mal gehört?«, überlegte Bella laut.

Simon hob die Hände. »Ich weiß, ich weiß. Aber diesmal ist es anders. Wirklich.«

»Und warum siehst du dann so aus, als hätte es dir die Petersilie verhagelt, mein Freund?«

»Na ja, das ist ja das Problem. Es geht diesmal um mehr.«

Arabella schüttelte verzweifelt den Kopf. »Was sollen wir bloß mit dir machen?«, fragte sie.

»Mich einschläfern lassen?«

»Ich werde dich höchstpersönlich einschläfern. Du bist ein Idiot. So.«

Simon grinste. »Vielen Dank«, sagte er.

»Hast du sie wirklich gern?«, wollte Sophie wissen.

Simon sah seine Nichte über den Tisch hinweg an. »Ja, Soph, habe ich. Ich habe sie *sehr* gern.«

»Ist sie hübsch?«

»Oh ja. Sehr.«

»Hübscher als ich?«, fragte Sophie scharf.

Simon blickte schockiert drein. »Sei nicht dumm.«

Bella verdrehte die Augen.

Sophie strahlte. »Hat sie dich denn auch gern?«, löcherte sie ihn weiter.

»Ich glaube, ja.«

Sophie runzelte die Stirn. »Warum machst du dir dann Sorgen?«

Simon zuckte die Schultern. »Weil es schwierig ist.«

»Was ist schwierig?«

»Ach, vergiss es«, murmelte Simon. »Du wirst es bald genug selbst herausfinden.«

»Liebst du sie?«

»Sophie, iss deine Suppe«, mischte Arabella sich ein.

»Glaubst du, du wirst bald heiraten? Darf ich dann bitte Brautjungfer sein?«

»Nein, Simon wird nicht heiraten«, erklärte Arabella, bevor Simon antworten konnte. Dann wandte sie sich zu ihrem Bruder um. »Sie hat im Augenblick einen Hochzeitsfimmel«, erzählte sie. »Wir haben die Feen hinter uns gelassen und machen langsam Fortschritte.«

»Ah.« Simon nickte.

»Glücklicherweise macht das, was die Kostüme betrifft, keinen allzu großen Unterschied. Man braucht lediglich die Flügel abzunehmen.«

»Aber *wenn* du heiratest, darf ich dann bitte Brautjungfer sein?«, beharrte Sophie.

»Natürlich darfst du«, erklärte Simon lächelnd. Er hatte bereits beschlossen, Sophie zur Brautjungfer zu machen. (Er hatte außerdem auch das Menü für das Hochzeitsfest zusammengestellt und eine grobe Gästeliste verfasst.)

»Heiraten ischt etwas gansch Beschonderes«, sagte Michael, der dem Gespräch mit nicht zu deutender Miene gefolgt war. »Dasch Beschte, wasch isch je getan habe.«

Arabella sah ihren Mann nachsichtig an. »Ah, mein Schatz. Das ist ja so lieb von dir. Mein Held.«

Michael zuckte die Schultern und sah zu Simon hinüber. »Ich meine esch ernscht«, murmelte er mit geschwollenen Lippen.

Seit Michael am vergangenen Donnerstagabend nach Hause gekommen war – ziemlich erschüttert, nachdem er bei der Arbeit gestolpert und mit dem Gesicht voraus in einen Aktenschrank gestürzt war (wobei er sich eine Vielzahl geringfügigerer Verletzungen zugezogen hatte) –, hatte sein Verhalten eine außerordentliche Wende genommen. Plötzlich waren seine Abendtermine alle abgesagt, und er hatte das Wochenende damit zugebracht, im Garten zu arbeiten und seinen gebrochenen Kiefer zu pflegen. Jetzt war er ein lammfrommer und aufmerksamer Ehemann und Vater. Er hatte sogar eine Zaubervorstellung in epischer Länge durchgestanden, bei der Sophie ihm jeden Trick, den sie kannte, vorgeführt hatte, und das sogar zweimal. Beim zweiten Mal hatte Michael noch mehr applaudiert – jedenfalls so gut er das mit zwei

Fingern in Gips konnte. Es blieb abzuwarten, ob Michaels wundersame Verwandlung in einen liebenden Familienvater von Dauer sein würde, ging es Simon durch den Kopf.

Er aß seine Suppe und dachte an Delphine. Während sie in dem Café gesessen hatten, hatte Delphine geduldig darauf gewartet, dass Simon den Mut fand, sie zum Essen einzuladen. Endlich war es ihm mit sichtlicher Mühe gelungen, sich die Worte abzuringen. Jetzt sah er ihrem bevorstehenden Rendezvous mit einem unausweichlichen Gefühl tiefer Furcht entgegen. Das hatte nichts mit Delphine zu tun – weit davon entfernt. Es war lediglich ein Triumph der Erfahrung über den Optimismus.

Seine Gedanken verirrten sich kurz zurück zu Joe. Simon wusste genau, wie *er* das Problem angehen würde, und seufzte. Er wollte nicht mehr an Joe denken. Das hatte er lange genug getan. Trotzdem, ganz gleich was Joe auch sonst noch getan hatte, er hatte Delphine zu ihm geschickt. Simon war sich noch nicht sicher, ob er ihm dafür ewig dankbar sein würde oder ob dieser Umstand sich nicht erst recht als ein Grund entpuppen würde zu vergessen, dass Joe jemals in sein Leben getreten war.

Sophie schlürfte den letzten Rest ihrer Suppe von ihrem Löffel. »Simon«, begann sie, »erinnerst du dich an den Abend, an dem ich in deiner Wohnung geschlafen habe?«

»Natürlich«, antwortete Simon.

»Na ja, ich habe da noch eine Frage zu etwas, worüber wir damals gesprochen haben.«

Simon war sofort auf der Hut. Im Angesicht dieser neuen Bedrohung erstarb das warme, wuschelige Gefühl, das seine Gedanken an Delphine ihm beschert hatten, und löste sich in Luft auf. »Nun, Soph, wie wär es, wenn wir darüber später reden würden? Ich bin mir nicht sicher, ob wir nicht alle anderen damit langweilen würden.«

»Es ist nicht langweilig«, beharrte Sophie und klang ein klein wenig gekränkt.

»Nein, natürlich nicht, nicht *langweilig*, aber vielleicht sollten wir trotzdem später darüber reden«, bemerkte Simon hastig.

»Geht es dabei vielleicht zufällig um Pat den Postboten?«, fragte Bella argwöhnisch.

»Oh nein«, versicherte Simon schnell.

»Ja, das tut es«, verkündete Sophie.

Es folgte eine Pause.

»Oh. *Dieses* Gespräch«, meinte Simon schwach.

»Ich dachte, du hättest gesagt, du weißt nichts darüber«, klagte Bella ihn an.

»Ähm, das stimmt«, stotterte Simon. »Ich wusste auch nichts. Weiß nichts. Das heißt, ich hab es vergessen.«

»*Wirklich.*« Bella zog sarkastisch eine Augenbraue in die Höhe.

»Na ja, wie auch immer«, fügte Simon schnell hinzu. Das Gespenst von Pat dem Postboten und seiner schwarzweißen Katze, ganz zu schweigen von seiner großen Nase, ragte über ihm auf wie die glitzernde Klinge einer Guillotine, und er wollte dringend das Thema wechseln. Er wandte sich an Michael. »Tut mir Leid, das mit dem Aktenschrank«, murmelte er.

Michael sah Simon an, und hinter seinen angeschwollenen Augen, die mit prächtigen dunkelpurpurfarbenen Flecken umringt waren, flammte Argwohn auf. »Danke schön«, entgegnete er knapp.

»Kann ziemlich gefährlich zugehen in solchen Büros«, bemerkte Simon.

»In der Tat«, antwortete Michael.

Es folgte eine Pause.

»Also, zurück zu unserem Freund Pat dem Postboten«, entschied Bella energisch. »Was war es, was du Simon fragen wolltest, Sophie?«

»Nun ja«, meinte die Kleine, »ich hab nur so gedacht ... Du weißt doch, was wir an dem Abend über Pat den Postboten besprochen haben?«

»Sophie, findest du nicht, dass wir später darüber reden sollten?«, bat Simon nervös.

»Nein«, erwiderten Sophie und Bella einstimmig.

Simon lehnte sich beklommen auf dem Stuhl zurück. »Na schön, also gut«, seufzte er resigniert. »Was wolltest du wissen?«

»Ich habe nachgedacht«, berichtete Sophie.

»Ja«, sagte Simon, Böses ahnend.

Sophie nickte versonnen und zeigte dann auf Michaels Nase. »Daddy ist ein Wichser, nicht wahr?«

Simon schloss die Augen.

DISKOGRAFIE

Saxophone Colossus – Sonny Rollins, Prestige

Jazz Classics, Volume One – Sidney Bechet, Blue Note

Kind of Blue – Miles Davis, Columbia

The Modern Jazz Quartet Plays the Music from Porgy and Bess – Philips

Klarinettenkonzert in A-Dur, KV 622 – W. A. Mozart, Decca

Piano Music – Erik Satie, gespielt von Peter Lawson, EMI Classics for Pleasure

Conception – Bill Evans, Milestone

Down in the Village – The Tubby Hayes Quintet, Fontana

NACHWEIS ANGEFÜHRTER
GEDICHTSTELLEN

Dickinson, Emily: »My Life closed twice before its close.«
Deutsch von Annemarie und Franz Link (»Zweimal
endete mein Leben vor seinem Ende«) in: Franz Link
(Hg.): Amerikanische Lyrik vom 17. Jahrhundert bis
zur Gegenwart, Stuttgart: Reclam 1984, S. 175.

»Doubt«. Text: Smith, Gallup, Tolhurst. © Friction Song
Ltd. Abgedruckt mit Genehmigung.

Larkin, Philip: »For Sidney Bechet.« (Auszug) aus den
Collected Poems. Abgedruckt mit Erlaubnis von Faber
and Faber Ltd. Deutsche Nachdichtung von Klaus-
Dieter Sommer in: Philip Larkin: *Mich ruft nur meiner
Glocke grober Klang*, Hg. Karl Heinz Berger, Berlin: Ver-
lag Volk und Wissen 1989, S. 99.

Shelley, Percy Bysshe: *Der entfesselte Prometheus. Lyrisches
Drama in vier Akten.* Deutsch von Rainer Kirsch. Leip-
zig: Insel-Verlag 1979, S. 58.

Ders.: »Lines Written Among the Euganean Hills.« (Zeile
90–98)

ALEX GEORGE

Wir können auch anders

Roman

Johnathan Burlip ist Anwalt, beliebter Ersatzgast, wenn in
letzter Sekunde jemand beim Dinner abgesagt hat, Virtuose im
Hemdenbügeln und erst mal solo, seit er – selbstverständlich
aus reiner Notwehr – die Katze seine Ex-Freundin mit der
Bratpfanne erschlagen hat. Als er auch noch seine Stelle in
einer angesehenen Kanzlei verliert, geht das Chaos richtig
los: Auf der Suche nach einem neuen Job landet er in einer
obskuren Hinterhofkanzlei und gerät im Rahmen seines
ersten Auftrags versehentlich an einen Berufskiller. Für diesen soll er Spielschulden eintreiben, sonst setzt's was. Wie
es der Zufall will, handelt es sich bei dem Schuldner ausgerechnet um Johnathans leicht unterbelichteten Halbbruder
Gregory, mit dem er sich noch nie gut verstanden hat.
Johnathan wäre der Verzweiflung nahe, gäbe es da nicht
seinen alten Freund Jake und die erfrischend unkonventio-
nelle Kibby, die ihm mit Rat, Tat und viel Herz (letzteres gilt
vor allem für Kibby ...) zur Seite stehen ...

ISBN 3-404-14410-4

BASTEI
LÜBBE

Alex Shearer

Zweite
Halbzeit

Roman

Einst zählten Theo und Len zu den besten Fußballern
der Nationalelf, jetzt träumen sie nur noch vom Ruhm
vergangener Tage und müssen sich die großmäuligen
Sprüche ihres jüngeren Kollegen Denzil anhören, der
sich für den Fußballexperten schlechthin hält. Als Len
in einem unbedachten Moment damit prahlt, seine
damalige Mannschaft könne Denzils Fußballteam
jederzeit schlagen, nimmt Denzil die Herausforderung
an ...

ISDN 3-404-14644-1

Von dem verschlafenen Tipperary nach Galway zu ziehen, ist ein großer Schritt für ein 18-jähriges Zwillingspaar. Juno und Juliet sind begierig darauf, alles kennen zu lernen, was das (Universitäts-) Leben zu bieten hat, aber zunächst ist das College eine herbe Enttäuschung, es gibt allerdings Lichtblicke, die das wieder wettmachen: die Theatergruppe, der schelmische Michael und der wundervolle Literaturdozent David Hennessey. Juno und Juliet treffen auf echte Leidenschaft und wahre Inspiration. Plötzlich ist das Leben fast aufregender, als den beiden Schwestern lieb ist – erst recht, als sie unheimliche Drohbriefe erhalten und mit einem Todesfall konfrontiert werden …

Ein umwerfendes Buch: fröhlich und geistreich-witzig!

ISBN 3-404-14706-5